LE GUIDE PHOTO

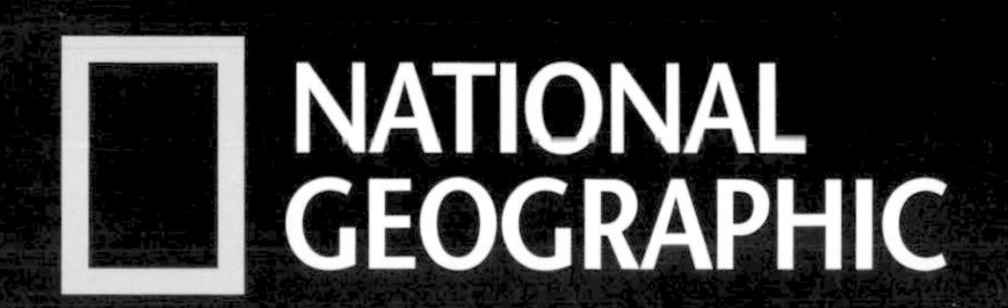

LE GUIDE PHOTO

SOMMAIRE

Page de gauche : portrait d'une petite Afar d'Éthiopie âgée de neuf ans, par Carsten Peter.

Introduction

Préparer l'édition révisée d'un ouvrage, c'est un peu comme peaufiner une vieille recette de famille. Certains des ingrédients originaux peuvent être démodés, il faut alors les remplacer avec ce que l'on a aujourd'hui à disposition. Et en un tournemain, on obtient la version moderne d'un classique ! Pour la réactualisation de ce guide, nous avons tenu à garder le même panel de rédacteurs et d'experts, avec les photos éloquentes qu'ils ont choisies, mais nous avons bien sûr mis à jour les informations techniques et supprimé la mention des matériels, logiciels et sites Web déjà devenus obsolètes depuis la première publication de ce livre.

De fait, à mesure que vous progresserez dans votre lecture, vous découvrirez que les auteurs vous invitent à photographier ce qui vous intéresse plutôt que ce que vous pensez devoir photographier. Essayez, faites des erreurs, recommencez. La photographie peut être très technique comme elle peut rester un vrai plaisir. J'espère que cet ouvrage vous sera utile dans ces deux optiques.

Dans les trois premiers chapitres, le photographe Bob Martin expose les principes fondamentaux de la photographie. Le chapitre 1 est une initiation destinée à ceux qui souhaitent tirer le meilleur parti d'un appareil compact. Le chapitre 2 livre des explications simples sur les règles de base de la prise de vue. Le chapitre 3 s'adresse à ceux qui maîtrisent ces règles de base et qui souhaitent réaliser des travaux plus ambitieux.

Aujourd'hui, les téléphones-appareils photo se banalisent. Le chapitre 4 nous invite à partager le voyage aux États-Unis du photographe Robert Clark avec pour seul équipement un simple téléphone-photo et quelques lampes d'appoint. Clark a pu mesurer les limites de ces appareils par rapport à son matériel plus sophistiqué, mais il a aussi constaté que le téléphone-appareil photo lui laissait plus de liberté grâce à sa taille réduite. Je crois que vous serez agréablement surpris par les résultats.

Au chapitre 5, le photographe John Healey résume une énorme masse d'informations techniques en douze points clés indispensables sur Adobe Photoshop® ou tout autre logiciel de traitement de l'image. À partir de la photo d'une rue de Paris, il vous présente les différentes « retouches » à votre disposition pour améliorer une image.

Aux chapitres 6 et 8, le photographe Richard Olsenius vous dévoile les meilleures techniques de tirage et de numérisation. Grâce à ses conseils simples et progressifs, vous pourrez gérer vos photos numériques à votre guise.

La photographie argentique n'a pas complètement disparu. Comme dans toute mutation, le meilleur du passé subsiste. Au chapitre 7, l'archiviste et éditeur de photographies Robert Stevens retrace les évolutions techniques et les moments historiques qui ont conduit la photographie de l'argentique au numérique. Des encadrés expliquent comment réaliser un photogramme ou un sténopé et quand utiliser un film Holga ou Polaroid.

Écrivain et photographe, Debbie Grossman vous explique, au chapitre 9, comment archiver vos images, aux formats argentique et numérique. Ce chapitre est divisé selon le type d'archivage : minimaliste ; appareils compacts ; appareils reflex numériques qui exigent beaucoup d'espace sur le disque dur. Désormais, il vous sera impossible de perdre vos fichiers.

Cet ouvrage serait incomplet sans les conseils avisés de deux femmes de grand talent. Écrivain et mère de trois enfants, Fran Brennan livre, au chapitre 10, des conseils pour réaliser neuf projets remarquables en photographie numérique. Plus besoin de chercher des idées de cadeaux ! Et l'éditrice de photos Sheryl Mendez, qui a travaillé pour l'agence Magnum et U.S. News & World Report, a repris ses notes pour livrer une liste de ressources utiles, au chapitre 11 qui clôt cet ouvrage : vous y trouverez des sites Internet, des magazines et des organismes en rapport avec la photographie.

À travers ses textes et surtout ses illustrations, ce livre révèle combien les images des photographes qui travaillent pour la National Geographic Society nous inspirent. Leur attachement aux détails et à l'excellence ainsi que leur passion pour les sujets qu'ils traitent nous aident à faire nos premiers pas. Puissent ces images vous inspirer à leur tour.

— Bronwen Latimer

Acheter un appareil numérique

Je suis toujours un peu embarrassé quand quelqu'un me demande mon avis sur le type d'appareil photo numérique qu'il vaut mieux acheter, cela dépend en effet de tant de choses ! J'ai donc tenté de dresser une liste des nombreux paramètres qu'il est réellement indispensable de prendre en compte avant de passer à l'achat. Actuellement, on peut dire que deux grandes catégories de numériques se partagent le marché, entre lesquelles il faut choisir. À vous de vous décider en premier lieu pour un appareil compact ou pour un reflex dit D-SLR (Digital Single Lens Reflex).

LES APPAREILS COMPACTS

Pour les amateurs de photos de famille, même débutants, l'appareil numérique compact moderne semi-professionnel est imbattable. Doté d'un objectif fixe et d'un flash intégré, avec un viseur optique ou numérique de base, cet appareil est idéal pour 90 % de vos photos ordinaires. Même si vous êtes un grand débutant – qui ne manque pas moins d'ambition ! – c'est l'appareil qu'il vous faut. La plupart de ces boîtiers ont un réglage entièrement automatique qui permet de prendre des photos instantanées. Les meilleurs modèles sur le marché proposent aussi des réglages manuels pour vous aider à élargir vos horizons photographiques. Certains de ces modèles vous offrent même la possibilité de prendre un film de 30 secondes si le cœur vous en dit.

Les appareils compacts sont très maniables.

Pour choisir un appareil compact, tenez compte des paramètres suivants :

- Le capteur doit afficher au moins 5 mégapixels, pour des tirages de bonne qualité jusqu'au format 20 x 25 cm.
- Optez pour un zoom optique ; évitez les zooms numériques, qui se contentent d'agrandir un détail de l'image du capteur.

- L'appareil doit avoir une sélection de réglages et de priorités manuelles, et un flash intégré avec fonction anti-yeux rouges.
- L'écran LCD de l'appareil doit être suffisamment grand pour vous permettre de visualiser vos photos. Il vous apportera une aide précieuse.
- Assurez-vous que l'autonomie de la batterie est assez longue.
- L'appareil doit pouvoir se raccorder à votre ordinateur via un câble USB2.0.
- Choisissez un appareil qui accepte un des principaux formats de carte mémoire, le Compact Flash (CF) et le Secure Digital (SD).
- Assurez-vous que l'appareil est compatible Exif pour permettre des tirages simples et rapides.

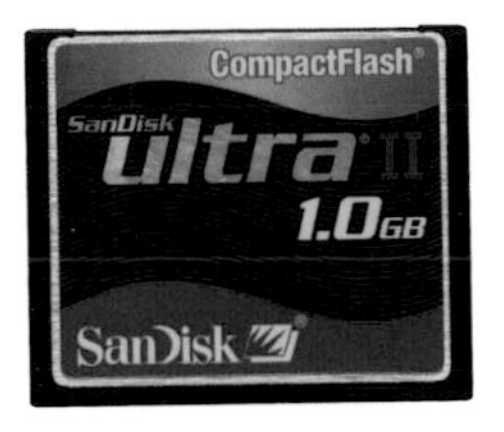

Achetez la plus grande carte mémoire possible.

UNE CARTE MÉMOIRE DE RECHANGE

Pour vous simplifier la vie, une seconde carte mémoire est un accessoire utile en complément de votre appareil. Si celui-ci est fourni avec une carte, elle est probablement trop petite (entre 16 Mo et 32 Mo), et les appareils haute résolution ne pourront pas stocker beaucoup de photos. Autre avantage : pendant que vous faites tirer vos photos dans un laboratoire, vous pouvez en prendre d'autres avec la deuxième carte.

Je vous conseille d'acheter au moins deux autres cartes mémoire, d'une assez grande capacité (256 Mo ou plus), sachant que les capacités augmentent d'année en année. Comme tous les articles électroniques, ces cartes ont parfois des défaillances : il serait dommage de perdre toutes vos photos de vacances en vous fiant à une seule grosse carte.

Répartir les photos importantes sur plusieurs cartes mémoire est une mesure de prudence adoptée par nombre de photographes professionnels. Il est par ailleurs bon de formater votre carte mémoire après chaque transfert. Assurez-vous d'abord d'avoir sauvegardé vos données, car toutes les informations contenues sur la carte seront détruites. Cette précaution permet de supprimer les fichiers corrompus – l'un des rares inconvénients de la photographie numérique.

SanDisk et Lexar sont les marques de cartes mémoire les plus courantes. Mais il existe – prudence ! – plusieurs types de cartes mémoire. Pour acheter une carte, emportez votre appareil afin de vérifier sa compatibilité.

Page de droite : Les photographes professionnels privilégient les appareils D-SLR.

APPAREILS REFLEX MONO-OBJECTIFS (SLR) NUMÉRIQUES

Si vous êtes très motivé, c'est l'appareil qu'il vous faut. Les D-SLR sont en passe de devenir le segment le plus dynamique du marché des appareils numériques. Le terme SLR signifie Reflex mono-objectif : cet appareil utilise le même objectif pour la visée et la prise de vue. Un miroir reflète l'image de l'objectif vers le viseur. Lorsque le déclencheur est pressé, le miroir bascule et l'obturateur s'ouvre, exposant le capteur à la lumière. Ces appareils sont dotés de nombreuses fonctions et permettent d'utiliser des objectifs interchangeables. Ils sont parfaits pour photographier les animaux et les scènes de sport. Il existe une foule d'accessoires, dont des flashes, des équipements spéciaux pour la macrophotographie, des télécommandes, etc. Il est même possible d'acheter un adaptateur pour fixer votre appareil sur un microscope. En général, vous avez la possibilité de prendre les photos au format RAW, au lieu de JPEG, pour une meilleure qualité. Pour de plus amples explications sur les différents formats existants, voir encadré page 92. Ce choix vous permettra d'expérimenter et d'exploiter pleinement les fonctions du logiciel de traitement de l'image.

Appareil reflex numérique Nikon D3 SLR.

Choisissez de préférence un appareil de marque connue équipé des fonctions suivantes :

- Un système complet d'objectifs, de flashes et d'accessoires, afin que l'équipement disponible ne limite pas votre progression.
- Le choix entre les formats JPEG ou RAW.
- Une gamme complète de réglages automatiques et la possibilité de régler manuellement la vitesse d'obturation, l'ouverture, la balance des blancs et la sensibilité ISO.
- Le réglage des dioptries au niveau de l'œilleton pour la précision du viseur.
- Un capteur d'au moins 6 ou 7 mégapixels.
- Un grand écran LCD pour contrôler et visualiser vos photos.

- Une batterie avec la plus longue autonomie possible.
- La possibilité de raccorder directement l'appareil à l'ordinateur par câble USB2.0.
- La compatibilité avec les formats de cartes mémoire les plus courants, tels le CF (Compact Flash) et le SD (Secure Digital).
- La compatibilité Exif pour permettre des tirages simples et rapides.

Une fois votre choix arrêté, n'hésitez pas à vérifier sur le site du fabricant que l'appareil que vous achetez possède bien les fonctions que vous recherchez.

Consultez également les nombreux sites Internet proposant des critiques (voir encadré ci-dessous) et des forums d'internautes pour avoir les témoignages de récents acquéreurs du matériel que vous convoitez.

CHERCHER SUR LE WEB

Aujourd'hui, Internet est une ressource inestimable pour choisir son appareil. De nombreux sites proposent des critiques et des bancs d'essai incroyablement détaillés sur les appareils numériques. Mon site préféré est celui de Digital Photography Review : *www.dpreview.com* (en anglais), qui propose une excellente fonction de recherche dans son guide d'achat. Autres sites utiles (en français) :

www.absolut-photo.com
www.pixmania.com
www.hifivideo.kelkoo.fr
www.galerie-photo.com
www.01net.com

L'investissement étant relativement lourd, renseignez-vous avec soin dans les magasins, sur Internet et marchandez pour obtenir le meilleur prix.

Chapitre 1

Les appareils compacts

1 *Les appareils compacts*

Si vous avez opté pour un appareil numérique compact, voici quelques conseils pour l'utiliser au mieux. D'abord, essayez de vous mettre dans la peau d'un professionnel qui prend un grand nombre de photos. Variez les points de vue, les réglages, les compositions, etc. Ne soyez pas un Cro-Magnon de la photo ! Une fois l'appareil acheté, cela ne coûte plus rien. C'est le grand avantage de la photographie numérique. Prenez des dizaines de photos, effacez vos « erreurs » et montrez à vos proches vos meilleurs clichés : la crème de la crème. Vous serez bientôt un grand photographe !

LES BASES

Commençons par la prise en main de l'appareil. L'erreur la plus fréquente consiste à le faire bouger. Si vous n'êtes pas immobile au moment de l'obturation, vous risquez d'obtenir une image « bougée », autrement dit floue. Lorsque vous êtes dans le bon angle pour photographier un paysage ou un sujet, tenez votre appareil avec les deux mains et assurez-vous que l'horizon est bien droit à travers le viseur ou sur l'écran LCD. Veillez autant que possible à avoir les deux pieds bien ancrés dans le sol ou, dans le cas inverse, n'hésitez pas à poser votre appareil sur un élément stable, comme la table devant laquelle vous êtes assis ou le mur à côté de vous. Si vous regardez à travers le viseur, serrez les coudes et retenez votre respiration au moment de prendre la photo. Appuyez très doucement sur le déclencheur. Ces précisions semblent peut-être superflues, mais je suis toujours étonné du nombre de gens qui tiennent mal leur appareil. Je vous garantis que vos photos seront meilleures si vous prêtez attention à cela.

Voici quelques conseils pour vous aider à bien avoir votre appareil en main avant même de commencer à photographier. Veillez d'abord à l'emplacement de vos doigts. Les traces sur l'objectif sont un autre motif fréquent de photos ratées.

Vérifiez que vos doigts ne touchent pas l'objectif. Éloignez-les du flash pour éviter les photos sous-exposées. Essayez de maintenir vos doigts fermement sur les côtés et/ou sous l'appareil pour l'équilibrer et assurer sa stabilité.

EXPOSITION

L'exposition est la quantité de lumière nécessaire pour enregistrer une image sur le capteur de votre appareil numérique. Le capteur CCD (*Charge Coupled Device*) ou CMOS (*Complementary Metal*

L'immobilité complète est la première règle à observer pour améliorer ses photos.

Oxide Semiconductor) est un composant électronique semi-conducteur qui, remplaçant le film, convertit la lumière en charges électriques transformées en données numériques. Il est contrôlé par trois réglages : la sensibilité du capteur (ISO), la vitesse d'obturation et l'ouverture du diaphragme (f-stop).

L'exposition est déterminée par la vitesse d'obturation et l'ouverture. La vitesse d'obturation est le temps pendant lequel l'obturateur reste ouvert pour fixer la lumière sur le capteur. L'ouverture du diaphragme contrôle la quantité de lumière autorisée à entrer (voir chapitre 2).

La plupart des appareils numériques compacts proposent de nombreux réglages utiles d'exposition automatique (AE). Les plus fréquents sont :

- Priorité ouverture (AE) : vous réglez le diaphragme, et l'appareil détermine la vitesse nécessaire en fonction de la lumière disponible.
- Priorité vitesse (AE) : vous choisissez la vitesse, et l'appareil détermine la valeur correcte de l'ouverture du diaphragme.
- Automatique : l'appareil assure lui-même les réglages et détermine même parfois la sensibilité du capteur.
- Des combinaisons ou variantes sophistiquées de ces paramètres existent selon le fabricant, le modèle, etc. Ces modes tiennent compte du style de photo, du sujet, etc. et donnent des résultats acceptables pour démarrer. En voici quelques exemples chez différents fabricants : Scène de nuit, Portrait, Crépuscule, Enfants, Sports, etc.

CONSEIL :

La sensibilité du capteur (valeur ISO) désigne tout simplement sa sensibilité à la lumière. Si vous la réglez manuellement, voici un guide de base :

- 100 ISO pour une journée de grand soleil.
- 400 ISO pour les temps nuageux, ternes.
- 800 ou 1 600 ISO en intérieur ou lorsque la scène est placée sous des projecteurs.
- En général, plus la valeur ISO est élevée, moins la qualité de la photo est bonne.

La plupart du temps, ces réglages automatiques sont efficaces. Parfois, cependant, vous devrez être plus intelligent que votre appareil, qui peut être induit en erreur dans sa quête permanente de l'exposition correcte. Par exemple, si vous photographiez le classique chat noir sur un tas de charbon, votre appareil compact aura tendance à exposer votre chat noir comme un chat gris, car il pense que tous les sujets sont un mélange de tonalités. De même, si vous photographiez un ours polaire sur la banquise en vous fiant à l'exposition

Aaron Graubart a choisi cet œuf et ce fond pour déterminer, sous cet éclairage, quelles ouvertures il pouvait sélectionner avec son Mamiya RB 6x7 et un film Fuji Provia 100F. Vous pouvez faire de même avec votre appareil compact.

automatique, vous obtiendrez un ours gris et de la neige grise, car l'appareil considère que le sujet n'est jamais entièrement blanc et corrige dans ce sens.

La plupart des appareils compacts ont une fonction de priorité diaphragme simple, qui vous permet normalement de surexposer ou de sous-exposer votre photo. Si le sujet est à dominante sombre, essayez de surexposer pour compenser. En réduisant manuellement l'exposition, vous aurez un rendu plus fidèle de votre sujet. S'il est à dominante claire, sous-exposez légèrement.

Faites un essai, regardez le résultat sur l'écran au dos de votre appareil, vérifiez l'histogramme et réglez la correction d'exposition. Prenez quatre ou cinq clichés, car l'écran LCD n'est pas toujours précis. Vous effacerez les photos ratées plus tard.

John Burcham a utilisé la règle des tiers pour photographier ce randonneur dans le canyon Antelope, en Arizona.

COMPOSITION

Une règle de composition fondamentale est celle des tiers. Imaginez que votre viseur ou votre écran LCD est divisé en neuf zones de taille égale, comme une grille de morpion. Composez votre image en plaçant votre sujet au centre de l'un des quatre

points d'intersection. Vous devriez ainsi composer des portraits plus esthétiques.

ZOOM

Votre appareil compact sera probablement équipé d'un zoom autofocus. Vous découvrirez vite les potentialités extraordinaires qu'offre l'agrandissement du sujet. Soyez audacieux. Utilisez votre zoom et composez votre image en remplissant le cadre avec le sujet. Au début, vos sujets seront souvent petits dans le cadre. Lorsque vous visez, regardez l'ensemble du cadre et la taille du sujet dans votre image, et pas seulement les yeux de la personne que vous photographiez.

Votre zoom ne sert pas seulement à rapprocher ou à éloigner le sujet pour les gros plans ou les vues en grand-angle. En exploitant au mieux votre zoom, vous pouvez obtenir des photos radicalement différentes du même sujet.

Pour mieux comprendre, prenez une série de photos du même sujet. Par exemple, allez dans un parc avec un ami. Zoomez au maximum. Prenez un portrait en gros plan de son visage, puis zoomez lentement en arrière, en cadrant votre ami de la même manière à chaque cliché, afin que sa tête ait la même taille sur chaque photo. Pour réaliser ce travail, vous devrez vous rapprocher à chaque fois de votre ami. Vous obtiendrez une série d'images illustrant les variations d'une même photo lorsque l'on change de distance focale. Répétez l'exercice avec des clichés en pied.

Cet exercice sera très instructif sur la manière dont une image change lorsque la relation entre l'arrière-plan, le sujet et la distance focale de l'objectif varie. Choisissez un arrière-plan très présent pour que les résultats se voient clairement. Cela vous aidera à comprendre quand il est possible d'améliorer une photo en zoomant, c'est-à-dire en faisant en sorte de perdre l'arrière-plan pour se concentrer uniquement sur le sujet.

De même, vous pouvez zoomer en arrière jusqu'au plus grand angle de vue pour inclure l'arrière-plan dans votre photo, surtout si cela contribue à préciser le contexte de votre image. Notez bien qu'en zoomant, vous changez souvent en même temps

CONSEIL :

La plupart des appareils compacts sont munis d'un zoom optique de faible amplitude avec possibilité de grossissement électronique supplémentaire. Il s'agit d'un simple recadrage à partir d'une petite fraction de votre capteur. Désactivez cette option et essayez de n'utiliser que le zoom optique. Vous pourrez toujours redimensionner l'image ultérieurement.

En utilisant un objectif grand-angle (en bas), Mark Thiessen a agrandi l'arrière-plan de sa photo. En zoomant (en haut), il a laissé le visage de Becky Hale à la même taille dans le cadre. Ainsi, l'angle de vue plus étroit et la perte de netteté à l'arrière-plan font ressortir son visage. Voir l'explication complète page 19.

l'ouverture. Cela s'explique juste par le fait que quand vous allongez la longueur focale, l'objectif capte moins de lumière.

VERROUILLAGE DE LA MISE AU POINT

Autre cas où vous apprécierez d'avoir la priorité sur les réglages automatiques de votre appareil : lorsque votre sujet n'est pas au centre du cadre, ce qui est souvent le cas si vous respectez la règle des tiers. Le réglage standard de votre appareil fait automatiquement la mise au point au centre du cadre. La fonction de verrouillage de la mise au point vous permet de bloquer la mise au point sur le sujet souhaité avant de recomposer la photo.

Imaginons que vous souhaitiez prendre une photo de votre neveu assis devant la tour Eiffel. Composez votre photo avec votre neveu assis sur la gauche du cadre. Puis braquez l'appareil sur lui et appuyez à mi-course sur le déclencheur, pour verrouiller la mise au point sur lui. Enfin recadrez l'image initiale et pressez le déclencheur. Votre neveu devrait être net dans l'image, même si vous avez déplacé l'appareil pour inclure l'arrière-plan.

CHANGER DE POINT DE VUE

Le point de vue est un autre élément à considérer avant de prendre une photo. Une image est parfois plus intéressante depuis un angle de vue inhabituel. N'ayez pas peur de vous allonger pour prendre votre sujet en contre-plongée, c'est une approche particulièrement judicieuse pour aborder les animaux domestiques et les enfants sans les intimider. Ou bien placez-vous en hauteur pour avoir une vue plongeante. Essayez les deux, puis supprimez la photo que vous aimez le moins.

UTILISATION DU FLASH

La quasi-totalité des appareils compacts ont un flash intégré pour les photos de nuit, d'intérieur, etc. Attention, les flashes intégrés ne sont pas très puissants : rappelons que l'intensité de la lumière

Grâce à une perspective inédite, le photographe Bill Hatcher montre la difficulté que représente l'étude écologique de Mount Eucalyptus, la plus haute forêt de feuillus en Australie orientale.

Pages précédentes :
Le photographe Nick Nichols a utilisé un flash externe pour éclairer aussi bien les fourrés que les hommes en train de ramer sur le fleuve Sikunir, en Indonésie.

décroît en fonction du carré de la distance parcourue. Par exemple, à moins de s'approcher très près, un groupe de dix personnes risque d'apparaître sur la photo dans une tonalité grise, terne, du plus mauvais effet. L'appareil va sous-exposer cette scène que le flash, trop faible, ne sauvera pas.

Pour photographier des événements (mariages, soirées…), les professionnels règlent leur flash légèrement en dessous de la lumière ambiante. Cela donne des photos à l'arrière-plan très détaillé. Les photos amateur sont généralement « sur-flashées », avec un arrière-plan entièrement noir et sans détail, car le flash est bien plus puissant que la lumière naturelle. Certains modèles (pas tous, malheureusement) disposent d'un réglage de la puissance du flash, qui permet ainsi d'éclairer à volonté votre sujet.

Si votre appareil compact est à priorité manuelle, vous pouvez imiter la solution du photographe professionnel en choisissant une vitesse d'obturation lente (environ 1/30) en mode priorité vitesse. Avec ce réglage en intérieur, l'arrière-plan de vos photos devrait être visible. Certains appareils compacts ont un réglage automatique spécial pour produire cet effet, appelé synchronisation lente.

De nuit, le flash ne doit pas être utilisé à trop courte distance pour que la couleur de la peau reste naturelle.

Le pire ennemi de la photo au flash est le miroir ou la vitre. En cas de doute, flashez dans le vide en regardant au-dessus de l'appareil pour détecter ces reflets parasites.

Fill-in

La plupart des appareils numériques compacts ont un réglage qui permet d'utiliser le flash à tout moment (appelé flash en plein jour ou *fill-in*). Par temps gris, ou même pour réaliser un portrait ou un gros plan en plein soleil, sélectionnez cette fonction avec votre bouton de mode flash. Le *fill-in* remplit les ombres, il uniformise l'exposition entre le premier et l'arrière-plan. Pour les photos de vacances de mes enfants, je leur conseille de laisser le flash en permanence. La fonction d'exposition automatique prend en compte la lumière supplémentaire produite par le flash.

Le flash fill-in *élimine les ombres dures créées par le soleil de la mi-journée.*

L'effet yeux rouges

Le look de vampire est dû au reflet du flash sur les vaisseaux sanguins de la rétine, visibles lorsque la pupille est dilatée sous un éclairage faible. Le mode anti-yeux rouges qui équipe la plupart des appareils compacts permet d'atténuer cet effet. En déclenchant plusieurs petits éclairs, ou en utilisant la lampe à incandescence intégrée (lampe pilote) avant de prendre la photo avec le flash normal, ce mode réduit la dilatation de la pupille. Le problème n'est pas totalement résolu pour autant. Du temps de l'argentique, le feutre noir indélébile était le moyen le plus simple, quoique rudimentaire, pour masquer délicatement les pupilles sur les photos de famille. Aujourd'hui, quelques secondes suffisent avec un ordinateur et un logiciel de retouche pour supprimer les yeux rouges avant d'imprimer les tirages.

Il faut penser à beaucoup de choses avant de prendre une photo, mais cela reste valable à tous les niveaux. Vous ne devez

Plusieurs générations ont réalisé des albums de famille et de voyage grâce au traitement traditionnel de la photographie argentique : le tirage papier. La photographie numérique a fait évoluer ces habitudes.

négliger aucun aspect de votre photographie : composition, arrière-plan, point de vue, dynamisme et intérêt des couleurs dans vos photos, complémentarité des couleurs les unes avec les autres. Ainsi, un camion rouge vif photographié devant des arbres verts semblera plus rouge que s'il est photographié devant un bâtiment gris. En avançant dans la lecture de ce livre, tout ceci va devenir plus clair (et précis) – je vous le promets !

Rien de tel que la pratique : c'est en multipliant les essais – et les erreurs – que l'on s'améliore. Franchir les étapes une par une et se familiariser avec les diverses techniques (composition, réglage de l'exposition, utilisation du flash...), voilà la clef du progrès. Les photographes professionnels savent qu'une fois maîtrisées et parfaitement intégrées, ces données se fondent en une technique souveraine qui leur permet de créer rapidement et sans hésitation les images qu'ils ont en tête.

DE NOUVELLES POSSIBILITÉS AVEC LA CHAMBRE NOIRE NUMÉRIQUE

Maintenant que vous avez acheté votre premier appareil numérique, vous avez fait la moitié du chemin. Vous avez pris une série de photos, que faire ensuite ? Dans le monde de l'argentique, il suffit de déposer ses pellicules chez un photographe ou dans un labo photo et d'attendre quelques jours le retour de vos tirages. C'est toujours possible avec les cartes mémoire, agrémentées d'options supplémentaires. Vous pouvez :

- imprimer vos photos sur votre imprimante personnelle ;
- envoyer vos photos par e-mail ;
- créer un diaporama ;
- éditer votre propre site Internet ;
- commander des tirages en ligne ;
- copier les photos sur un CD-R ou un DVD-R.

LABORATOIRES PHOTO ET BORNES

Si vous confiez votre carte mémoire à un labo photo, choisissez une société équipée du dernier matériel d'impression numérique. Ou optez pour une borne photographique qui vous permette de réaliser des recadrages de base sur écran. Cette technologie est proposée dans certains centres commerciaux et grands magasins. Un menu tactile convivial permet de superviser l'ensemble du traitement.

GÉRER SES PHOTOS

Il existe bien sûr plusieurs systèmes d'exploitation informatiques. Cependant, Windows occupe largement la première place du marché grand public. Sa dernière version, Vista, a été lancée en 2007. Mais puisque c'est encore la version XP qui équipe la plupart des machines fonctionnant sous Windows, les exemples donnés dans ce chapitre sont tirés de Windows XP.

Pour les adeptes d'Apple Macintosh – le meilleur système d'exploitation pour la photo à l'heure actuelle, à mon avis –, le sujet sera traité ultérieurement dans cet ouvrage. Sachez pour l'heure que tous les assistants mentionnés pour Microsoft XP existent sous une autre forme dans le logiciel iPhoto, gratuit sur presque tous les nouveaux ordinateurs. Si vous utilisez iPhoto pour gérer

CONSEIL :

La borne photo en libre-service est un des segments les plus dynamiques du marché de l'impression numérique. Ces bornes sont présentes dans les aéroports, sur les bateaux de croisière et dans les magasins d'alimentation. Voici où vous pourrez comparer les différents prix et services proposés :

- Fnac
- Photo Service
- Centres commerciaux

vos photos et si vous avez bien réglé la date et l'heure sur votre appareil, vos photos seront automatiquement triées par date et par heure. En utilisant le tableau de bord avancé d'édition, vous pourrez ajuster l'exposition, recadrer vos photos et produire des diaporamas simples et perfectionnés, voire les agrémenter avec de la musique ou une bande sonore. Après avoir choisi vos meilleures photos, l'impression de petits et grands tirages est automatisée et simple, à partir de votre imprimante ou d'un laboratoire sur Internet. Vous pouvez aussi aisément créer des sites Internet, partager vos photos et les envoyer par e-mail. Par ailleurs, une fonction originale permet de créer de véritables albums photo imprimés et reliés, à partir des modèles du logiciel.

CONSEIL :

Il existe d'autres logiciels de traitement de l'image qui méritent d'être considérés en fonction de vos besoins :

- Photo Mechanic
- Corel Paintshop
- Google Picasa 2
- Adobe Photoshop Elements

Si vous utilisez Windows XP de Microsoft, archivez d'abord vos photos, comme vous le propose le système dans le dossier « Mes images ». Triez-les soigneusement, classez-les dans plusieurs dossiers, par date ou par sujet, en vous souvenant qu'il est difficile de retrouver des photos sans organisation. Pour simplifier le processus de recherche, je vous conseille de classer vos photos par date. Lorsque vous faites de bonnes photos, copiez-les et placez-les dans des dossiers archivés par sujet. *Il vaut mieux avoir cinq exemplaires de vos meilleures photos, plutôt qu'une seule version introuvable.*

Dans le dossier Mes images, plusieurs menus/raccourcis vous aident à vous orienter. Toutes les photos archivées dans les sous-dossiers de Mes images (ce n'est pas le cas ailleurs) ont accès à des fonctions spéciales de Windows pour photographes. Il est possible de visualiser les photos en plein écran avec le mode Image unique du menu Affichage. Vous pouvez aussi visionner les photos dans un diaporama, les envoyer par e-mail, les publier sur Internet, commander des tirages en ligne, imprimer les photos sur votre imprimante, et les copier sur CD pour les donner à vos amis. Vous pouvez même placer votre dernier cliché en fond d'écran.

DIAPORAMAS

En haut à gauche du dossier Mes images, figure un menu intitulé Tâches à effectuer. La première option est « Visualiser sous forme

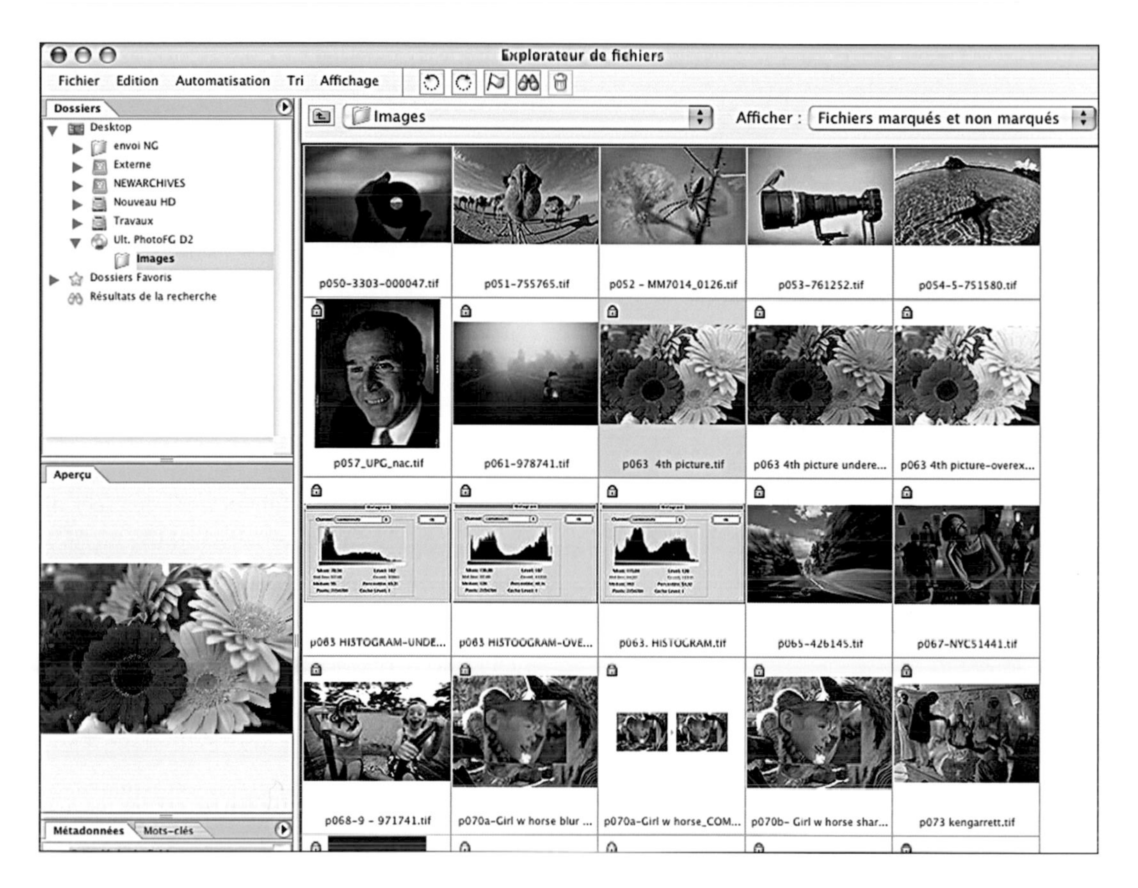

de diaporama ». Choisissez les photos que vous aimez, cliquez sur ce bouton et vos photos défileront automatiquement les unes après les autres sur votre écran. Vous venez de créer votre premier diaporama « professionnel » ! Avec un peu de concentration, la vision de vos photos en plein écran vous permet de choisir celles que vous souhaitez imprimer. Il est très important de les observer toutes soigneusement. L'un des avantages de la photo numérique est de ne pas avoir à imprimer vos erreurs. Ensuite, supprimez toutes les photos qui pourraient nuire à votre réputation de nouvel Ansel Adams. (Dans le cas improbable où vous n'auriez jamais entendu parler de cette icône de la photographie moderne, remédiez-y immédiatement en consultant le site à son nom *www.anseladams.com*, ou en feuilletant l'un de ses nombreux ouvrages.)

La plupart des logiciels proposent des systèmes de dossiers pour le classement des photos (par date, par sujet, par mot-clé, par thème...).

IMPRIMER SES PHOTOS

Après avoir sélectionné quelques photos dans votre première série d'images, faites-en des tirages. Vous pouvez graver vos photos retouchées sur un CD ou les transférer vers une carte

Vos vieux tirages photo peuvent être numérisés et archivés.

mémoire pour les apporter au labo photo. Si vous disposez d'une imprimante photo, vous pouvez aussi les imprimer vous-même.

Dans ce cas, la première possibilité est une imprimante photo autonome qui vous permet de produire des tirages standard sans ordinateur, en branchant directement votre carte mémoire sur l'imprimante. De nombreux fabricants en proposent, tels Epson, Hewlett Packard, Olympus et Canon. Sur certains modèles, vous pouvez raccorder directement l'appareil à l'imprimante, et les derniers appareils de Nikon et Canon peuvent même imprimer sans câble via Bluetooth, à condition toutefois que votre imprimante soit compatible Bluetooth.

Si vous avez une imprimante à jet d'encre, prenez garde : la plupart n'utilisent pas d'encre permanente, si bien que vos précieuses photos pourraient s'effacer après quelques années. Vérifiez la spécification des encres de votre imprimante sur le site du fabricant ou consultez le mode d'emploi. Ne lésinez pas sur le choix du papier ! Si vous comparez la qualité de tirages couleur réalisés sur papier ordinaire et sur papier photo, vous ne croirez jamais qu'ils viennent de la même imprimante. Cela vaut vraiment la peine d'investir dans un papier adéquat dont le prix n'est pas nécessairement très élevé.

Un obstacle souvent rencontré par les débutants en photographie numérique est l'impression au format A4 avec une imprimante ordinaire. Comment tirer des petits formats sans gaspiller de papier ? Utilisez l'Assistant impression de photographies de Windows XP, qui propose différentes options de présentation : tirage pleine page, deux images par page, etc., et planche contact (jusqu'à 35 vignettes par page).

Imprimante de bureau.

ACCÈS INTERNET

Si vous avez une connexion Internet haut débit, vous pouvez aussi facilement commander des tirages en ligne grâce à l'assistant Commande d'impressions en ligne. Suivez les instructions et, en quelques minutes, vos photos seront transférées vers un laboratoire en ligne qui vous enverra les tirages par courrier.

Autre assistant important, la fonction « Envoyer par e-mail » qui attache automatiquement la photo choisie au message. Si le destinataire et vous avez un accès Internet haut débit, évitez d'utiliser l'option Redimensionner qui permet de réduire la taille de la photo. L'envoi en pleine résolution du fichier permet au destinataire d'imprimer la photo dans son meilleur état. Sans accès haut débit, cela prendrait beaucoup trop de temps.

Une astuce : si vous cliquez sur « Plus d'options » dans ce menu, utilisez le réglage « Petit » si la photo n'est qu'une référence, « Moyen » pour permettre au destinataire de voir la photo agrandie, et « Grand » si la photo doit être publiée sur Internet. Dans tous les autres cas, envoyez la photo dans sa résolution maximale.

SAUVEGARDER SES PHOTOS

Le dernier assistant est « Copier sur CD », qui vous permet de graver un CD (si votre ordinateur le permet) pour le faire circuler ou pour sauvegarder vos photos. Vous n'ignorez pas que tous les ordinateurs risquent de tomber en panne un jour. Il est donc *impératif* de sauvegarder vos photos d'une façon ou d'une autre, et la gravure de CD est une des méthodes les plus simples.

Un étui en néoprène pour ranger vos cartes mémoire permet d'éviter la destruction de vos fichiers par l'eau ou la poussière, comme la photo (argentique) ci-dessous.

Ce menu propose d'autres options, dont « Publier ce fichier sur le web » (si vous avez un compte ou une page MSN), qui permet de transférer facilement une photo vers un site Internet. Tous ces assistants sont des outils très simples et fonctionnels qui vous permettent de découvrir la photographie numérique. Pourtant, un inconvénient : les options d'impression tronquent parfois vos images pour qu'elles correspondent à leurs modèles standard.

Désormais, vous pouvez envoyer vos photos par e-mail à toutes vos relations en quelques secondes. À un niveau supérieur, vous pouvez les publier sur le web, avec un accès restreint ou illimité, en permettant aux visiteurs de commander des tirages directement auprès d'un labo photo en ligne (voir encadré). Ce qui vous simplifie la vie, car vous pouvez distribuer vos photos sans frais ni démarches.

CONCLUSION

Ce chapitre vous a donné une vue d'ensemble des principaux éléments à connaître pour vous lancer dans le maniement de votre nouvel appareil numérique compact. Familiarisez-vous avec ses fonctions et faites autant d'essais que possible des différents réglages. Multipliez les prises de vue et n'hésitez pas à varier les arrière-plans, les points de vue, etc.

Ne vous sentez pas obligé d'appuyer sur le déclencheur dès que vous visez quelque chose : prenez le temps de calculer précisément le résultat que vous désirez obtenir. Il est exact qu'il y a une grande quantité d'informations à assimiler au début, mais ensuite, un nombre incroyable de possibilités s'offre à vous !

Gardez aussi à l'esprit qu'une simple photographie bien imprimée (testez les différentes options de tirage, sans oublier les services en ligne) et présentée dans un cadre judicieusement choisi par exemple, a l'élégance que confère l'alliance de la simplicité et de la beauté. Un tel trophée vous incitera à faire encore mieux. Préparez-vous déjà à approfondir cet art merveilleux en vous plongeant dans la lecture des chapitres suivants.

CONSEIL :

Si vous envisagez de stocker, d'imprimer et de faire un album de vos photos sur un ordinateur, le lecteur de carte est l'accessoire idéal. Selon les sorties disponibles sur votre ordinateur, il se raccorde à votre bus FireWire ou à votre port USB, et constitue un moyen facilement accessible pour transférer le contenu de la carte mémoire vers l'ordinateur (au lieu de raccorder l'appareil à l'ordinateur par un câble). Si vous optez pour un lecteur de carte USB, veillez à ce qu'il soit USB2.0, car l'USB ordinaire est très lent. Par ailleurs, même s'il est tentant, voire prudent, de choisir un lecteur de carte universel, toutes les fentes du lecteur de carte apparaîtront sur les ordinateurs fonctionnant avec Windows XP comme autant de disques durs, ce qui peut constituer une source d'erreur. Si vous optez pour un lecteur spécifique, un seul disque dur supplémentaire apparaîtra.

Familiarisez-vous avec le temps de réponse de votre appareil, afin d'éviter les ratés, comme lorsque cet enfant saute en dehors de la profondeur de champ.

Magnum est le nom d'une célèbre agence photographique à laquelle on doit des reportages réalisés par quelques-uns des plus fameux photographes de l'histoire, tels Elliott Erwitt, Robert Capa et Henri Cartier-Bresson. Elle présente encore aujourd'hui les successeurs prometteurs de ces figures légendaires. Certains d'entre eux utilisent des appareils numériques compacts.

« J'ai travaillé exclusivement avec eux ces deux dernières années », confiait Christopher Anderson pendant les défilés de mode à Paris en janvier 2006.

« Il y a deux raisons à cela, a-t-il poursuivi. Les SLR numériques étaient trop gros, je ne voulais pas travailler avec. D'autre part, j'aime la couleur que l'appareil Olympus m'apporte. Choisir un appareil numérique, c'est presque comme choisir une pellicule : chaque capteur a un rendu des couleurs différent. » (Anderson a travaillé avec les modèles C-5050, C-5060 et C-7070.)

Alex Majoli, photographe qui travaille à New York et à Milan, a remporté en 2004 le prix du Photographe de magazine de l'année de la National Press Photographers Association (NPPA) pour un portfolio presque entièrement réalisé avec ses appareils numériques compacts. Ses reportages ont été réalisés en Chine, au Congo et en Irak, la plupart pour *Newsweek*.

Majoli a découvert la polyvalence de ces appareils en travaillant sur le projet éditorial *A Day in the Life of Africa*, en 2002. Un responsable d'Olympus, sponsor du projet, avait remis à chaque photographe un C-4040, appareil numérique compact de 4 mégapixels, et le SLR numérique E-20, plus volumineux. Travaillant depuis ses débuts presque exclusivement avec un Leica 35 mm à télémètre intégré et des objectifs Leica M de 28 mm et 35 mm, Majoli s'est senti attiré par le plus petit appareil.

« J'ai trouvé que le C-4040 avait une excellente définition, a confié Majoli à Eamon Hickey, chroniqueur pour *www.robgalbraith.com.* » Il est ensuite passé au C-5050, appareil de 5 mégapixels doté d'un objectif 35-105 mm.

Autre adepte des appareils compacts numériques, Paolo Pellegrin. Il s'est fait connaître en 1995 par un reportage sur le sida en Ouganda qui lui a valu le prix de la Photo de presse mondiale et le prix Kodak du jeune reporter (Visa d'or) en 1996, lors du festival de

Christopher Anderson a réalisé des portraits de victimes de l'ouragan Katrina, en 2005, avec un appareil compact.

photojournalisme Visa pour l'image, à Perpignan. Dernièrement, il a réalisé des reportages sur les populations chinoises et sur les conséquences du tsunami. Paolo Pellegrin est à la fois connu et reconnu pour son travail dans différents pays du monde, comme au Kosovo, au Cambodge et, en Afrique, au Rwanda et au Soudan.

La prière du vendredi dans la Grande Mosquée de la province de Qinghai, Chine, 2005, par Paolo Pellegrin

Soldats américains surveillant des puits de pétrole en feu, Irak, 2003, par Alex Majoli.

Marché à Kaboul, Afghanistan, 2004, par Christopher Anderson.

Le fleuve Jaune à Chongqing, Chine, 2003, par Alex Majoli.

Chapitre 2

Les règles de base

2 *Les règles de base*

Avec la conquête de la photographie de haut niveau par le numérique, les appareils argentiques pour amateurs et professionnels sont progressivement relégués aux oubliettes. Tel n'est pas le cas dans le monde artistique où ils sont encore souvent très convoités. La règle est simple : optez pour des outils adaptés à vos besoins et aux résultats que vous voulez atteindre.

Il y a encore deux ans, un professionnel avait le choix parmi un large éventail d'appareils argentiques : reflex mono-objectif (ou « reflex »), reflex bi-objectif (ou « semi-reflex »), télémètres, chambres photographiques, etc. Aujourd'hui, grâce à l'avènement de la technologie numérique et des logiciels de traitement de l'image, le photographe sérieux peut se fier, en majeure partie, à un appareil reflex numérique, ou D-SLR.

Le D-SLR comme les appareils 24 x 36 (argentique reflex direct) sont tous deux dotés d'un miroir et d'un prisme. Cette visée permet de voir le sujet à travers le même objectif que celui qui fixe l'image sur le capteur ou sur le film pour les 24 x 36 classiques ; elle permet surtout à l'appareil numérique d'analyser l'image directement sur l'écran. Difficile d'imaginer ce qui se produit à chaque fois que vous pressez le déclencheur pour prendre une photo : le miroir situé entre l'objectif et le capteur bascule, l'obturateur s'ouvre et le capteur est exposé le temps nécessaire. Dans le même temps, le microprocesseur de l'appareil transcrit la multitude d'informations enregistrées par le capteur sur la carte mémoire. C'est assez prodigieux. Pensez seulement aux appareils des photographes sportifs et de presse, qui gèrent cela au rythme de huit vues par seconde !

Quelle que soit leur utilisation, il existe deux types de reflex numériques. Le premier est un appareil d'apparence traditionnelle, basé sur les anciens boîtiers argentiques 35 mm. Les photographes qui utilisaient autrefois des appareils professionnels de moyen et grand format découvrent que, dans certains cas, le dernier D-SLR fournit une qualité d'image supérieure, comparée à la numérisation de leurs films. Le « format » d'un appareil de prises de vues se réfère à la dimension du négatif pour un argentique et à la taille du capteur d'image dans le cas d'un numérique.

Un « grand format » désigne des appareils de 10 x 12,5 cm et au-dessus ; un « moyen format » désigne pour sa part un modèle compris entre le petit format 35 mm (24 x 36 mm) et le dit grand format. Les anciens utilisateurs d'appareils compacts professionnels argentiques à télémètre se tournent également vers les fonctionnalités et la qualité d'image offertes par le D-SLR. Des fabricants comme Leica et Epson s'apprêtent à sortir un substitut numérique du télémètre, mais les compacts numériques professionnels et les D-SLR remplissent déjà ce vide.

Le second type de D-SLR s'inspire du reflex de format moyen. Certains modèles se limitent à un dos numérique sur un boîtier argentique moyen format, alors que quelques fabricants produisent de grands D-SLR dotés des capteurs les plus larges qui existent. Ces appareils sont utilisés par les professionnels pour les images qui requièrent la plus haute résolution, comme les paysages et les natures mortes.

Un reflex grand format permet de visualiser les photos rapidement de manière à les recomposer si nécessaire.

Pour les appareils moyen format, les dos numériques sont en option.

Souvenez-vous : le boîtier de votre nouvel appareil contient un ordinateur miniature. Maintenez à jour son logiciel/microprogramme. Les fabricants ne cessent de perfectionner le microprogramme qui gère votre appareil. Les mises à jour se téléchargent dans la rubrique « Support » du site du fabricant, et le mode d'emploi de votre appareil contient les instructions pour leur installation. Il suffit de copier le fichier du microprogramme sur la carte mémoire en utilisant le menu de l'appareil pour le télécharger. À l'achat, assurez-vous également de disposer du microprogramme le plus récent.

Gardez à l'esprit que ces nouvelles technologies évoluent constamment. Comme pour les ordinateurs, à peine vous êtes-vous familiarisé avec un nouveau modèle qu'un modèle encore plus récent arrive sur le marché.

CONSEIL :

Quelques critères doivent aussi être pris en compte pour choisir votre appareil :

- Peut-il prendre des photos au format RAW ?
  Selon ce protocole, les réglages sont enregistrés séparément des données brutes (raw), autorisant une précision bien supérieure au format JPEG traditionnel une fois que l'image est sur votre ordinateur.
- Quelle est la taille de la mémoire tampon ?
  C'est elle qui vous permet de prendre un nombre précis de photos en rafale.
- Combien de photos pouvez-vous prendre avant de manquer de mémoire ?
  Assurez-vous d'avoir une carte mémoire suffisante pour le nombre de photos souhaité.
- Quelle est la durée d'autonomie de la batterie ?
  La plupart des appareils numériques ont une batterie rechargeable. Au début, vous regarderez la quasi-totalité des photos sur l'écran LCD au dos de l'appareil, opération qui consomme le plus d'énergie. Choisissez donc un appareil dont la batterie a une longue autonomie et vérifiez les spécifications avant l'achat.

LES CAPTEURS

Le capteur d'un appareil numérique remplace le film. Deux grands types de capteurs équipent les appareils D-SLR : ce sont les CMOS *(Complementary Metal Oxide Semiconductor)* et les CCD *(Charge Coupled Device).*

Ces deux capteurs ont leurs particularités, et la diversité de leurs caractéristiques doit être prise en compte à l'achat. Il est important de regarder des exemples de fichiers et d'étudier les caractéristiques du système que vous souhaitez acheter.

Lorsque des photographes professionnels choisissent un matériel, ils prennent des photos de test pour comparer les appareils qui les intéressent. N'hésitez pas à les imiter. Testez les fichiers dans le logiciel de traitement de l'image installé sur votre ordinateur. Faites les essais en désactivant l'Accentuation intégrée pour une comparaison juste. (Un technicien vous montrera comment procéder.)

Certaines combinaisons capteur/appareil sont particulièrement bonnes sous faible luminosité avec une sensibilité de 400 ISO ou plus, tandis que d'autres sont exceptionnelles en lumière naturelle et mauvaises avec une valeur ISO élevée. Observez avec soin la quantité de « bruit » ou de « grain » en haute sensibilité. Selon votre analyse, choisissez le capteur le plus approprié pour le type de photographie qui vous intéresse.

En argentique, on pouvait acheter l'appareil puis décider ensuite du type de film adéquat. Aujourd'hui, il faut prendre cette décision importante dès le début. Il ne s'agit pas seulement de la taille des fichiers produits par l'appareil envisagé : vous serez par exemple déçu si les images produites par le capteur sont moins nettes, ou si les caractéristiques des couleurs sont moins favorables. Certains D-SLR possèdent une accentuation intégrée pour compenser les filtres de lissage, la principale source de « flou ».

Les capteurs ont des caractéristiques variables. Pour déterminer celui que vous préférez, parlez avec d'autres photographes de la qualité des images que produit leur appareil.

Au début, vous n'imaginiez pas que la dimension physique du capteur pouvait être un facteur à considérer, puisque l'élément clé semble être la qualité du fichier. Pourtant, les plus petits capteurs sur un D-SLR mesurent 18 mm x 13,5 mm, en comparaison au 24 mm x 36 mm d'un appareil 35 mm traditionnel. Dans ce cas, un objectif de 50 mm, qui est standard pour un appareil argentique, devient un téléobjectif court de 100 mm.

Cela semble avantageux, puisque vous n'avez plus besoin de téléobjectifs longs. Mais il reste un problème avec les grands-angles. Pour un appareil 35 mm, un 15 mm est un super-grand-angle. Pour un petit capteur, c'est à peine un grand-angle, équivalent sur certains appareils numériques à un objectif 30 mm en argentique.

Certains fabricants y remédient en proposant des objectifs spéciaux destinés aux boîtiers numériques, comme l'extraordinaire Zuico Digital ED 7-14 mm f/4,0 d'Olympus.

CONSEIL :

Voici quelques endroits où vous pourrez comparer les appareils et le matériel vendus par les fabricants, si vous cherchez un capteur :

- Votre vendeur de matériel photo
- La Fnac
- Boulevard Beaumarchais (Paris), le Boulevard de la Photo
- Prophot
- *www.absolut-photo.com*

RAPPORT ENTRE TAILLE DU CAPTEUR ET DISTANCE FOCALE		
TAILLE DU CAPTEUR		
Capteur de 24 x 36 mm Appareils argentiques 35 mm DS de Canon	Capteur de 23,7 x 15,7 mm Appareils numériques Nikon	Capteur de 18 x 13,5 mm Appareils numériques Olympus
Distance focale réelle de l'objectif	Distance focale équivalente à celle d'un appareil 35 mm	Distance focale équivalente à celle d'un appareil 35 mm
14 mm	21 mm	28 mm
24 mm	36 mm	48 mm
35 mm	52,5 mm	70 mm
50 mm	75 mm	100 mm
100 mm	150 mm	200 mm
300 mm	450 mm	600 mm

Réfléchissez à l'utilisation que vous ferez de vos objectifs avant l'achat.

DE QUEL TYPE D'OBJECTIF AI-JE BESOIN ?

Vous venez d'acheter un nouveau D-SLR et vous maîtrisez son utilisation : peut-être envisagez-vous d'acquérir un autre objectif ?

À l'achat, l'appareil était très probablement équipé d'un zoom. En général, les modèles récents sont vendus avec un 28-80 mm, qui est un bon objectif pour débuter.

Mais si vous recherchez autre chose, que faire ? Il existe une grande diversité d'objectifs sur le marché et, pour choisir, il faut avoir une idée de ce que vous souhaitez photographier. Les objectifs se déclinent dans toutes les formes et toutes les tailles – un peu comme une famille – et ont des caractéristiques particulières. Vous trouverez ci-dessous les différents types d'objectifs et leurs utilisations.

Il existe trois grandes familles d'objectifs :

- standard,
- grand-angulaire (ou grand-angle),
- téléobjectif.

La catégorie à laquelle appartient un objectif est définie en fonction de sa distance focale.

- 50 mm est la distance focale traditionnelle d'un objectif standard.
- En dessous de 50 mm, c'est un grand-angulaire.
- Au-dessus de 50 mm, c'est un téléobjectif.
- Au-dessus de 300 mm, on parle de super-téléobjectifs.

Objectifs standards

L'objectif standard (50 mm) offre un angle de champ compris entre 45 et 55 degrés, ce qui correspond approximativement au champ visuel humain. Ainsi, les images qu'il produit semblent naturelles. Elles sont aussi proches que possible de ce que l'on a vu.

C'est pour cette raison que les photographies prises avec cet objectif nous semblent « normales ». Il ouvre un large champ de possibilités pour une utilisation ordinaire.

Objectifs grands-angulaires

Vu le nombre d'objectifs grands-angulaires dont les distances focales sont comprises entre 8 mm et 35 mm, le choix peut être délicat. Schématiquement, plus l'objectif est court, plus son utilisation est spécialisée.

Les super-grands-angulaires peuvent entraîner une distorsion de l'image et ont un usage limité, voire superflu. Je vous conseille, pour commencer, d'acheter un objectif de 24 ou 28 mm, le type de grand-angle le plus fréquent.

Le grand-angulaire de 35 mm est souvent utilisé comme objectif standard, car même si la distance focale est légèrement

Le photographe Carsten Peter a pu s'approcher très près de ce dromadaire, dans le désert du Sahara, grâce au grand-angulaire fisheye monté sur son appareil.

Joel Sartore a utilisé un téléobjectif pour prendre cette araignée suspendue à une tige de mimosa, dans le Pantanal, en Amérique du Sud.

inférieure aux 50 mm du standard, la différence est minime. Il offre au photographe une plus grande profondeur de champ, un réel avantage pour les débutants qui photographient là où l'espace est limité et recherchent la netteté sur la majeure partie de l'image.

Lorsque l'espace est limité ou que le sujet est de grande taille, il faut donc utiliser le grand-angulaire, dont l'angle de champ est bien supérieur à celui du téléobjectif ou de l'objectif standard. Prendre une photo de toute votre famille réunie chez vous à Noël, quand la fête rassemble une bonne trentaine de personnes, serait par exemple impossible sans grand-angulaire –, à moins de vivre dans une maison immense.

La photographie de paysage est un autre domaine où les objectifs grands-angulaires sont très utiles. Le grand-angle permet de se rapprocher du sujet principal pour le faire ressortir dans le cadre, tout en gardant autant de netteté que vous le désirez à l'arrière-plan.

Téléobjectifs

Nous savons tous qu'un long téléobjectif permet de placer le sujet au cœur de l'image ; des objets qui semblent à des kilomètres lorsqu'ils sont photographiés avec un standard semblent se trouver à quelques centimètres du photographe avec un téléobjectif. C'est pourquoi les photographes sportifs utilisent les téléobjectifs pour capturer l'action.

L'utilisation des téléobjectifs ne se limite pas aux scènes de sport. Grâce au faible angle de champ et au grossissement important qu'ils permettent, le photographe peut raccourcir la distance qui le sépare du centre d'intérêt de l'image. Ces objectifs vous donnent la possibilité de capter une petite partie de l'environnement pour que le sujet ne soit pas perdu, ce qui les rend particulièrement appropriés à la photographie de paysage, lorsque vous souhaitez isoler un détail dans un ensemble plus vaste.

La longue focale du téléobjectif signifie qu'il a une profondeur de champ bien inférieure à un grand-angle, ou même à un objectif standard. Cet effet peut servir à « masquer » ou à flouter les arrière-plans pour ne conserver qu'un sujet net, précis, qui se détache bien sur l'image de fond.

Vous devez prendre ce facteur en compte si vous utilisez un téléobjectif pour des photos de paysages, souvent meilleures quand tous les plans sont nets. Cela implique des vitesses d'obturation longues et de petites ouvertures pour créer une

Diuca gris perché sur l'objectif de Joel Sartore lors d'une mission au Chili.

Pages précédentes : Avec un super-grand-angulaire fisheye *(le fameux « œil de poisson »), on peut obtenir des clichés qui sortent vraiment de l'ordinaire.*

plus grande profondeur de champ. Un trépied permet d'assurer l'immobilité parfaite de l'appareil.

Un téléobjectif court – 90 mm, 110 mm ou 135 mm – est idéal pour les portraits. Le photographe peut conserver une distance confortable avec le sujet, tout en utilisant une profondeur de champ limitée pour masquer les arrière-plans gênants.

Zooms ou distance focale fixe

La popularité des zooms a grandi avec leur perfectionnement. Il y a quelques années, un zoom ne pouvait égaler la qualité d'un objectif à focale fixe et était considéré comme une alternative économique à l'achat de plusieurs objectifs à focale fixe.

La situation a bien changé : certains des objectifs les plus précis et rapides sont aujourd'hui des zooms. Ils permettent au photographe de limiter l'encombrement de son matériel, puisqu'ils remplacent deux ou trois objectifs normaux.

Un bon zoom est cher : il vaut souvent l'équivalent des deux ou trois objectifs à focale fixe qu'il remplace.

Si vous avez le choix entre un zoom à ouverture constante et un zoom à ouverture variable, choisissez l'ouverture constante, pour une raison simple : votre ouverture reste la même en zoomant, donc l'exposition peut rester la même. Avec un zoom variable, l'ouverture peut diminuer d'un diaphragme. Ainsi, si vous zoomez de 28 mm à 135 mm en commençant à f/3,5, vous pourrez terminer à f/5,6. Pour remédier à cela, vous pouvez diaphragmer d'emblée. Ou, mieux, dépenser plus pour un zoom à ouverture constante.

Objectifs macro

Si vous souhaitez photographier des insectes, des fleurs en gros plan ou de petits objets, il vous faut un objectif macro.

Généralement proposés avec les distances focales de 35 mm, 50 ou 60 mm, 100 ou 105 mm, ces objectifs sont analogues aux standards, car ils peuvent mettre au point sur l'infini, mais ils sont conçus pour la mise au point sur des distances très courtes. Ils sont utilisés pour la photo en très gros plan.

Les monnaies, les timbres ou les petits objets sont des sujets parfaits pour un objectif macro. Comme il peut aussi faire la mise au point à distance, l'objectif macro peut servir d'objectif standard. L'addition de bagues-allonge entre l'objectif et le boîtier permet de prendre aisément une photo en très gros plan.

Enfin, il existe des zooms macro dans cette catégorie qui peuvent produire une image à l'échelle 1/3 d'un objet. Ces objectifs peuvent même réaliser des reproductions grandeur nature sur le film ou le capteur.

Objectifs *fisheye*

L'objectif *fisheye* (de l'anglais *fish eye*, « œil de poisson ») est un super-grand-angulaire. Il peut produire un angle de champ de 180 degrés et une image circulaire ou une image plein format très déformée dans les angles. Étant donné qu'il produit uniquement ce type d'image, son emploi est nécessairement limité.

Objectifs à décentrement

Les objectifs à décentrement sont onéreux, mais ils sont indispensables à qui souhaite photographier des bâtiments élevés.

Avec un objectif standard, l'appareil doit être incliné vers l'arrière pour que le haut de l'édifice entre dans le cadre. Sur l'image faite,

Le photographe Charlie Archambault a réalisé ce portrait de l'ancien président des États-Unis, George Bush avec un Mamiya RZ67, un objectif à décentrement de 110 mm ouvrant à f/2,8 et un film Fujichrome Provia de 100 ISO. En intérieur, il a choisi une ouverture de f/5,6 et 40 secondes de pose manuelle. L'éclairage était assuré par une grande boîte à lumière montée sur un stroboscope Dynalite.

CONSEIL :

Avant d'acheter du matériel, entrez chez votre marchand de matériel photo. Lisez des magazines sur le sujet et consultez les sites web spécialisés. Essayez l'appareil de vos amis. Comparez toutes ces sources qui vous aideront à faire le meilleur choix : le plus adapté à vos besoins.

le bâtiment semble pencher vers l'arrière, et toutes les lignes convergent vers le haut, car le plan du film ou du capteur n'est pas parallèle au sujet.

La bascule de l'objectif à décentrement permet à l'appareil de rester droit et parallèle à l'édifice. Elle utilise des éléments mobiles à l'avant de l'objectif pour que l'ensemble du bâtiment entre dans le cadre. Vous devrez pour cela faire coulisser la partie avant de l'objectif, sans incliner l'appareil. L'utilisation d'un objectif à décentrement empêche la convergence des lignes verticales, tout en préservant l'impression de contre-plongée.

Dernièrement, ces objectifs ont aussi été utilisés par des photographes de nature morte et des portraitistes pour créer des images originales. La bascule permet de contrôler la netteté avec une grande précision.

Demi-bonnette

La demi-bonnette est une lentille additionnelle semi-circulaire montée sur une bague pivotante. Fixée à l'avant de l'objectif, elle permet une mise au point simultanée sur le premier plan et les objets éloignés à l'arrière-plan.

Téléconvertisseurs

Les téléconvertisseurs sont des dispositifs optiques qui se placent entre le boîtier et l'objectif pour augmenter la focale nominale de ce dernier.

La plupart des convertisseurs ont un facteur d'agrandissement de 1,4 ou 2. Un convertisseur x 2 transforme un objectif 200 mm en 400 mm, en diminuant l'ouverture maximale, soit la lumière qui atteint le film, de deux diaphragmes. Un convertisseur x 1,4 réduit l'ouverture maximale d'un diaphragme, nécessitant des vitesses d'obturation inférieures ou une valeur ISO supérieure.

C'est une bonne option pour élargir votre panel de téléobjectifs, mais assurez-vous d'acheter le meilleur téléconvertisseur selon vos moyens.

LA PERSPECTIVE

La maîtrise de la perspective, comme celle de la couleur, n'est pas facile à expliquer. Schématiquement, il s'agit de l'aptitude à

PENSE-BÊTE POUR LA PHOTOGRAPHIE AVEC UN REFLEX NUMÉRIQUE

Voici une liste destinée à vous rappeler tous les aspects techniques que vous devez avoir en tête avant de prendre une photo. Votre nouvel appareil est un instrument très sophistiqué ; ce pense-bête devrait vous éviter de commettre les erreurs des débutants.

- Avez-vous chargé vos batteries ? Faites-le avant chaque sortie. La plupart des appareils numériques ont des batteries rechargeables. Au début, vous visualiserez la quasi-totalité des vues sur l'écran LCD au dos de votre appareil, opération qui consomme beaucoup d'énergie. Commencez par acheter une batterie de rechange.

- Avez-vous formaté votre carte mémoire ? Avant chaque série de photos, et après le transfert ou l'impression des fichiers, formatez systématiquement la carte mémoire. Comme tout matériel technique, des défaillances sont possibles. Vous risquez de perdre toutes vos photos. Toutefois, avec de bonnes pratiques, le risque est minime. Avant chaque utilisation, formatez la carte dans le menu de l'appareil, après avoir vérifié qu'elle était vide.

- Vous n'avez pas assez de mémoire sur vos cartes ? Un des avantages de l'ère anté-numérique était la possibilité d'acheter une pellicule à tous les coins de rue. Les cartes fournies avec la plupart des appareils numériques actuels ont une très faible capacité. Vous devrez nécessairement acheter d'autres cartes de taille supérieure. Si vous envisagez un voyage dans les Caraïbes ou d'autres destinations exotiques comme l'Alaska, où il est difficile de trouver des cartes compatibles, équipez-vous au préalable.

- Avez-vous nettoyé votre capteur ? Si vous changez souvent d'objectif, la poussière déposée sur votre capteur formera des points noirs ou des traces sur vos photos, d'autant plus si vous oubliez d'éteindre votre appareil avant de changer d'objectif. Si le capteur n'est pas nettoyé avec soin, il s'abîme. Consultez les recommandations sur le site web du fabricant. Pour éviter les nettoyages fréquents, il est conseillé de tenir le boîtier vers le bas lorsque vous changez d'objectif. De cette façon, peu de particules se déposent sur le capteur.

- Avez-vous réglé la sensibilité de votre capteur (ISO) ? Il vaut mieux utiliser la plus basse valeur ISO possible, car les valeurs élevées produisent du « bruit » (grains indésirables). En règle générale et à conditions égales, plus la valeur ISO est basse, meilleure est la qualité.

- Avez-vous réglé la balance des blancs ? Nous approfondirons cela par la suite, mais à ce stade, assurez-vous que votre appareil est réglé sur Balance des blancs automatique pour un résultat acceptable dans la plupart des cas.

- Avez-vous choisi le bon format de fichier – JPEG, RAW ou TIFF ? Nous traiterons ce sujet ultérieurement. Pour l'heure, assurez-vous que votre appareil est réglé sur le format JPEG de qualité optimale. Il serait absurde de prendre des photos en JPEG de qualité inférieure, car vous n'exploiteriez pas tout le potentiel de votre appareil.

Utiliser le film négatif couleur, le numérique et la vidéo pour atteindre ses objectifs

Un scooter plongé dans la brume matinale, au Vietnam. Un moine drapé dans sa tunique safran, empruntant un portique désert. Une jeune Taïwanaise fixant une pagode au loin sur un lac. Des pieds. Des pyjamas. Shanghai.

Voici les images que vous verrez dans le portfolio de Justin Guariglia avant qu'il vous montre sa vidéo de quatre minutes : un homme pratique l'art ancien du kung-fu Shaolin devant un fond noir sans horizon qui force votre intérêt.

C'est un quiproquo qui a mené Guariglia vers la photographie. Alors qu'il étudiait le chinois à l'université de Pékin, son professeur insistait pour qu'il apprenne la langue en reproduisant inlassablement les caractères chinois. Mais Guariglia voulait seulement apprendre à parler. Il est alors descendu dans la rue avec un appareil et a abordé les passants. De cette façon, il a pu pratiquer la langue.

Littéralement happé par la photographie, il a étudié l'œuvre de ses mentors Greg Girard, John Stanmeyer et James Nachtwey. Sa première photo publiée par le *Boston Globe* traitait des élections de 1999 à Jakarta, en Indonésie. « Plus tard, quelqu'un a ouvert le feu sur la foule et j'ai réalisé que je ne le supportais plus », explique-t-il.

Ce n'était pas la photographie qu'il ne supportait plus, mais la guerre. Il a montré son travail aux éditeurs photo de Contact Press Images, puis aux rédacteurs de magazines de New York.

« À une époque, toutes les photos de mon portfolio étaient réalisées avec du film ektachrome », raconte-t-il en décrivant la multitude d'essais qu'il a effectués pendant six ans sur le film, la lumière et l'exposition pour créer un style personnel qui lui corresponde. « Puis j'ai changé pour Fuji. Je crois que les couleurs de l'ektachrome ne m'intéressaient plus. J'avais découvert les limites de ce film. Je l'utilisais à très faible éclairage, avec juste assez d'exposition. »

Alors que certains magazines publient encore des reportages entièrement réalisés sur film négatif couleur grand format, Guariglia s'essaie au numérique. « On peut tenter tellement de choses avec le numérique. La teinte, la température... Il y a un million de paramètres à appréhender. C'est parfois très déroutant. »

Justin Guariglia a pris de nombreuses photos de ce couple, lors d'une matinée brumeuse, au Vietnam, assis à l'avant d'un bus qui se déplaçait dans la même direction que lui.

« En argentique, ajoute-t-il, vous avez la teinte. Elle est fixe. Mais désormais, avec les fichiers RAW, vous pouvez retoucher vos photos. Il faut faire des choix : à quoi va ressembler cette série de clichés ? »

Pour découvrir son travail, consultez le site de Justin Guariglia (en anglais) *www.guariglia.com.*

gérer avec votre boîtier et vos objectifs le rapport entre le premier plan et l'arrière-plan de vos photographies.

Avec un grand-angulaire, l'arrière-plan semble bien plus éloigné de votre sujet que dans la réalité. Avec un objectif standard, l'arrière-plan semble à la même distance qu'à l'œil nu. Lorsque vous utilisez un téléobjectif, l'arrière-plan apparaît plus proche. Il faut noter qu'avec un grand-angulaire, votre angle de champ est bien plus large que sur un objectif standard ou un téléobjectif, où votre angle de champ est très étroit. Ce qui signifie qu'avec un grand-angle, vous serez parfois surpris de tout ce qui apparaît sur la photo. En revanche, avec un téléobjectif, votre sujet est mis en valeur, et l'arrière-plan réduit.

Si bien qu'en variant les objectifs, et donc la perspective, vous pouvez utiliser l'arrière-plan pour étayer vos images ou isoler votre sujet, à votre guise. Comme je le disais dans le chapitre précédent, entraînez-vous en prenant plusieurs photos du même sujet avec différentes distances focales pour mieux comprendre leur influence sur la perspective. Approchez-vous et éloignez-vous de votre sujet tout en conservant sa taille dans toutes les images et à toutes les distances focales.

DÉTERMINER L'EXPOSITION

Tout d'abord, définissons les trois termes que tout photographe débutant doit connaître : exposition, valeur f et vitesse d'obturation. Puis étudions-les en détail.

Exposition

L'exposition est la quantité de lumière qui atteint le capteur. Elle est contrôlée par l'ouverture et la vitesse d'obturation de l'appareil.

Ouverture du diaphragme

Les valeurs f indiquent la taille de l'ouverture du diaphragme dans l'objectif. Plus la valeur f augmente, plus l'ouverture est petite. Plus la valeur f diminue, plus l'ouverture est grande, l'objectif laissant passer une plus grande quantité de lumière vers le capteur.

Vitesse d'obturation

La vitesse d'obturation désigne le temps d'ouverture de l'obturateur. Plus l'obturateur reste ouvert longtemps, plus il y a de lumière qui

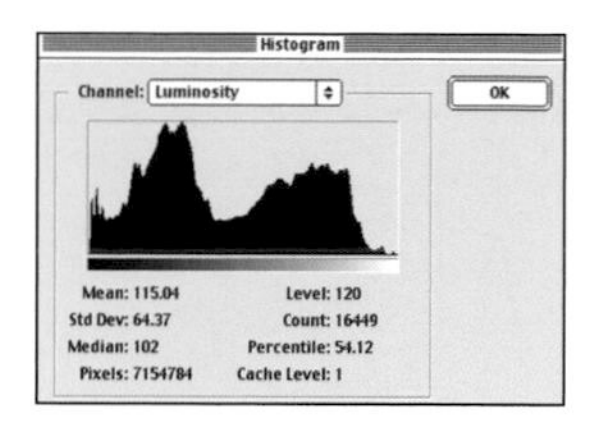

Une exposition parfaite se traduit sur l'histogramme par une montagne.

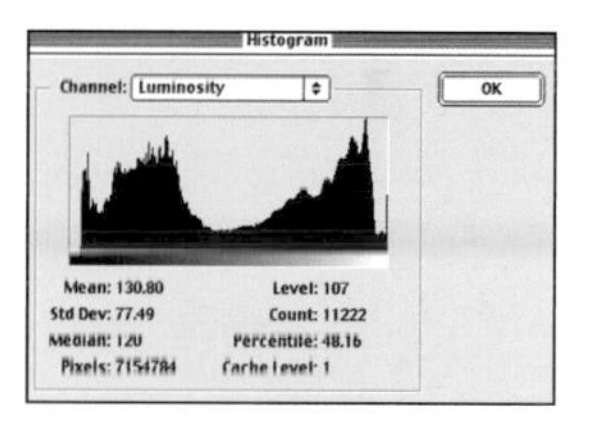

Une image surexposée se traduit sur l'histogramme par une dépression.

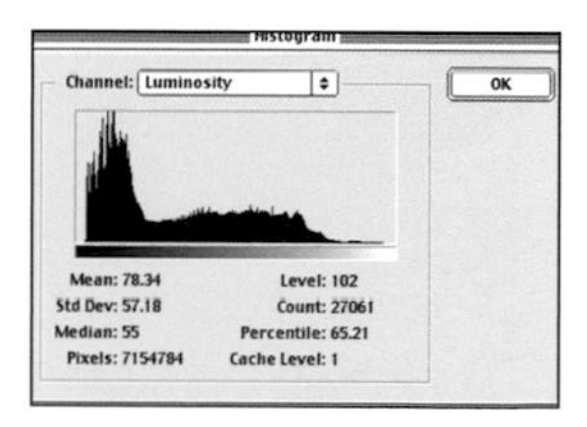

Une image sous-exposée produit des pics extrêmes sur un des côtés de l'histogramme.

atteint le capteur. Une vitesse d'obturation élevée « fige » l'action et exige souvent plus de lumière et une ouverture supérieure (valeur f basse). Une vitesse lente permet de photographier sous un éclairage faible avec une petite ouverture (valeur f élevée). Pour déterminer l'exposition correcte, il est important de savoir à quoi ressemble une image numérique bien exposée. C'est d'abord un fichier qui présente une gamme de tons complète, du plus foncé au plus clair, avec des détails dans toutes les zones, qu'elles soient sombres ou très lumineuses. Ce n'est qu'à cette condition que vous pourrez décider s'il est vraiment nécessaire que la gamme de gris complète apparaisse lorsque vous imprimez l'image. Si vous ne vous assurez pas de posséder la gamme de gris complète au départ, vous n'y pourrez plus grand-chose ensuite.

Ce dernier point est crucial lorsque vous photographiez au format JPEG. En mode RAW, il est beaucoup plus facile d'obtenir la bonne exposition qu'avec un film négatif couleur, pour la bonne raison que vous pourrez toujours corriger les couleurs dans un second temps, sur votre ordinateur.

CONTRÔLER L'ÉCLAIRAGE

Pour fixer une image correctement éclairée sur le capteur de votre appareil numérique, vous devez laisser entrer la quantité de lumière appropriée. Les trois facteurs qui contrôlent l'exposition

Dans le schéma ci-dessous, chaque couple ouverture de diaphragme - vitesse d'obturation donne la même exposition, ou permet à la même quantité de lumière d'entrer dans l'appareil.

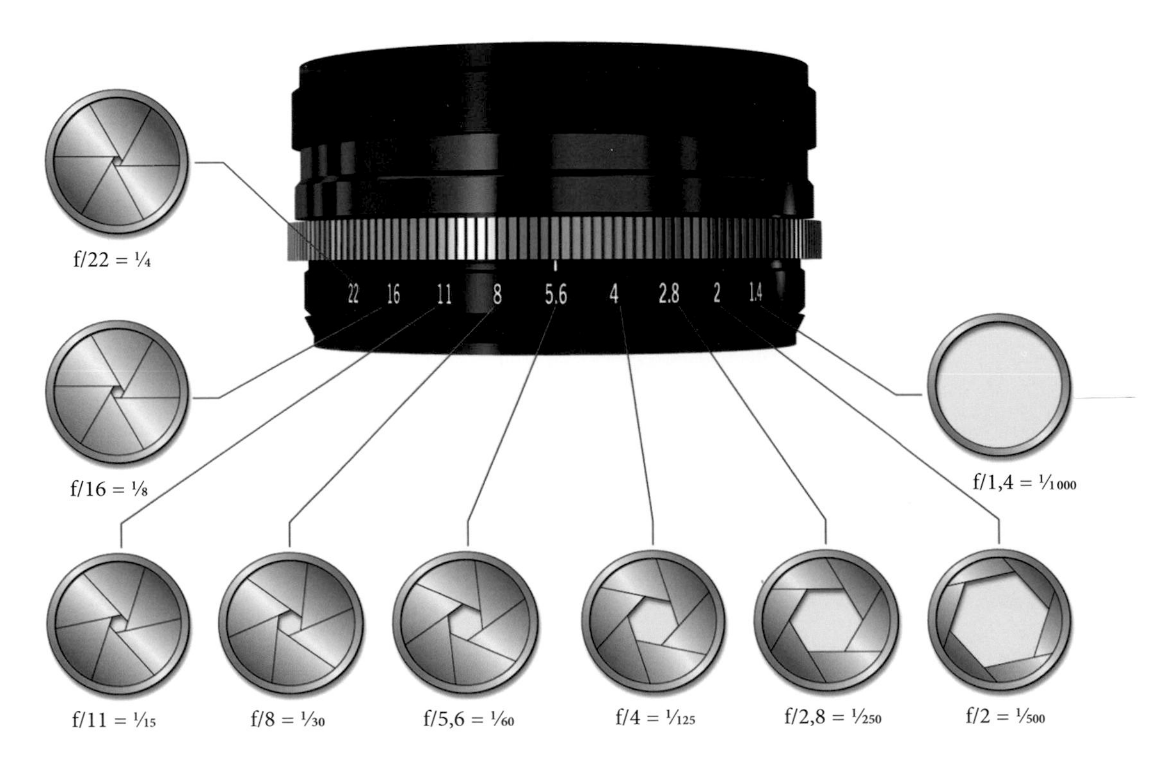

Sur la Route 1 dans le Massachusetts, Bruce Dale a rendu le mouvement de cette voiture en choisissant une vitesse d'obturation plutôt lente, d'où la déformation des arbres.

sont la sensibilité du capteur (ISO), la vitesse d'obturation et l'ouverture du diaphragme.

Sensibilité du capteur

Au temps de la photographie argentique, l'exposition était un problème crucial. L'époque du numérique nous projette à des années-lumière, car nous pouvons voir instantanément le résultat de nos réglages. Comme les appareils argentiques, le D-SLR prend en compte la luminosité du sujet, le contraste, la température de couleur de la photo et la zone de netteté. En mode d'exposition automatique, l'appareil calcule tout cela instantanément.

Vous comprenez maintenant pourquoi je suis un fan de l'exposition automatique, à partir du moment où vous regardez les photos que vous êtes en train de prendre sur l'écran LCD situé au dos de l'appareil. Si vous êtes débutant, de nombreux autres éléments doivent être considérés avant de prendre la photo. Comment cadrer l'image ? Est-elle nette ? Quel est l'arrière-plan ? Tant que vous ne maîtrisez pas parfaitement ces facteurs, il est sage de laisser votre appareil en exposition automatique.

Ce souci en moins, vous aurez plus de temps pour vous concentrer sur le reste. Puis, lorsque vous serez devenu plus habile sur le plan technique et saurez tenir l'appareil correctement, vous commencerez à apprécier les petits réglages qui permettent d'améliorer l'exposition.

Sur la plupart des D-SLR et des derniers appareils numériques compacts, on peut désactiver l'exposition automatique pour régler l'exposition manuellement et jouer avec les fonctions de

LE NUMÉRIQUE ET LES ENDROITS DIFFICILES

Depuis 30 ans, le photographe Ken Garrett est spécialisé dans les reportages sur les modes de vie anciens pour les magazines, les musées et les livres. Une de ses grandes missions fut la série « L'aube de l'humanité » publiée dans dix numéros du magazine *National Geographic*, entre 1995 et 2000. Le numérique ne l'intéressait guère, jusqu'à ce qu'il achète, en 2004, le D70 de Nikon, un D-SLR de six mégapixels.

« Je ne voulais pas m'y mettre avant que cela devienne inévitable », admet Garrett, qui voyait la technologie changer tous les six mois ou presque, en démodant et en dévaluant les appareils précédents. Son expédition dans la tombe du pharaon Toutankhamon acheva de le convertir.

Garrett devait photographier les quatre parois de la tombe afin d'aider les architectes à la recréer grandeur nature. Il devait aussi photographier Zahi Hawass, directeur du Conseil supérieur des antiquités égyptiennes, présent lors de la numérisation intégrale de la momie par un scanner EMI. Cette opération permit de réaliser un modèle en 3D de Toutankhamon tel qu'il était il y a 3 300 ans. Garrett a travaillé avec un Nikon F6 de 35 mm, un film Fujichrome Provia 100 et son Nikon D70. « La salle où se trouvait le scanner était éclairée par des lampes fluorescentes ; je n'avais pas de filtres fluorescents sur moi, si bien que j'ai réglé la balance des blancs du D70 sur fluorescent, changé la valeur ISO et utilisé la lumière disponible. Le résultat était parfait. »

Même chose dans la tombe, à 10 mètres sous terre. Grâce à quelques stroboscopes bien placés et à son D70, Garrett a photographié les parois de la tombe avec assez de détails pour créer une exposition. Fin 2005, il avait vendu ses appareils argentiques et ajouté le Nikon D2X à sa collection numérique. Il s'est équipé d'un Apple PowerMac G4 avec écran 15 pouces, quatre disques durs externes, deux lecteurs de cartes Lexar, deux batteries pour chaque appareil, le logiciel PhotoMechanic pour gérer les fichiers RAW et créer des JPEG, et, pour les longues missions, un petit générateur Honda à 700 dollars pesant près de 10 kg. « Depuis le 11 septembre, il n'est plus possible d'embarquer un objet qui utilise du carburant en avion, donc je laisse le générateur chez ceux avec qui j'ai travaillé. » Cette tombe égyptienne n'est pas l'unique endroit où Garrett a profité

Pour photographier le déplacement de la momie du pharaon Toutankhamon, Ken Garrett a opté pour son appareil numérique plutôt que pour l'argentique.

des vertus du numérique. « J'avais des problèmes avec les lampes à vapeur de mercure du gymnase où mon fils joue au basket, explique-t-il en faisant mine de tenir un appareil. Mais ce n'est plus le cas. Les photos numériques sont excellentes. »

Pour voir l'œuvre de Garrett, visitez son site (en anglais) : *www.kennethgarrett.com.*

la terrasse d'un café sous un parasol, votre amie arrive et se tient sous un rayon de soleil. Pour exposer correctement la photographie, vous devez régler l'exposition de l'appareil en fonction du soleil autour de votre sujet et non de l'ombre autour de vous.

Stephen Alvarez a utilisé la mesure sélective pour photographier cet homme debout devant une cascade souterraine éclairée par le ciel, à Stephens Gap, Alabama, États-Unis.

Mesure centrale pondérée

La mesure centrale pondérée est axée sur le centre du cadre. Les angles et les bords sont moins importants. Personnellement, je n'utilise pas cette fonction, sauf sur certains appareils dont le flash automatique est plus fiable avec ce réglage. D'autres photographes l'apprécient, car cette mesure tend à sous-exposer la photographie, ce qui fonctionnait bien avec la diapo autrefois, et qui convient aussi au numérique. Faites des essais pour trouver le réglage optimal de votre appareil.

POSEMÈTRE MANUEL

C'est un accessoire exotique pour le photographe numérique : il ne s'impose qu'au professionnel qui travaille avec un éclairage d'appoint ou des lampes. Aujourd'hui, un posemètre manuel réunit souvent un posemètre d'exposition et de flash, et sert généralement à mesurer la lumière incidente. À la différence de l'appareil, le posemètre mesure la lumière qui touche le sujet plutôt que la lumière qu'il réfléchit. On utilise cet instrument d'une extrême précision en le tenant devant le sujet, la cellule blanche tournée vers l'appareil. Vous prenez la mesure et transférez ces réglages sur votre appareil, en mode manuel. Ce système ne tient pas compte de la couleur ni de la densité de votre sujet, et donne des réglages appropriés pour un sujet aux tons neutres. En numérique, l'usage le plus courant de ce posemètre concerne l'utilisation de lampes/flashes supplémentaires : il peut mesurer la luminosité/l'intensité d'un flash de studio indépendant, fonction étrangère au posemètre intégré. Cet instrument est indispensable pour réaliser des prises de vue complexes avec un éclairage de studio.

COMPRENDRE LES HISTOGRAMMES

Un des gros avantages des appareils numériques est la possibilité de visionner vos images au dos de l'appareil. En recommandant le contrôle de l'exposition sur l'écran LCD, j'entends souvent : « Je vois mal l'écran au soleil, comment puis-je juger mon

Avec un appareil Mamiya RZ67 équipé d'un objectif de 110 mm et un film négatif couleur, Justin Guariglia a réglé l'ouverture du diaphragme sur f/2,8 pour créer une faible profondeur de champ, afin d'atténuer un arrière-plan qui aurait pu être gênant. La vitesse choisie pour ce portrait est 1/500 seconde.

exposition ? » Eh bien, la plupart des D-SLR permettent d'afficher un histogramme sur l'écran LCD de l'appareil. Alors que 99 % des photographes pensent que les histogrammes sont complexes, ce sont en réalité des graphiques assez simples. Les histogrammes illustrent la manière dont sont répartis les pixels d'une image, en fonction des plages de luminosité qu'elle présente. Ils vous indiquent si l'image est assez détaillée dans les tons foncés (côté gauche de l'histogramme), les tons moyens (au milieu) et les tons clairs (à droite) pour créer une bonne exposition d'ensemble.

Quand vous saurez lire les histogrammes, vous les trouverez indispensables pour vérifier et contrôler vos photos, en particulier dans des conditions d'éclairage délicates. Savoir quelle sorte d'histogramme produit une image bien exposée permet de ne pas être trompé par un écran LCD mal réglé.

Si l'histogramme semble correct, peu importe que l'image paraisse trop claire ou trop foncée à l'écran. C'est l'histogramme qui fait office de référence.

Un bon exercice consiste à prendre plusieurs photos d'un sujet qui présente une gamme complète de couleurs et de tons. En mode exposition manuelle, réglez l'exposition pour prendre une vue selon le posemètre. Puis prenez la même photo à intervalle de 1/2 ou 1/3, de – 3 à + 3 diaphragmes. Comparez les histogrammes de ces photos pour apprendre à les lire et à les comprendre, en tenant compte des variations du graphique en sous-exposition et en surexposition. Pour parler simplement (je serai sans doute critiqué pour cela), imaginez une montagne dans la fenêtre de votre histogramme, qui commence d'un côté, finit de l'autre côté et grimpe vers le centre du cadre. Bien sûr, chaque photo ayant un contenu différent, la forme de la montagne varie.

AUTOFOCUS

La plupart des débutants laissent la fonction autofocus sur le réglage « continu » par défaut, comme la plupart des autres réglages de leurs appareils numériques.

Pour débuter, et apprendre, ne vous préoccupez pas de ce réglage. Lorsque vous maîtriserez les autres fonctions et les nombreuses possibilités de votre appareil, vous pourrez commencer à en explorer les options.

Comme la plupart des réglages de votre D-SLR, l'autofocus doit être compris comme automatisé, plutôt qu'automatique. De nombreuses options dans les menus de votre appareil permettent d'affiner la mise au point. Je ne saurais insister assez sur l'importance d'un apprentissage progressif de leur utilisation ainsi que des fonctions de votre appareil. Utiliser ce mode automatisé (par opposition à manuel) ne veut pas dire choisir la facilité. Au contraire, c'est la preuve que vous maîtrisez la technologie et que vous n'avez pas dépensé pour rien l'argent que vous a coûté votre nouvel appareil numérique.

La première fonction autofocus des modèles perfectionnés est l'autofocus « ponctuel ». Utilisez-le lorsque vous souhaitez composer une photographie avec un sujet décentré. Dans votre viseur, vous voyez le réticule du collimateur AF (autofocus) qui signale le point sur lequel l'appareil fait la mise au point. Braquez votre appareil sur le sujet pour que le collimateur AF soit actif sur la partie de votre image qui sera le point de netteté initial. Dans ce mode ponctuel, l'autofocus est activé dès la première pression

Afin de rendre les détails de ces arbres du Wyoming photographiés lors d'une journée d'hiver ensoleillée, Richard Olsenius a réglé l'appareil sur f/11 et 1/250 seconde avec une pellicule Kodachrome.

Lorsqu'un filet ou tout autre obstacle se trouve au premier plan de votre photo, réglez la mise au point manuellement pour vous assurer que les joueurs seront nets, et pas le filet.

du déclencheur, puis il se verrouille lorsque l'appareil s'ajuste sur le point choisi. En maintenant le bouton enfoncé à mi-course pour maintenir le réglage, vous pourrez ensuite reconstruire votre image parfaitement, pour une meilleure composition. Cette fonction est inadaptée aux sujets mobiles car, une fois verrouillée, la mise au point ne change plus jusqu'au déclenchement. Elle devra donc être réglée à nouveau à chaque prise de vue.

Certaines scènes sont cependant peu fiables en mode autofocus :

- les paysages neigeux,
- les grands ciels bleus,
- le faible éclairage,
- le contre-jour ou les sujets réfléchissants.

Lorsque l'appareil est incapable de faire la mise au point sur la neige ou sur un ciel bleu, par exemple, activez la fonction ponctuelle, verrouillez la mise au point sur un sujet à égale distance du sujet initial, puis recomposez votre photo.

Autre fonction, d'utilisation analogue à l'autofocus ponctuel : le bouton de mise au point. Dans ce mode, vous activez un des boutons de fonction au dos de votre D-SLR pour assurer la mise au point. Donc, avant de déclencher, et pendant le déclenchement, vous pouvez activer et désactiver la mise au point à volonté. Sur certains D-SLR perfectionnés, cela combiné avec la possibilité de régler manuellement un des nombreux foyers vous permet d'utiliser pleinement le potentiel de leur système autofocus.

Lorsque vous maîtriserez votre appareil, vous découvrirez beaucoup d'autres réglages dans les menus autofocus. Ils sont très variables d'un fabricant à l'autre et tiennent compte de nombreux facteurs, parfois même du type de photo et de la couleur souhaitée pour l'image. Vous devrez consulter le mode d'emploi de votre modèle que, j'en suis sûr, vous avez déjà pris le temps de lire. Il ne fait aucun doute que vous aurez encore besoin de le lire plus d'une fois !

Le seul cas où je conseille une mise au point manuelle est celui d'une photographie prise à travers un filet ou tout autre obstacle. Pour photographier un match de football, par exemple, les clichés pris à travers le filet du but peuvent produire un effet graphique dynamique. La situation est très souvent ingérable pour les appareils autofocus. Désactivez l'autofocus pour ce type de photos. La même chose s'applique aux photos d'animaux dans les cages des zoos.

LA PROFONDEUR DE CHAMP

La profondeur de champ est la distance entre le premier plan et le dernier plan net acceptable d'une image. La distance focale, l'ouverture de l'objectif que vous utilisez et la profondeur de foyer déterminent votre profondeur de champ. Plus la distance focale est longue, plus la profondeur de champ est réduite, et vice-versa. Plus l'ouverture est petite, plus la profondeur de champ est longue, à paramètres égaux. En résumé, les téléobjectifs ont une profondeur de champ inférieure à celle des grands-angulaires, et plus le téléobjectif est puissant, plus sa profondeur de champ diminue. Il s'ensuit que les super-grands-angulaires fournissent la plus grande profondeur de champ.

Lorsque vous voyez une magnifique photographie de paysage dans une galerie, elle a sûrement été prise avec une très petite ouverture (valeur f élevée) pour obtenir la plus grande profondeur de champ possible. Par beau temps, la

Bob Martin est monté en haut des gradins afin d'obtenir un arrière-plan plus net pour sa photo.

CONSEIL :
La règle du f/16 (par beau temps) :
Si vous souhaitez réaliser une photographie de paysage sans trépied, choisissez comme vitesse d'obturation l'inverse de la valeur ISO. Exemple : pour 200 ISO à f/16, réglez la vitesse sur 1/200 seconde.

plus petite ouverture peut entraîner une vitesse d'obturation relativement lente, d'où l'emploi d'un trépied.

Ce qui peut créer un dilemme. Par exemple, vous souhaitez utiliser une vitesse d'obturation élevée pour prendre des photos d'action. Comme le sujet se déplace rapidement, une petite ouverture vous permettrait d'avoir le sujet net en entier, améliorant ainsi la précision de l'image. Certains choisissent d'utiliser une sensibilité élevée pour leur capteur, ce qui permet de plus grandes vitesses d'obturation avec de petites ouvertures. Mais cela a un prix, peut-être le plus élevé en matière de photo : la qualité globale de l'image. En effet, lorsque vous augmentez la sensibilité de votre capteur, la qualité de l'image peut baisser. (Les fabricants cherchent à améliorer leur performance avec une valeur ISO élevée.)

Il est temps de choisir : vous ne pouvez pas tout avoir, donc vous devez décider ce qui prime à vos yeux. Même par temps très clair, le soleil donnant sur le sujet, en 100 ISO, l'ouverture à 1/1 000 seconde serait de f/5,6. Ce qui ne vous donnerait pas beaucoup de profondeur de champ avec un téléobjectif long. Si vous photographiez un match de foot éclairé au projecteur, vous aurez des problèmes. Un réglage d'exposition typique serait 1/500 seconde à f/2,8, à 800 ISO.

Pour obtenir la plus grande profondeur de champ possible, sachez qu'elle s'étend davantage derrière le plan de mise au point que devant. Si vous faites la mise au point à 1/3 de votre sujet, la profondeur de champ s'étendra autant de part et d'autre du plan de mise au point. Certains objectifs ont des repères de profondeur de champ qui indiquent approximativement la profondeur de champ disponible à une ouverture donnée. Ainsi, par exemple : avec un objectif de 20 mm réglé à f/11 et la mise au point à 1,50 m environ dans l'image, la profondeur de champ s'étendra de 60 cm à l'infini. Avec un objectif de 400 mm à f/4, la profondeur de champ avec une mise au point à 9 m environ serait inférieure à 30 cm.

La profondeur de champ peut vous permettre d'utiliser une grande ouverture pour isoler votre sujet. Lui seul sera net

Pages précédentes : Près de la frontière canadienne avec l'Alaska, Sarah Leen a photographié le confluent des fleuves Stikine et Iskut.

tandis que le reste de l'image restera agréablement flou. De même, avec un grand-angle et une petite ouverture, presque toute votre image peut être nette, ce qui vous permet de remplir le cadre et d'isoler votre sujet au premier plan, tout en gardant une idée du lieu avec un arrière-plan net. En résumé, plus la valeur f est petite, plus la profondeur de champ est importante. Choisissez toutefois une vitesse d'obturation appropriée à votre sujet.

COMPOSITION

Malheureusement, pour la composition, aucun bouton automatique ne peut vous venir en aide. C'est une technique que vous devrez maîtriser par vous-même.

Cette rubrique doit vous aider à développer votre « œil ». La photographie consiste à voir quelque chose de pictural et à l'enregistrer de manière intéressante et graphique. Si le sujet n'a pas ce potentiel au départ, il n'y a pas de miracle possible. Si les couleurs et les formes du sujet ne se complètent pas, les conseils n'y feront rien. Ils ne peuvent que vous aider à tirer le maximum de ce que vous voyez et photographiez. Sans observation ni réflexion constantes, vous ne ferez pas de belles photos.

Composer correctement ses photos, en termes simples, signifie produire une image agréable. Ce qui est facile dans la plupart des cas. Parfois, il suffit de tourner l'appareil verticalement pour prendre la photo autrement qu'au format courant horizontal (« paysage »).

Sur le fleuve Yangzijiang, en Chine, Bob Sacha a composé cette photo d'une façon inhabituelle et très agréable.

Un point de vue différent peut apporter de l'originalité aux photos d'enfants et d'animaux.

L'important est de bien penser votre image et de ne pas vous perdre dans les détails techniques. Cela peut sembler hypocrite, vu qu'une grande partie de ce livre traite des aspects techniques de la photographie numérique, mais il est essentiel de comprendre que la technique est là pour vous permettre d'exprimer votre créativité. Si vous ne maîtrisez pas les bases de la composition, quel que soit votre niveau technique, il manquera toujours quelque chose à vos photos.

CONSEIL :

Votre viseur virtuel :

Une excellente manière d'appréhender la composition consiste à former un cadre rectangulaire (votre viseur virtuel) avec vos mains en joignant les index avec les pouces. Tenez votre cadre à bout de bras pour imiter les téléobjectifs, ou près de votre visage pour un effet grand-angulaire. Vous verrez qu'en éliminant les informations superflues de votre vue, vous visualiserez mieux ce que votre appareil va photographier. Cela peut sembler absurde, puisque vous pouvez regarder dans le viseur, mais essayez !

Pour commencer, soyez audacieux, remplissez le viseur avec votre sujet. S'il est à dominante verticale, prenez la photo verticalement. S'il se prête à une photo horizontale, prenez-la au format paysage. À vos débuts, en passant en revue vos images à la fin de la journée, vous serez surpris de découvrir que les sujets sont bien plus petits dans le cadre que vous ne vous y attendiez. Vous devez vous assurer, lorsque vous visez, que vous regardez bien tout ce qui est dans le cadre. Tenez compte de ce qui entoure votre sujet et demandez-vous ce que cela apporte à la photo que vous êtes en train de prendre.

Un des avantages de l'appareil compact numérique, que n'ont pas les D-SLR en général, est la possibilité d'utiliser l'écran LCD au dos de l'appareil comme viseur. Je trouve que les gens cadrent bien mieux leurs photos avec le LCD, car ils regardent toute l'image. Le LCD est si petit que votre œil ne peut s'écarter du cadre. Lorsque vous regardez à travers un viseur normal au niveau de l'œil, il lui est plus facile de se promener dans l'image et de ne pas considérer la totalité du cadre.

Lorsque vous commencerez à prendre plus de photos et saurez mieux remplir le cadre, pensez à utiliser le zoom, (présent sur la plupart des appareils numériques aujourd'hui), sur votre sujet. N'hésitez pas à prendre des plans très rapprochés de vos amis, de votre bébé ou encore d'une fleur.

Un cadrage inhabituel permet parfois de mieux rendre les détails.

Lorsque vous faites des portraits très rapprochés, essayez de jouer avec le cadrage. Il n'est pas impératif que votre sujet soit au centre du cadre ni qu'il regarde l'appareil. Si vous photographiez une personne, par exemple, il peut être plus plaisant de la placer sur la gauche ou sur la droite de manière à composer l'image, tandis qu'elle regarde vers le centre de la photo. C'est en

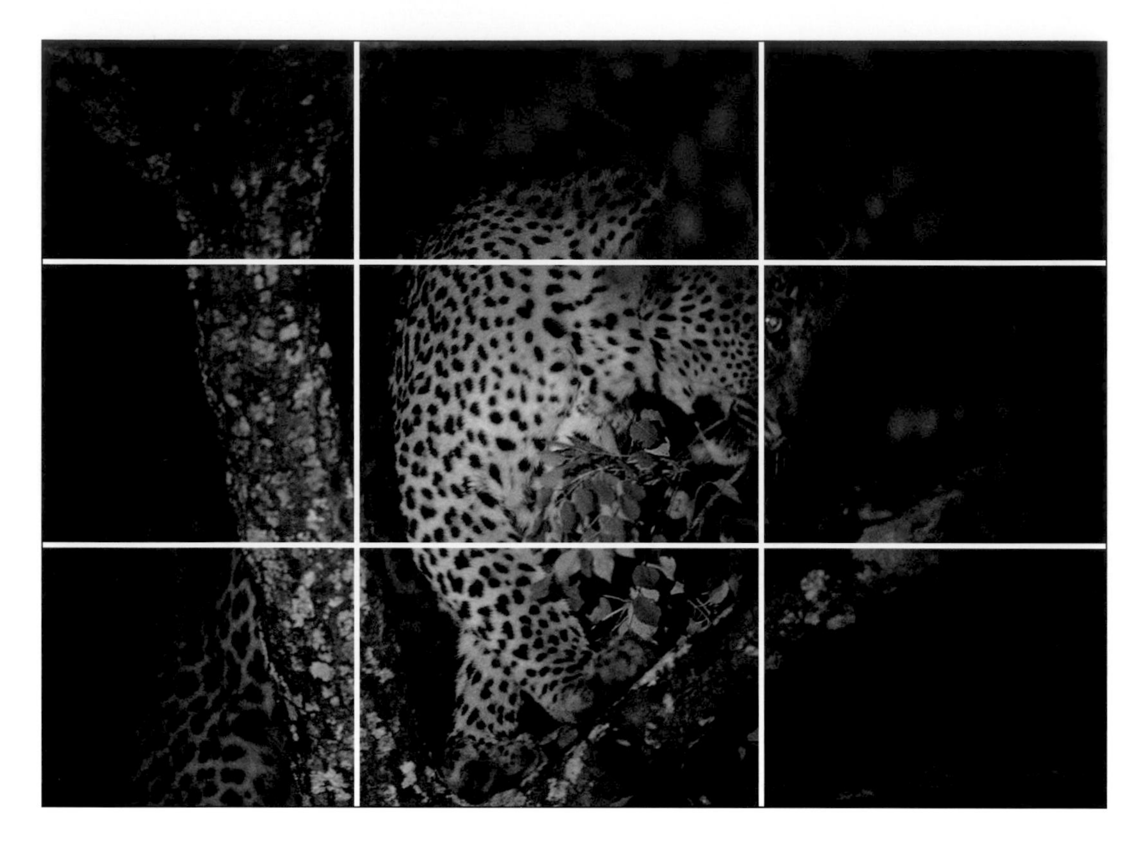

Chris Johns a appliqué la règle des tiers pour capturer l'œil luisant de ce léopard de façon spectaculaire.

cadrant vos portraits que vous commencerez à composer vraiment vos photos.

Depuis l'époque de Léonard de Vinci, toutes les écoles d'art assènent la règle des tiers aux artistes en herbe. Je trouve d'une manière générale les règles plutôt ennuyeuses, mais je dois admettre que celle-ci est vraiment utile aux photographes.

Regardez à travers le viseur et divisez mentalement l'écran en trois bandes horizontales et en trois bandes verticales, comme une grille de morpion. Les points d'intersection sont les endroits que votre œil recherche naturellement lorsque vous observez une photographie. Il est donc logique d'essayer de positionner votre sujet près d'un de ces quatre foyers. Lorsque vous photographiez un paysage, une bonne pratique de composition consiste à placer l'horizon ou le ciel sur une de ces lignes imaginaires. À ce propos, il est capital que votre horizon soit droit. C'est l'erreur la plus fréquente des débutants : il est très décevant de regarder une photo dans laquelle la ligne d'horizon est inclinée.

Changer d'angle de vue pour prendre une photo peut la transformer radicalement. Mettez-vous au niveau des petits sujets, comme les animaux domestiques et les bébés. Allongez-vous et regardez vers le haut les premiers pas de votre enfant, pour rendre la photo plus intéressante. Un portrait serré de votre bouledogue endormi sur le tapis est bien meilleur si vous le prenez à sa hauteur. Le choix d'un point de vue dynamique permet d'améliorer vos photos. Allez-y carrément : positionnez-vous au-dessus du chien endormi. Ce point de vue peut être intéressant. L'idée est d'essayer pour obtenir l'image la plus vivante.

Vous allez trouver que je me répète, mais regardez vos images sur l'écran LCD au dos de votre appareil numérique. Un bon truc pour les modèles dotés d'un écran LCD pouvant être utilisé comme un viseur – pour un écran à charnière, réglable – est de tenir l'appareil sur le sol ou au-dessus de votre tête pour trouver un angle de vue plus spectaculaire et de regarder l'image avec le LCD afin de contrôler la composition. De cette manière, vous pouvez obtenir un angle de vue qui serait inenvisageable si vous deviez composer l'image avec votre viseur ordinaire. Moins vous êtes habile, plus il sait se rendre indispensable !

CONSEIL :

Lorsque vous regardez à l'œil nu, vous appréhendez ce que vous voyez en trois dimensions : vous percevez la profondeur. Mais n'oubliez pas qu'une photographie n'a que deux dimensions. Si bien que, pour donner un sentiment de profondeur à votre photo, vous devrez l'accentuer en utilisant un grand-angulaire pour isoler le premier plan, ou bien un éclairage.

Si votre cadre contient des lignes continues visibles ou longues, comme des routes, des rivières, des barrières, des édifices, etc., tirez parti de ces lignes : composez votre image de manière à guider l'œil vers le sujet principal de la photo. Ceci est particulièrement valable lorsque les lignes naissent dans les angles inférieurs de vos vues. Une route sinueuse, par exemple, mène vers la vieille église que vous visez, ou la Grande Muraille de Chine débute dans l'angle inférieur de votre cadre afin de guider l'œil au centre de la photo.

Un dernier mot sur la couleur dans votre composition : inutile d'essayer d'appliquer des règles à ce sujet. C'est à vous seul en tant que photographe d'apprécier la couleur et l'esthétique des différentes combinaisons. Les couleurs peuvent donner un ton froid ou chaud à l'image, reflétant nos préjugés sur elles. Une scène d'hiver peut être renforcée par l'emploi du bleu pour donner l'impression du froid, un parasol rouge sur une plage dorée peut évoquer la chaleur. Bien qu'il ne soit généralement pas possible d'ajouter des couleurs à vos photos, soyez conscient de la couleur lorsque vous visez, afin d'optimiser le rendu.

Pages suivantes : Sandra-Lee Phipps s'est photographiée juste avant d'accoucher avec un Pentax 67 II, un objectif de 45 mm et f/4,0. Elle a réglé la vitesse d'obturation sur 1/30 seconde à f/4,0. Le film est un Kodak Portra 800 ISO exposé à 400 ISO (en d'autres termes, surexposé d'un diaphragme). Elle a exploité la lumière naturelle de l'après-midi diffusée par la fenêtre.

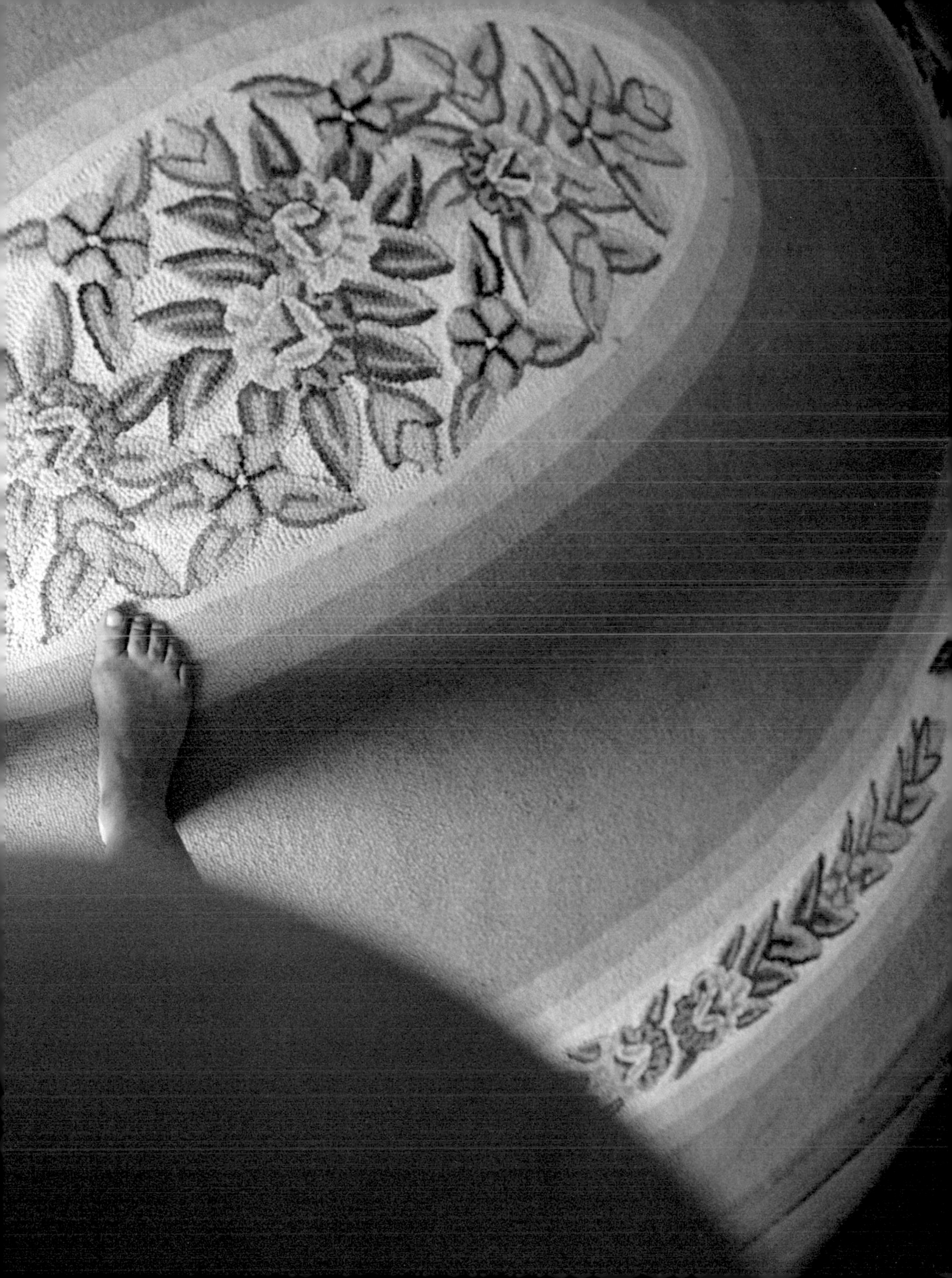

La photographie conceptuelle « Blue » de Fredrik Brodén souligne l'importance de la couleur dans la photographie.

BALANCE DES BLANCS

Sur les appareils numériques actuels, le réglage automatique de la balance des blancs (AWB) est idéal pour la plupart des sujets. Dans certains cas, il est préférable d'utiliser un des préréglages (ensoleillé, nuageux, fluorescent, incandescent, etc.), combiné avec l'éclairage existant. Les appareils numériques perfectionnés autorisent le réglage manuel de la balance des blancs : il suffit pour l'observer de photographier un papier gris neutre, dans un des modes de l'appareil. Celui-ci s'adapte alors pour donner une couleur très précise. À lumière constante, c'est le meilleur moyen d'obtenir un équilibre parfait des couleurs, même avec un éclairage mixte ou complexe.

Une astuce que j'utilise souvent consiste à régler les degrés Kelvin (mesure de la couleur) de l'appareil légèrement plus chauds que la lumière disponible. Imaginons un après-midi normalement ensoleillé : la température de couleur correcte serait 5 500 °K. Je règle mon appareil sur 6 000 °K, si bien qu'il juge la lumière plus froide qu'elle n'est en réalité. Cela donne un effet plus chaleureux, comparable au film Fuji Velvia.

Aujourd'hui, la plupart des appareils ont une mesure interne de la balance des blancs. Comme pour la mesure interne de l'exposition automatique, si le sujet a une couleur ou une densité prédominantes, les réglages automatiques cherchent à atteindre un effet neutre et peuvent être trompés. Si vous photographiez une Ferrari rouge devant un mur rouge avec l'AWB, l'appareil essaiera de rendre la photo moins rouge. Exactement comme pour prendre un bonhomme de neige dans un paysage neigeux en exposition automatique : l'appareil sous-expose le sujet

Le préréglage de la balance des blancs permet d'obtenir une photo plus attrayante. Vous pouvez pour cela :

- effectuer une mesure manuelle de la balance des blancs avec l'appareil ;
- utiliser un thermocolorimètre, puis saisir la mesure ;
- vous fier à votre expérience et saisir manuellement la température de couleur en degrés Kelvin.

Ce qu'il faut savoir sur la balance des blancs :

- Dans 90 % des cas, la balance des blancs automatique produit d'excellents résultats, comme l'exposition automatique.
- Dans des conditions d'éclairage inhabituelles ou mixtes, ou avec des sujets d'une couleur prédominante, essayez de régler manuellement la balance des blancs de votre appareil.
- N'hésitez pas à réchauffer légèrement vos photos en choisissant manuellement une température de couleur plus froide que celle que nécessite la lumière.

FORMATS DE FICHIERS

Les photos numériques peuvent être créées en trois formats différents : JPEG, TIFF et RAW. Chacun d'eux a ses avantages et ses inconvénients. Il revient au photographe de déterminer le meilleur format à utiliser en fonction de son utilisation. En général, pour envoyer une image par e-mail, utilisez le format JPEG. Si vous travaillez avec un logiciel d'édition plus sophistiqué, choisissez le TIFF. Pour créer de grands tirages de vos travaux ou adapter les couleurs à vos goûts, optez pour le format RAW.

Une fourmi à Bornéo, photographiée par Mattias Klum.

JPEG (Joint Photographic Experts Group) : cet acronyme désigne le comité de photographes réuni à l'origine pour débattre des formats. Le JPEG est un format de fichier d'image compressé, dont la taille inférieure en mégaoctets est particulièrement adaptée aux envois par e-mail. Cependant, le processus de compression entraîne souvent une baisse de qualité pour l'image. Si le fichier est trop compressé, l'image est sensiblement dégradée. Sur les appareils D-SLR de pointe, choisissez le plus grand format si vous avez l'espace mémoire suffisant. Le JPEG est aussi multiplateforme : le même fichier peut être lu indifféremment sur Mac ou sur PC.

TIFF (Tagged Image File Format) : format de fichier graphique créé dans les années 1980 pour devenir le format d'image multiplateforme standard. Le format TIFF peut gérer des profondeurs de couleur comprises entre 1 et 24 octets. Depuis l'introduction du premier standard TIFF, les utilisateurs ont apporté de légères améliorations au format, si bien qu'il en existe près de 50 versions. Comme le JPEG, le format TIFF est compatible Mac et PC.

RAW (« brut ») : ce sont des images non traitées, parfois appelées négatifs numériques. Ce mode ne compresse pas les images. Par conséquent, vous contrôlez davantage la correction des couleurs et le traitement informatique. C'est également le format préférable pour réaliser de grands tirages. En revanche, un fichier RAW prend deux ou trois fois plus de place sur votre carte mémoire. Les appareils reflex numériques les plus onéreux permettent de prendre la photo en format RAW, qui est en général un format exclusif du fabricant de l'appareil. Ces modèles sont fournis avec un logiciel d'édition spécifique qui permet d'ouvrir les fichiers RAW, de les éditer et de les convertir en fichiers TIFF et JPEG.

- Si vous photographiez en RAW avec un appareil perfectionné, de nombreux réglages des blancs pourront être réalisés sur ordinateur après la prise de vue. Toutefois, ne soyez pas paresseux, ne comptez pas là-dessus pour éviter de faire les réglages nécessaires. Un réglage précis de l'appareil produit un meilleur résultat.

L'IMPORTANCE DE L'ARRIÈRE-PLAN

L'une des erreurs les plus fréquentes des photographes amateurs est de négliger l'arrière-plan. Lorsque je prends des photos, ce qui se passe autour de mon sujet est un des éléments fondamentaux auxquels je prête attention. En effet, aucune image ne peut être réussie sans un arrière-plan soigné. Ce qui ne veut pas dire qu'il doit toujours être neutre, même si c'est un bon point de départ. Il ne doit pas créer de distraction par rapport au sujet principal de la photo, qu'il s'agisse d'une action, d'un portrait ou même d'un paysage. Bien souvent, l'arrière-plan sert à compléter le contenu de l'image.

Il peut être utile de changer légèrement l'angle de la photo. Par exemple, si vous photographiez quelqu'un par beau temps et que les arrière-plans envisageables sont affreux, renoncez et choisissez le meilleur arrière-plan du monde – mon favori –, le ciel bleu. De même, beaucoup de grands portraits ont été magnifiés par un ciel nuageux et sombre en toile de fond.

Bob Martin a trouvé un endroit plein de couleurs pour photographier ce nageur australien.

Des perspectives et une composition inhabituelles peuvent rendre des sujets familiers plus intéressants.

Parfois, lorsque l'arrière-plan est inintéressant, une bonne astuce consiste à utiliser un téléobjectif ouvert au maximum. Ainsi, votre sujet se détache sur un arrière-plan très flou. Par ailleurs, comme l'angle de champ du téléobjectif est réduit, vous pouvez choisir votre arrière-plan avec plus de précision.

Pour illustrer l'importance de l'arrière-plan, prenons un scénario fréquent : vous photographiez la mariée le jour de ses noces. En incluant l'église dans le plan, vous transformez un portrait rigide et ennuyeux en une photographie meilleure. Dans ce cas, l'arrière-plan complète l'image, sans l'écraser ni créer de distraction. Il ne doit pas prendre la première place. N'oubliez pas votre sujet et utilisez ce qui l'entoure pour améliorer la composition et le cadrage de votre image.

Il va sans dire que l'attention accordée à l'arrière-plan est l'un des éléments clés d'une photographie bien composée. Le choix d'un fond noir peut aussi apporter beaucoup à certains portraits. Des natures mortes extraordinaires sont parfois rehaussées par l'arrière-plan d'un blanc immaculé devant lequel on les a placées.

En résumé, voici les points à ne pas négliger lors de votre prochaine sortie en famille :

- *Toujours, toujours, toujours* tenir compte de ce qui se trouve à l'arrière-plan.
- Si vous prenez une photo de votre sœur à New York, veillez à ce qu'un gratte-ciel ne surgisse pas au-dessus de sa tête, comme un drôle de chapeau.
- Si vous photographiez votre frère dans le Grand Canyon, veillez à ce que l'horizon, lors d'une pose malencontreuse, ne lui sorte pas des oreilles.
- Lorsque vous photographiez votre père à la pêche, cadrez en gardant le cours d'eau en arrière-plan, et non le parking qui le jouxte.
- Quand vous prenez des photos de l'anniversaire de votre tante, assurez-vous qu'aucun panneau lumineux dans le restaurant ne distrait vos yeux du gâteau.
- C'est le premier match de foot de votre fils : choisissez de la verdure en arrière-plan, et non les affreux vestiaires disparates et perturbants, pour la photo d'action que vous souhaitez prendre.
- Pour voler une photo de votre compagne allongée sur la plage, attendez que l'homme qui promène son chien derrière elle se soit éloigné.

LA PHOTOGRAPHIE AU FLASH

Pour être totalement honnête avec vous, en général je n'aime pas la photographie au flash. Je préfère utiliser la lumière naturelle et déplacer le sujet pour obtenir l'émotion que je cherche. Parfois, le flash peut être utilisé à bon escient, à condition de savoir en tirer le meilleur parti.

Pages suivantes :
Bill Allard a photographié ce couple avec un film Kodachrome et un flash peu puissant.

Une simple carte de visite fixée au flash par un élastique peut servir de réflecteur.

Essayez différents angles avec un flash pour supprimer les ombres indésirables.

Flash de l'appareil

Nous avons tous vu des dizaines d'exemples de mauvais emploi du flash, par exemple lorsque le sujet se détache sur un mur et que le flash y produit un épais contour disgracieux. Si le flash est intégré à l'appareil, il est souvent difficile d'éviter ces problèmes, mais quelques astuces simples peuvent vous aider.

Éloignez le sujet de l'arrière-plan : plus il sera loin d'une surface susceptible de réfléchir une ombre, meilleur sera le résultat. La distance entre le sujet et l'ombre déterminera non seulement la taille de l'ombre, mais aussi la dureté des contours. Plus la distance est grande, plus l'ombre est douce, peu marquée.

Dans certains cas, lorsqu'il est impossible de séparer le sujet de l'arrière-plan, le sujet aura inévitablement une ombre derrière lui. Le mieux que vous puissiez faire est de rendre l'ombre aussi discrète que possible. Prenez la photo depuis un angle qui projette l'ombre derrière la tête du sujet plutôt que devant le visage, ou bien optez pour le flash indirect.

Flash indirect

En dirigeant votre flash vers une surface réfléchissante, vous pouvez modifier l'angle et la qualité de la lumière qui atteint

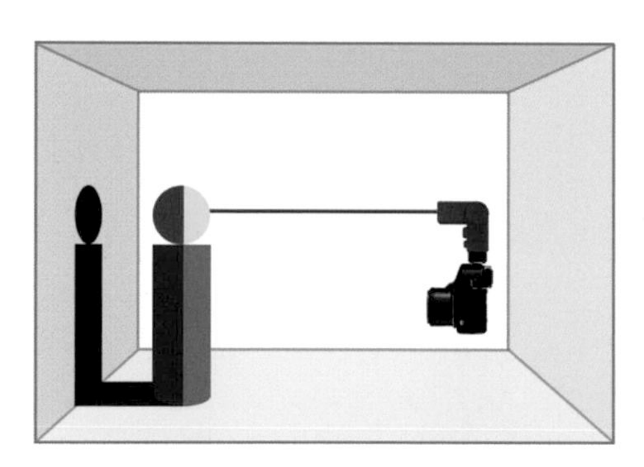

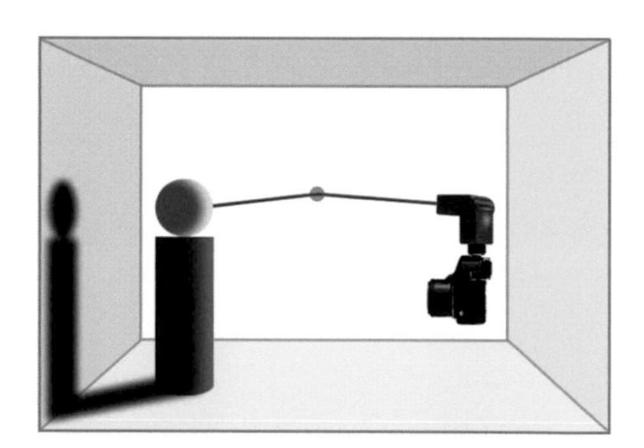

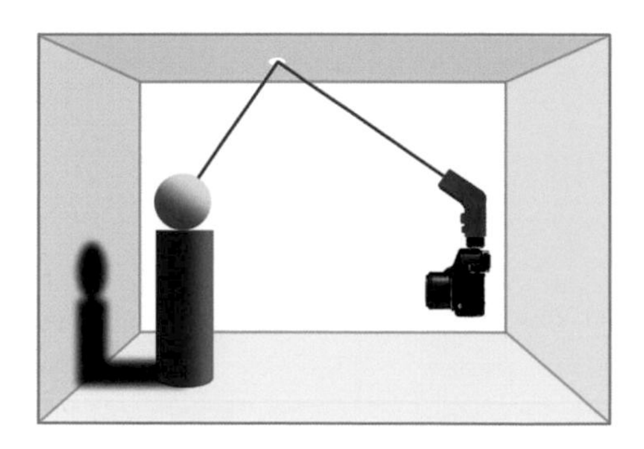

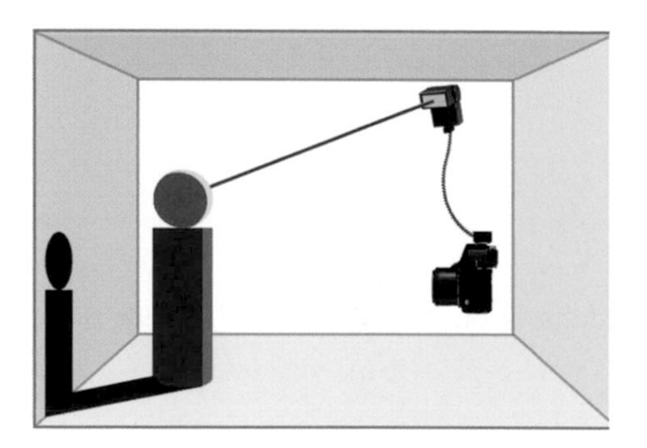

votre sujet. La lumière réfléchie est plus diffuse, moins dure, elle produit un résultat plus doux, avec moins d'ombres.

Fixé derrière le flash et recourbé devant lui, un simple morceau de papier blanc peut suffire à modifier l'angle de l'éclair de votre flash. Ajustez la position du flash pour orienter la lumière dans la direction souhaitée – généralement un mur ou un plafond neutre – pour enfin éclairer le sujet à bon escient.

Flash avec diffuseur

L'un des problèmes majeurs que posent les flashes intégrés est la dureté de la lumière qu'ils produisent. Cette lumière crée des ombres dures qui donnent des images déplaisantes.

Pour résoudre ce problème, il convient d'adoucir la lumière produite par le flash au moyen d'un diffuseur de flash, que l'on trouve en vente, mais que l'on peut aussi fabriquer : il suffit de placer un mouchoir blanc en tissu ou en papier devant le flash. La lumière qui passe à travers le mouchoir sera diffusée, estompant les ombres et adoucissant l'image. Même les rides de votre grand-tante seront à peine visibles.

PREMIER ET ARRIÈRE-PLAN CORRECTEMENT EXPOSÉS

Autre mauvaise expérience fréquente avec le flash : un premier plan clair et un arrière-plan sombre, où le sujet est correctement exposé, mais où l'arrière-plan est complètement sous-exposé et noir. Un de mes amis a un album rempli de photos de ce genre, légendées. « Margaret à Paris », « Margaret à Rome », etc. Malheureusement, toutes les photos se ressemblent : ce sont des vues de Margaret sur fond noir.

La raison est simple : la vitesse d'obturation est trop rapide. Le flash produit assez de lumière pour exposer le sujet correctement, mais l'obturateur s'ouvre et se ferme trop rapidement pour permettre la captation de la lumière naturelle de l'arrière-plan.

Pour résoudre le problème, il suffit de régler l'obturateur sur une vitesse plus lente. Ainsi, le flash expose le sujet tandis que la durée supérieure de l'obturation laisse entrer plus de lumière dans l'objectif. Capter la lumière naturelle permet de rendre l'arrière-plan plus visible sur la photographie. Vous pouvez choisir des vitesses d'obturation aussi lentes que 1/8 seconde ou

Lorsque le flash est trop près, les tons chair se dissipent, l'arrière-plan perd ses détails. Essayez d'utiliser une vitesse d'obturation plus lente pour capter davantage de lumière naturelle.

Un dispositif esclave permet de créer une seconde source de lumière pour votre photo.

moins. Toutefois, pour que les éléments éclairés naturellement soient nets, il faut que l'appareil soit fixe (par exemple le poser sur un trépied). Faites des essais. Si ce n'est pas concluant dès la première fois, effacez l'image et réessayez en changeant de vitesse d'obturation.

Flash portable

Même si votre nouvel appareil numérique est équipé d'un flash intégré, il peut être intéressant d'en acheter un second d'appoint, afin de disposer de plus de souplesse pour photographier au flash. Les modèles sont trop nombreux sur le marché pour les citer tous, mais un flash portable de bonne qualité est un bon investissement. La plupart des grands fabricants d'appareils produisent leurs propres flashes. En achetant un modèle de la même marque que votre appareil, vous ne pouvez pas vous tromper. Un flash spécifique à un appareil regroupe l'ensemble des fonctions TTL ainsi que des possibilités multiflash/sans fil. Avec un flash d'appoint, vous disposez de bien plus de possibilités pour créer différents types d'éclairage.

Peu d'appareils D-SLR ont une prise de synchronisation. Ils sont plutôt munis d'une fixation (ou « griffe ») située sur le

dessus pour relier le flash au boîtier. C'est un moyen pratique de fixer le flash portable à l'appareil, mais cette position pleine face limite aussi les possibilités. Personnellement, j'apprécie de pouvoir ôter le flash du boîtier pour le placer sur le côté du sujet afin de créer un rehaut, ou ailleurs pour varier les effets d'éclairage. Si votre appareil ne comporte pas de prise de synchronisation (qui relie le flash à l'appareil par un cordon), il y a d'autres manières d'actionner le flash à distance. Certains dispositifs s'adaptent sur la griffe au-dessus de l'appareil et peuvent ainsi être reliés à un flash externe par un câble ou par un cordon de synchronisation.

CONSEIL :

Placer un filtre coloré sur le flash externe produira un effet de couleur susceptible de rendre votre photo plus intéressante.

Il existe aussi un petit dispositif peu onéreux appelé « esclave » (ou « synchro »). Cet outil électronique est activé par l'éclair d'un flash. Relié au flash externe, il le déclenche par l'éclair émis par le premier flash.

Si votre appareil a un flash intégré, celui-ci peut servir à déclencher un autre flash équipé d'un dispositif « esclave ». Vous pouvez ainsi disposer d'une seconde source lumineuse où bon vous semble. Aujourd'hui, les grands fabricants intègrent

Nick Nichols a choisi de photographier le même paysage d'Amazonie équatorienne avec et sans flash, pour pouvoir choisir l'image qui lui plaisait le plus.

Les paparazzi se servent du flash, même en plein jour.

souvent cette fonctionnalité sans fil dans leurs systèmes de flash, offrant ainsi une automatisation complète sans utiliser de câbles. Si on l'emploie de cette manière, le flash externe peut procurer une source d'éclairage de premier plan, qui donne plus de relief à votre photo. Placé derrière le sujet, il mettra en valeur sa chevelure.

Flash *fill-in*

Bien que résidant en Grande-Bretagne, le soleil me pose parfois problème lorsque je prends des portraits en extérieur.

Lors des rares journées ensoleillées, la luminosité crée parfois un écart trop marqué entre les tons clairs et les tons foncés : les photos présentent des éclairages variables. Si nous exposons pour les tons clairs, les ombres sont foncées et sans détail. Il faut alors utiliser le *fill-in* (ou flash d'appoint).

Le *fill-in* consiste à utiliser le flash pour apporter plus de lumière dans les ombres. Cette technique produit une image bien exposée, où tous les tons, clairs et foncés, sont mieux équilibrés.

Pour pratiquer le *fill-in*, il faut d'abord connaître la vitesse de synchronisation de votre D-SLR avec le flash. Si ce dernier n'est pas synchronisé, cela aura peu d'effet et les éclairages resteront variables.

La plupart des D-SLR ont une vitesse de synchronisation de 1/60 seconde, atteignant 1/250 seconde pour les meilleurs. Les vitesses de synchronisation avec le flash généralement faibles impliquent que, pour obtenir une exposition correcte, le CCD doit être réglé sur une valeur ISO bien inférieure, sinon l'image entière sera surexposée.

Une fois la vitesse d'obturation réglée sur la bonne vitesse de synchronisation, il faut prendre une mesure globale de l'exposition. Par exemple, pour une mesure de 1/60 seconde à f/11 et 100 ISO, il suffit de régler le flash sur la distance correspondante et la puissance sur f/8 (une ouverture de moins que la mesure globale de l'exposition). La puissance sera alors suffisante pour « remplir » (*fill*) les ombres, sans les supprimer complètement.

NOIR ET BLANC

La plupart des appareils numériques peuvent prendre des photos en noir et blanc. Toutefois, je vous conseille de prendre vos photos en couleur et de les convertir ensuite en noir et blanc sur ordinateur, avec un logiciel de traitement de l'image. Vous pourrez ainsi reproduire vos photos en couleur ou en noir et blanc. Par ailleurs, la capture de l'image en couleur avant sa conversion en noir et blanc produira plus de détails dans les ombres qu'une image initialement prise en noir et blanc. Consultez le chapitre 5 pour apprendre pourquoi et comment utiliser cet outil.

LA QUALITÉ DE LA LUMIÈRE

On me demande souvent : « Quelle est la meilleure heure pour prendre des photos ? »

C'est une question qui n'a pas de réponse définitive ; les opinions divergent. Je pense cependant que la capacité à repérer les conditions d'éclairage qui prévaudront à différents moments de la journée – et à savoir les utiliser – fait partie des qualités d'un bon photographe.

Les meilleures heures pour la photographie sont d'ordinaire la fin de l'après-midi et le début de la matinée. Même si le soleil est bas dans le ciel à ces deux moments, la photosynthèse (le processus chimique qui permet aux végétaux de rester verts en réaction avec le soleil) y crée une palette de couleurs très différentes. Cependant, les particules de poussière qui flottent dans l'air, en général invisibles, profiteront également de ces lumières rasantes pour se faire remarquer.

La lumière pure et blanche du matin produit des couleurs vibrantes et nettes. En fin d'après-midi ou en début de soirée, la lumière est plus chaude et douce. Le faible angle du soleil dans les deux situations crée des ombres marquées et longues. La lumière du crépuscule – douce, chaude et diffuse – est idéale pour les

Pages précédentes : Sisse Brimberg a capté l'ambiance maussade des rues danoises sous une pluie battante.

James Blair s'est levé tôt pour capter la brume matinale dans le parc national de Redwood, Californie, États-Unis.

photos en contre-jour. En plaçant le soleil derrière votre sujet, à l'aide d'un réflecteur ou d'un petit flash *fill-in*, vous obtiendrez des portraits auréolés d'une lumière dorée presque irréelle.

La meilleure façon de découvrir l'effet de la lumière à différentes heures du jour est de vous rendre dans un endroit panoramique tôt le matin et de prendre une série de clichés. Prenez les mêmes vues à midi, puis le soir. Comparez les résultats : vous verrez les variations de la lumière aux différentes heures de la journée.

La mi-journée est l'heure que j'aime le moins pour la photo. Le soleil est au zénith et crée des ombres intenses, nettes, que vous devez maîtriser. À nouveau, un flash *fill-in* ou une paire de réflecteurs peuvent aider à gérer les ombres créées par cette lumière forte et dure.

Un temps pluvieux et sombre bien utilisé peut aussi donner des images saisissantes. Avec des nuages menaçants en toile de fond, des vagues qui se brisent sur une côte rocheuse peuvent être spectaculaires. Le regard d'un sujet à travers une fenêtre balayée par la pluie évoque des sentiments variés. Juste après un orage, j'adore la

Bill Allard a photographié la réserve naturelle nationale Charles M. Russell, dans le Montana, en fin d'après-midi.

lumière qui transperce les nuages noirs alors qu'ils s'éloignent. Ces rayons illuminent le paysage, tels de gros projecteurs.

La lumière est capitale pour la photographie, si bien qu'il est impératif de maîtriser son comportement aux différentes heures de la journée et aux quatre saisons de l'année, pour devenir un bon photographe.

Quelques astuces simples :

- Tôt le matin, lorsque le soleil est encore bas dans le ciel, la lumière est pure et blanche. C'est le moment idéal pour la photographie de paysage, car la longueur des ombres donne de la profondeur à vos photos.
- À midi, lorsque le soleil est au zénith, les ombres sont courtes et intenses. Les portraits sont particulièrement délicats : vous devrez utiliser un flash *fill-in* ou des réflecteurs pour adoucir l'effet des ombres.
- En fin d'après-midi, la lumière chaude et diffuse produit de longues ombres douces. C'est l'heure idéale pour réaliser la plupart des photos.
- La lumière est dynamique. Si possible, organisez votre photo en fonction de son intensité. Si elle est trop dure pour prendre votre photo, attendez une heure que les conditions évoluent. Elles seront en général meilleures, tout comme vos images.
- Le beau temps n'est pas forcément synonyme de bonne exposition. Un temps nuageux adoucit la lumière et réduit les contrastes, alors qu'un orage peut créer des effets surréalistes et rendre dramatique une scène pourtant « normale ».

COMMENT RÉALISER UN PHOTOREPORTAGE

Cette histoire débute avec l'annonce dans le *Washington Post* de la promulgation, en 2000, de la loi sur la protection des victimes de la traite des personnes. Jodi Cobb l'a lue et s'est demandé s'il existait des reportages sur la traite illégale d'êtres humains. Elle a contacté des organismes comme The Protection Project, affilié à l'université Johns Hopkins. Elle a rencontré des membres du ministère des Affaires étrangères. Elle a lu les rapports publiés par des comités des Nations Unies, ainsi que l'ouvrage de Kevin Bales, *Disposable People : New Slavery in the Global Economy*. Elle s'est alors rendu compte qu'aucun photoreportage ne relatait la vérité dans son aridité comptable : 27 millions de personnes dans le monde sont des esclaves.

« Je savais que ce serait un reportage très complexe, car le phénomène est invisible », explique Cobb, qui a consacré un an à ce projet. Elle a commencé en Inde et au Népal, où elle pensait pouvoir prendre des photos. Là, elle avait entendu parler de maisons closes abritant des femmes et de lieux où des enfants travaillaient. Elle avait repéré des familles asservies qui travaillaient pour rembourser des dettes contractées du fait de politiques de prêt abusives.

Ensuite, elle s'est rendue dans neuf autres pays pour illustrer du mieux possible les trois aspects de son reportage : les différentes catégories de travailleurs asservis, les gens qui les exploitent et ceux qui œuvrent pour affranchir ces esclaves. En Israël, elle a dû se contenter de quatre jours de travail. En Bosnie, elle a déjeuné avec un homme réputé dangereux. Elle a risqué des représailles dans les rues de Mumbai pour avoir utilisé son appareil à l'extérieur des bordels.

Elle pleurait parfois en travaillant. « J'ai pris toutes mes photos dans la peur ou les pleurs », raconte Cobb. « J'ai vu le pire de la nature humaine – et le meilleur, poursuit-elle. Pour chaque sale type, il y avait une personne courageuse qui essayait d'aider. »

On peut dire sans hésiter que « Les esclaves du XXIe siècle », reportage de 24 pages publié par le magazine *National Geographic* en septembre 2003, est le sommet d'une carrière débutée en tant que photographe régulière du *News Journal* à Wilmington (Delaware). Après deux ans en freelance, Cobb a rejoint l'équipe du magazine *National Geographic* en 1977. Depuis, elle a enquêté et publié

Une maison close à Tel Aviv, Israël, 2002.

25 reportages, couvrant des sujets aussi divers que « Londres » ou « L'énigme de la beauté ». Mais elle est aussi experte pour franchir les portes des mondes clos, comme le montrent son reportage « Les femmes en Arabie Saoudite » et son livre *Geisha : The Life, the Voices, the Art* (1995), qui a remporté un beau succès.

Pour en savoir plus sur le travail de Jodi Cobb, consultez le site (en anglais) *www.nationalgeographic.com.* Ou suivez ses cours. Elle participe régulièrement à l'atelier « Photography at the Summit », à Jackson Hole, dans le Wyoming.

Jodi Cobb a photographié ce radeau à l'aube, sur le lac de Thun, en Suisse.

Une candidate attend de défiler en maillot de bain lors d'un concours de beauté

Jodi Cobb a saisi le reflet d'une publicité sur un arrêt de bus à Londres, Angleterre.

Chapitre 3

Les techniques de perfectionnement

3 *Les techniques de perfectionnement*

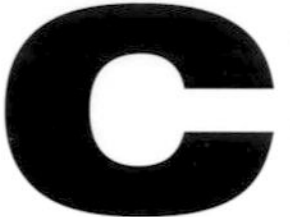
e chapitre traite des genres photographiques qui nécessitent du matériel ou des techniques particuliers, permettant de se perfectionner.

ARRÊTER, FLOUTER, UTILISER LE MOUVEMENT

Photographier le mouvement n'est pas l'apanage de la photo sportive. Dans tous les aspects de la vie, des choses bougent : les enfants, les vagues sur la plage, les animaux domestiques ou sauvages. Les techniques de base que nous décrivons ici donneront à vos photos de tous les jours une touche dynamique. Vous pouvez arrêter, figer l'action, flouter l'arrière-plan pour accentuer la vitesse du sujet, ou même flouter le sujet lui-même. Quelle que soit la technique que vous aurez employée, elle vous permettra de réaliser de belles photos.

Figer l'action

La pratique la plus efficace pour produire un mouvement dynamique dans une photo consiste à figer l'action, grâce à une vitesse d'obturation rapide. Voyons quelles vitesses sont nécessaires pour figer l'action dans des situations quotidiennes, avec un appareil numérique moderne.

Si vos enfants courent vers vous au parc, essayez une vitesse d'obturation d'au moins 1/500 seconde. S'ils traversent le cadre, il vous faudra être plus rapide : optez alors pour une vitesse de 1/1 000 seconde. Suivez l'action quand vous prenez la photo en déclenchant aussi lentement que possible pour la saisir au vol. Si le sujet remplit le cadre, il vous faudra une vitesse d'obturation d'au moins 1/2 000 seconde, en fonction de l'exposition. Au cas où vous ne pouvez obtenir une exposition correcte à des vitesses si élevées, choisissez manuellement une valeur ISO supérieure (par exemple, 400 au lieu de 100 ISO). Il vaut mieux, en effet, avoir un peu de « grain » qu'un sujet flou. (voir pages 64 à 66 pour plus d'explications sur les valeurs et les réglages ISO)

En effet, la vitesse d'obturation nécessaire pour figer l'action dépend de la vitesse à laquelle le sujet passe devant le capteur

numérique de l'appareil. Si l'enfant court vers vous, le mouvement latéral devant le capteur est minime. Il augmente si l'enfant traverse le cadre. Si vous utilisez un grand-angle lorsque l'enfant passe devant vous en courant, le sujet traverse le capteur en un instant, si bien que la vitesse d'obturation devra être très élevée.

Bill Hatcher a fixé son appareil sur le vélo et l'a réglé en priorité vitesse sur 1/30 seconde pour restituer l'impression de vitesse.

Stephen Alvarez a saisi le mouvement de ces perroquets verts au moment où ils prenaient leur envol de Golondrinos Pit, au Mexique.

Autre exemple, avec un téléobjectif. Votre frère souhaite prendre une photo de sa nouvelle voiture de sport en action. Pour une photo de face, s'il vient vers vous, utilisez une vitesse d'obturation supérieure à 1/500 seconde. Pour une photo latérale, optez pour 1/1 000 seconde afin de figer l'image avec un peu de mouvement dans les roues. Pour geler complètement l'action, choisissez 1/2 000 seconde. Ces instructions simples s'appliquent aussi à votre neveu sur sa luge, par exemple : 1/2 000 seconde gèle totalement la neige qui vole lorsque la luge accélère.

Vous vous promenez sur la plage, les vagues se brisent sur les rochers : utilisez une vitesse d'obturation d'au moins 1/1 000 seconde pour geler 95 % de l'action. À nouveau, pour figer toutes les gouttes d'eau, utilisez 1/2 000 seconde.

Pour photographier de face votre oncle qui franchit la ligne d'arrivée du marathon de New York au bout de 5 heures et 35 minutes, choisissez 1/500 seconde.

Technique du filé/effet panoramique

L'effet de panoramique est une technique qui fixe le sujet sur un arrière-plan filé. La vitesse d'obturation devra être inférieure à celle qui est nécessaire pour geler l'action. Si vous bougez l'appareil à la même vitesse que le sujet, celui-ci est figé, et l'arrière-plan filé par le mouvement. Il est essentiel, comme pour geler une action, de suivre le sujet en tenant fermement votre appareil et en déclenchant sans bouger.

Une bonne pratique consiste à continuer à suivre l'action même après avoir déclenché. Ainsi, vous pouvez produire un effet de panoramique plus doucement, tout en gelant le sujet. Parfois, en utilisant une vitesse d'obturation encore inférieure, votre sujet aura également un peu de mouvement ou de filé ; les bras et les jambes d'un coureur peuvent être filés, par exemple, tandis que sa tête et son corps, moins rapides, sont nets. Non seulement cela peut améliorer la photo, mais c'est aussi un excellent moyen de traduire l'impression de vitesse. Visionnez les prises sur l'écran de l'appareil numérique et multipliez les essais jusqu'à obtenir la « photo idéale ».

À travers cette photographie de la préparation d'un garçon avant une cérémonie, Randy Olson voulait restituer l'atmosphère mystérieuse de la nuit dans les forêts du Congo.

Votre belle-mère réenfourche son vélo pour se rendre au marché pour la première fois de l'année ? Postez-vous à un endroit stratégique et réglez votre vitesse d'obturation à 1/60 seconde. Lorsque belle maman apparaîtra à bonne distance, suivez-la dans le viseur, en gardant l'appareil fixe pendant que vous produisez un effet de panoramique sans à-coups. Si vous entretenez de bonnes relations avec elle, demandez-lui de recommencer en optant pour 1/30 seconde, ou même 1/15 seconde pour comparer les effets.

Votre frère voudrait une autre photo de lui dans son nouveau bolide. À l'aide de la technique « de la belle-mère », prenez quelques vues au 1/125 seconde et, s'il veut avoir l'air aussi rapide qu'au volant d'une Porsche, essayez 1/60 ou même 1/30 seconde pour obtenir un arrière-plan encore plus filé. Mais n'oubliez pas qu'avec ces vitesses d'obturation plus lentes, votre sujet sera lui aussi légèrement filé.

Multipliez les clichés pour espérer en garder un. C'est l'un des grands atouts de la photo numérique : vous ne gaspillerez rien d'autre que la batterie. Jetez absolument sans hésiter toutes les photos qui ne sont pas réussies.

Déclencher en roulant/suivre le sujet

Voici une technique plus compliquée, fréquemment employée par les photographes automobiles. Ils travaillent dans une voiture qui se déplace à la même vitesse que le véhicule sujet. Ainsi, la voiture qu'ils photographient est gelée, tandis que le premier et l'arrière-plan sont filés comme dans l'effet de panoramique. Même chose, l'appareil doit impérativement être aussi fixe que possible et déclenché en douceur. Cette technique sert aussi à photographier les marathoniens et les cyclistes. Si vous vous trouvez dans un taxi noir à Piccadilly Circus, à Londres, essayez de photographier le célèbre bus rouge à deux étages à vos côtés. Choisissez une vitesse d'obturation lente : 1/30 ou 1/15 seconde. Effacez les ratés jusqu'au cliché idéal. Peut-être prononcerez-vous alors la célèbre réplique du film d'action : « Suivez cette voiture » (ou ce bus, ici).

Raul Touzon a photographié en filé ces danseurs, lors d'une nuit à Mexico, accentuant ainsi leur mouvement.

Mouvement contrôlé

En expérimentant les techniques du panoramique et du déclenchement en roulant, vous obtiendrez souvent des photos floues par erreur. Quelquefois, cela peut produire une image construite et agréable. Quand vous serez plus sûr de vous, choisissez de faibles vitesses d'obturation pour flouter délibérément le sujet. Un point de netteté dans l'image sert de point de référence. Ainsi, si le sujet est assez graphique, un cliché flou peut être réussi et très abstrait. Beaucoup de belles photos de danse ont été prises à de très faibles vitesses d'obturation. Les oiseaux en vol sont un autre sujet idéal. Même des joueurs de football peuvent être gracieux dans un flou artistique.

Difficile de vous dire par où commencer. Des vitesses d'obturation entre 1/30 et 1 seconde peuvent être utilisées selon le sujet. Commencez à 1/8 seconde et regardez les résultats sur l'écran LCD au dos de votre appareil numérique. Comme toujours, que vous conseiller de mieux que de faire des essais !

Avec un trépied et une très faible vitesse d'obturation pour prendre un sujet mobile, le contraste entre les détails nets et flous sera parfois spectaculaire. Par exemple, si vous photographiez une cascade à très faible vitesse (1 seconde ou même plus), l'eau sera si floue qu'elle évoquera de la soie. L'arrière-plan (arbres et rochers) sera complètement net, car votre appareil est immobile. Cela peut ajouter un élément créatif à votre photo.

Si vous séjournez à New York, prenez une photo de nuit avec un trépied depuis la fenêtre de votre hôtel. Photographiez la circulation dans les rues. Choisissez une très faible vitesse d'obturation (environ 4 secondes). Comme dans l'exemple précédent, les édifices et les néons seront figés et nets, tandis que les phares des véhicules en mouvement créeront des traînées lumineuses.

Flash et mouvement

Autre technique utile en soirée : vous pouvez prendre une photo à faible vitesse d'obturation (environ 1/8 seconde) avec un flash monté sur l'appareil. Comme l'éclair d'un flash externe classique monté est long de 1/2000 seconde, la lumière du flash fige le sujet/premier plan de la photographie. Et comme l'arrière-plan est éclairé essentiellement par la lumière ambiante, le résultat est flou – conséquence du mouvement de l'appareil – et donne une image lunaire. Cette technique peut être utilisée avec la plupart

Pendant que David Alan Harvey photographiait les passants dans les rues de Nairobi, son assistant tenait un flash sur le côté.

des D-SLR. Certains appareils numériques compacts ont une fonction synchro lente qui donne le même résultat.

La synchronisation sur le deuxième rideau de l'obturateur est un prolongement de cette technique. Normalement, l'émission du flash se produit juste après l'ouverture complète du premier rideau de l'obturateur. Dans la synchronisation sur le deuxième rideau, le flash est émis juste avant la fermeture du deuxième rideau à la fin du temps de pose. Autrement dit, le flash fixe le moment à la fin du mouvement, et des traces lumineuses apparaissent derrière le sujet mobile. (En synchronisation normale, les traces sont orientées dans le sens du déplacement du sujet.) C'est très efficace pour les photos d'action. Par exemple, si vous photographiez une pom-pom girl qui saute en l'air lors d'un match de football en nocturne, elle créera des traces vers le haut (car la faible vitesse d'obturation permet à l'appareil de capter une partie de la lumière ambiante en plus du flash) et sera gelée par le flash au haut de sa trajectoire – en supposant que vous avez réglé le temps de pose pour qu'elle n'en soit pas déjà à la descente ! Attention : la synchronisation sur le deuxième rideau n'existe que sur les D-SLR perfectionnés.

Photographie à distance

Les appareils qui se déclenchent à distance permettent de prendre une photo depuis des sites inaccessibles. Vous pouvez fixer votre appareil à cet endroit (ou sur un trépied) et le relier à un déclencheur à distance via l'adaptateur de déclencheur dont sont équipés les meilleurs D-SLR. Selon les fabricants, les types de commandes à distance varient du simple cordon avec un bouton aux systèmes télécommandés et à infrarouges.

Les D-SLR sont souvent vendus avec un logiciel qui permet d'utiliser l'appareil depuis un ordinateur via un câble FireWire ou USB. Appelé « prise de vue connectée », c'est un bon moyen de débuter. Autre avantage, vous pouvez visualiser vos clichés sur l'ordinateur en direct. Cependant, le câble mesure 6 mètres environ, et l'utilisation d'un ordinateur (même portable) n'est pas toujours pratique.

Quelle que soit la méthode choisie pour la photo à distance, voici quelques scénarios d'essai. Imaginons que vous vouliez photographier des oiseaux dans votre jardin : placez votre appareil sur un trépied à l'extérieur, puis faites passer le cordon sous une porte ou par la fenêtre. Mettez quelques cacahuètes près de l'appareil et réglez la mise au point sur cet endroit. Sélectionnez le mode automatique, puis rentrez vous cacher. Attendez. Le bruit de l'appareil effraiera peut-être les oiseaux, mais vous serez surpris de la vitesse à laquelle ils s'y habituent. Vous pouvez diminuer le bruit en verrouillant le miroir de l'appareil, si votre D-SLR le permet.

Autre accessoire utile pour la photo à distance, le viseur d'angle. Il s'adapte sur l'œilleton du viseur, afin de pouvoir viser de dessus, de dessous ou depuis le côté. C'est très utile pour prendre une photo à distance depuis la cage de but pendant le match de foot de votre fille (si l'appareil ne craint pas les chocs).

N'oubliez pas de faire la mise au point sur l'endroit où l'action va se dérouler. Si vous êtes en mode manuel, réglez la vitesse d'obturation et l'ouverture. Anticipez le déplacement de la lumière pendant le match pour ne pas vous trouver à contre-jour par erreur.

Lors d'une course de chevaux en Irlande, j'ai placé mon appareil sur la barrière avec un support : un trépied fixé sur une plaque.

À l'occasion d'un steeple-chase *en Irlande, Bob Martin a utilisé un appareil muni d'un déclencheur, avec un objectif de 24 mm réglé à 1/2000 seconde en priorité vitesse.*

L'ARGENTIQUE, ENCORE ET TOUJOURS

Gordon Wiltsie n'a toujours pas adopté le numérique pour ses missions extrêmes. « C'est impossible, explique-t-il. Il fait trop froid pour les ordinateurs. » Lorsqu'il fait très froid dans l'Antarctique, la température peut descendre à – 45 °C.

Wiltsie s'est spécialisé dans les expéditions polaires, entre autres : Antarctique, Mongolie, Cachemire, Himalaya. Il guide des expéditions de ski et d'alpinisme et enseigne la photographie. En 1998, il a réalisé un de ses rêves en conduisant une expédition d'escalade en grande paroi dans une région peu connue de l'Antarctique, la Terre de la Reine Maud. Là, il a entrepris l'ascension de la face abrupte du Rakekniven, falaise en surplomb de 610 mètres. Son aventure a fait la une de *National Geographic* en février 1998. Tout au long de l'expédition, il s'est servi de son Nikon FM2, un des seuls appareils fonctionnant sans batterie. « Même lorsque la pile du posemètre s'arrête, il marche encore », précise Wiltsie.

En 1973, encore étudiant, Wiltsie a décidé de partir quelques mois au Népal. Il a appris le népalais et a participé à des treks en montagne. Aujourd'hui, il parle le népalais et l'espagnol, et possède des notions de français, d'hindoustani et de mongol. Une exposition de ses photos sillonne les États-Unis, sur la migration hivernale des nomades mongols dans les montagnes Horidol Saridog. Une rétrospective de son travail a été récemment publiée sous le titre *To the Ends of the Earth Adventures of an Expedition Photographer.* Cet ouvrage relate l'exploration du pôle Nord en traîneau à chiens, la survie à deux avalanches (dont l'une lui a brisé le dos) et la redécouverte d'une tombe au Pérou.

Les trois films photo préférés de Wiltsie – le Fuji Velvia 50, le Kodachrome 200 et le Kodak Professionnel E200 – ne sont plus fabriqués. Le laboratoire où il avait ses habitudes a fermé ses portes. Et tous les éditeurs semblent désormais préférer que leurs photographes passent au numérique. Il a dû s'adapter à l'évolution des technologies en passant de la photographie argentique à la numérique.

« Avec le numérique, on est contraint de croire à ce qui sort de l'appareil, explique Wiltsie, faisant allusion au format de fichier RAW. On ne travaille pas à partir d'une base de couleurs donnée. Tout dépend de votre interprétation ou de celle de l'éditeur. »

Consultez son site *www.alpenimage.com* (en anglais).

Wiltsie a photographié Conrad Anker sur une paroi du Rakekniven, avec son Nikon FM2 au 1/500 seconde à f/8 sur Fujichrome Velvia 50. Terre de la Reine Maud, Antarctique, 1998.

Robert Clark a cadré le visage de cette femme pour mettre en évidence la finesse de son grain de peau.

J'ai choisi un objectif de 24 mm, afin d'obtenir un large plan en contre-plongée pendant que les chevaux sautaient. J'ai réglé l'appareil sur 1/2000 seconde, en priorité vitesse, avec une valeur f plutôt faible (chiffre élevé) pour avoir plus de profondeur de champ, car les chevaux passaient près de l'appareil. Pour que ces réglages soient possibles, j'ai dû choisir une valeur ISO plutôt élevée de 400. Le soleil était là au moment du réglage, mais je n'étais pas sûr que les nuages resteraient au loin pendant la course. J'ai équipé l'appareil d'un moteur pour prendre des photos en rafale pendant les sauts.

LE PORTRAIT

À mesure que vous apprendrez à manier votre nouvel appareil, vous découvrirez le portrait. Un portrait ne se limite pas nécessairement à la tête et au buste, comme sur les photos d'identité ou les avis de recherche. Il peut s'agir du magnifique regard d'une jeune femme en très gros plan, ou d'un plan large de votre boucher derrière son étal.

Les portraits existent sous toutes les formes et dans toutes les tailles. Faites des essais avec vos sujets. N'oubliez pas que la réalisation d'un portrait implique deux acteurs : le photographe et le sujet. Veillez à instaurer une bonne relation avec votre sujet : les meilleurs portraits sont le fruit d'une véritable collaboration.

Les trois principaux types de portraits sont :

- les portraits de visage, ou en gros plan ;
- les portraits en pied ;
- les portraits en situation.

Dans les portraits en gros plan, le visage du sujet remplit fréquemment la majeure partie du cadre, avec peu ou pas d'arrière-plan. L'attention de l'observateur se porte sur la partie du visage que le photographe a souhaité mettre en relief. L'éclairage a une importance capitale dans ce genre de portrait, de par son influence sur le niveau de détails rendus sur le visage du sujet. Ainsi, une lumière directionnelle fait ressortir la chair et accuse les rides, ce qui peut être bon pour les études de caractère, alors qu'une lumière douce est plus flatteuse, car elle minimise les défauts et autres imperfections apparentes. Si vous êtes près

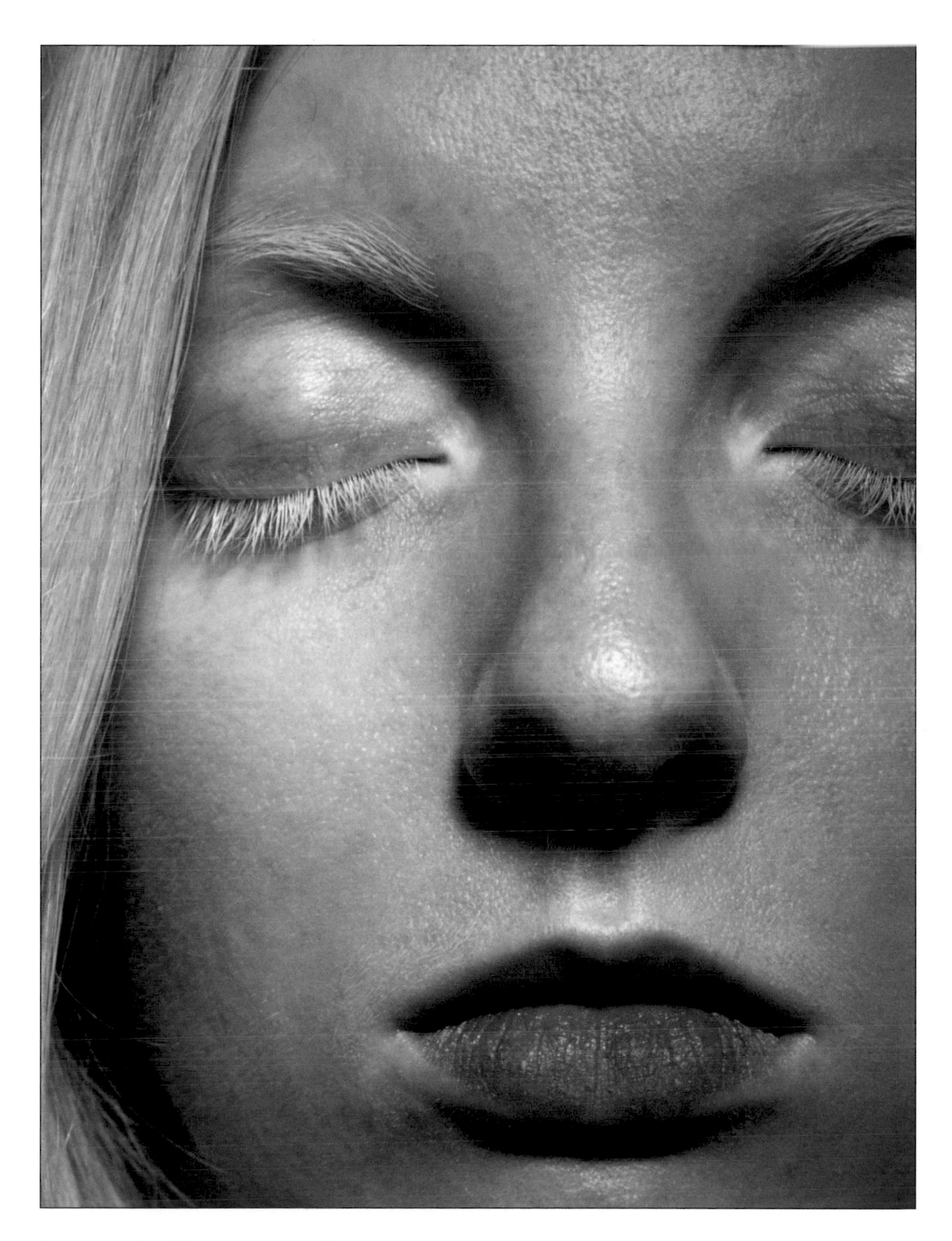

du sujet, n'oubliez pas que la distorsion de la perspective peut produire un effet peu flatteur – un nez saillant, par exemple. Pour éviter d'obtenir ce genre de rendu, utilisez des objectifs à longue focale. Sachez d'ailleurs que les focales comprises entre

Pour réaliser le portrait de cette femme au guichet du Sun Pictures Theater à Broome, en Australie, Randy Olson a inclus autant d'éléments de contexte qu'il a pu.

85 et 135 mm (équivalents à 35 mm) sont souvent appelées (télé) objectifs à portrait.

Si vous souhaitez réaliser un portrait en pied, prêtez davantage attention à l'arrière-plan de votre photo. Les arrière-plans intéressants peuvent apporter beaucoup, s'ils ne sont pas trop chargés. Autrement, l'observateur est distrait du sujet. Pour éviter cela, choisissez une grande ouverture, pour que l'arrière-plan soit un peu flou ; préférez f/4 à f/11, par exemple. Par ailleurs, si vous avez plus d'arrière-plan que voulu sur la photo, vous pouvez le recadrer avec le logiciel de sorte que ses proportions soient réduites dans les tirages. Enfin, n'oubliez pas que le format vertical peut mettre en valeur un portrait en pied.

Un portrait en situation, dans lequel l'individu ou le groupe de personnes ne constituent qu'une partie de l'image, sert surtout à illustrer l'univers de l'individu. L'arrière-plan est presque aussi important que le sujet, car il occupe une grande partie du cadre. Veillez à choisir des ouvertures de diaphragme plus petites afin de garantir la netteté de l'arrière-plan et des détails. De nombreux photographes utilisent un objectif grand-angulaire pour ce genre de portrait, car il leur permet de s'approcher assez près du sujet principal, tout en incluant une grande partie de l'arrière-plan nette et dans le cadre.

Portraits de groupe

Le secret du portrait de groupe réside dans le placement des sujets. De toute évidence, les plus grands doivent se trouver à l'arrière, mais essayez, pour commencer, de les placer de sorte qu'ils forment une pyramide ou une montagne.

Une bonne astuce consiste à prendre la photo en hauteur ; ainsi, le groupe lève les yeux vers vous, les visages sont plus visibles. Montez sur une chaise pour prendre la photo. Vous aurez peut-être l'air idiot, mais cela marche. Demandez au groupe si tous voient l'appareil, garantie que tous seront visibles sur la photo. Vérifiez toujours que le bas des visages n'est pas caché par la tête de celui qui est placé devant.

Réussir ses portraits

Le portrait en studio, dans sa forme professionnelle, est une grosse production qui implique des maquilleurs, des assistants photo et du matériel onéreux. Mais il n'est pas impératif de posséder des tonnes de matériel d'éclairage de qualité supérieure pour réaliser un bon portrait.

On peut réaliser des portraits quasi professionnels à partir de méthodes simples et bon marché. La lumière du soleil à travers une fenêtre peut être magnifique sur un visage ; pour alléger des ombres trop foncées, réfléchissez la lumière sur le sujet grâce à un papier blanc ou un morceau de carton-mousse soigneusement placés en dehors du cadre. Si vous utilisez la lumière du jour comme source lumineuse principale et du papier blanc pour la réfléchir sur les zones sombres du sujet, vous obtiendrez un équilibre très professionnel entre les tons clairs et les tons foncés. Variez l'angle du papier et sa distance avec le sujet, en étudiant le sujet depuis l'appareil pour observer l'effet produit.

Variez également la position du sujet. La manière dont la lumière tombe sur son visage peut le vieillir ou le rajeunir par la seule vertu de son angle et de sa dureté. Par exemple, demandez-lui de s'asseoir dos à la fenêtre, puis réfléchissez une partie de la lumière sur son visage à l'aide d'un papier blanc. Vous obtiendrez ainsi une lumière douce et chaude qui flatte les traits. Puis demandez-lui de se tourner de 45° pour observer l'effet de la lumière sur votre photo. Ajustez les réglages en conséquence.

Pages précédentes : Chris Johns a réalisé le portrait de cette femme éthiopienne en utilisant la lumière naturelle d'une fenêtre.

Une règle en photographie voulait autrefois que le soleil tombe sur l'épaule gauche du photographe et sur le visage du sujet, lors de la prise de vue. Le conseil était sûrement valable aux débuts de la photo, mais ce n'est plus vrai aujourd'hui.

D'autre part, nous avons tous rencontré des situations où le soleil tombe juste derrière le sujet, ce qui donne une photo superbement exposée à l'arrière-plan, mais un visage sombre et non lisible au premier plan. C'est ce qu'on appelle une silhouette. Vous pouvez augmenter le temps de pose pour compenser le déficit de lumière sur le visage. Toutefois, si vous exposez correctement le visage, l'arrière-plan sera complètement désaturé.

La solution est simple. Le flash *fill-in*, comme nous l'avons vu précédemment (voir page 102), est une option. Vous pouvez aussi utiliser le fidèle réflecteur pour rediriger la lumière du soleil sur les zones du sujet qui vous intéressent. Si vous n'êtes pas sûr de votre exposition, prenez un cliché, puis consultez l'histogramme pour vérifier que tous les détails souhaités sont présents, sans sacrifier les tons clairs. Si vous photographiez vers la source lumineuse principale, les reflets dans l'objectif risquent de créer des traces indésirables ainsi que d'autres défauts – tout ceci est à vérifier sur l'écran LCD.

CONSEIL :

Un morceau de carton sera un réflecteur encore plus efficace s'il est recouvert d'une feuille d'aluminium. Froissez d'abord la feuille d'aluminium, puis lissez-la légèrement. Vous obtiendrez une surface réfléchissante granulée qui renvoie la lumière de manière plus uniforme. N'oubliez pas que la nature de ce genre de lumière d'appoint est plus directionnelle que celle réfléchie par une surface blanche.

Le moment de la journée aussi aura un impact sur le rendu de vos portraits. La lumière est plus douce en début de matinée et aussi en fin d'après-midi. Sachez en tirer le meilleur parti.

Réaliser des portraits en studio

Traditionnellement, les portraits en studio sont réalisés avec des lampes à incandescence. Ces dernières années, toutefois, les photographes ont privilégié le flash électronique, en extérieur comme en studio en raison de sa puissance, de sa maniabilité et de sa facilité d'emploi. L'éclairage à incandescence (spectre continu) traditionnel a l'avantage d'être moins cher que le flash, mais présente aussi de nombreux inconvénients. Premièrement, la chaleur qu'il dégage peut être très inconfortable pour le sujet. La luminosité continue peut aussi rétrécir les pupilles. Avec un flash de studio, la lumière

n'est au maximum de sa puissance qu'un bref instant, si bien que la pupille réagit peu. Les flashes de studio surmontent le problème de la luminosité à l'aide d'une lampe-pilote qui imite la lumière produite par le tube-éclair, mais à un niveau de luminosité bien plus confortable.

Si vous examinez un flash de studio typique, vous verrez le tube-éclair et la lampe-pilote. (Le tube est l'élément cylindrique avec la lampe-pilote au centre.) La lampe-pilote produit une lumière continue juste assez intense pour vous permettre de voir ce que donnera l'éclairage sur le sujet. Le tube-éclair procure un flash très lumineux de la même température de couleur que la lumière naturelle.

L'utilisation d'un éclairage à incandescence continu nécessite une lumière particulièrement intense pour geler des gestes aussi infimes qu'un mouvement de tête. Avec un éclairage au flash/stroboscope, la durée du flash – l'intervalle de temps réel de l'éclair – excède généralement 1/2000 seconde. Il gèle donc l'action comme le fait une vitesse d'obturation élevée, sauf qu'il est bien plus lumineux que la lumière naturelle.

Avec les lampes incandescentes, il est souvent difficile de combiner le flash et la lumière disponible. Leur température de couleur avoisine 3200 °K, et leur lumière mêlée à la lumière du jour a une teinte ambrée. (Si vous utilisez une lampe incandescente, fermez les volets et les portes pour arrêter la lumière naturelle.) En revanche, l'éclairage au flash/stroboscope a la même température de couleur que la lumière du jour : 5 500 °K.

L'actrice Claire Danes semble différente sur ces deux photographies en raison de la distance avec l'appareil et du cadrage qui en résulte.

Un matériel de base suffit pour commencer. Les principaux fabricants d'éclairage proposent des kits. Ils vendent souvent des ensembles « débutant », qui incluent une paire de flashes, deux pieds, un réflecteur, un cordon de synchronisation et un flash parapluie. Cet équipement, complété par un réflecteur de taille

CONNAÎTRE SON SUJET EST LE SECRET DES PHOTOS RÉUSSIES

« Vous pensez que tout est hasard dans l'océan, mais il n'en est rien », explique Tim Laman, docteur en biologie de l'université de Harvard. Il parlait d'un poisson-ange empereur adulte à Bali, en Indonésie, qui aimait dormir sous le même rocher chaque soir. Laman est retourné à cet endroit un soir, vers 20 heures.

Il a remarqué un jeune poisson-ange, un mâle, dans les parages. « Or, les jeunes peuvent être attaqués par les adultes de la même espèce », précise-t-il pour expliquer qu'il est rare de voir les deux ensemble. Laman a non seulement repéré le jeune mâle, mais il a réussi à le photographier alors qu'il nageait juste au-dessus de l'adulte endormi, un mélange de motifs qui a donné une magnifique photo d'ouverture pour un reportage du *National Geographic* sur Rainbow Reef, dans les îles Fidji.

Laman a travaillé sur divers thèmes, de la vie sauvage en hiver au Japon (où il a grandi) à l'étude des calaos, en passant par un reportage sur les singes à trompe. Il participe actuellement à une exploration ornithologique en Nouvelle-Guinée. Il a été élu quatre fois meilleur photographe animalier de l'année par la BBC, pour son engagement et son talent.

En 2004, il est passé au numérique avec le Canon EOS 20D Mark II. « Ça a changé beaucoup de choses sur le terrain, explique-t-il. Je peux rester des mois d'affilée en visualisant immédiatement mes clichés. Sous l'eau, je ne suis plus limité à 36 poses. Avant, je plongeais avec deux appareils dans des caissons distincts, et des lampes. Aujourd'hui, je peux stocker 400 clichés sur une carte mémoire de 4 Go. » Grâce à ces cartes mémoire, il ne rate aucun moment décisif.

Tim Laman a appris la photo auprès de son père, qui était un fervent amateur. Il utilisa d'abord un simple appareil Kodak sans posemètre, avant de passer dès ses années de lycée à un reflex Canon à mise au point manuelle.

Tandis qu'il étudiait pour son doctorat en biologie de la forêt tropicale, il s'est servi de cet appareil pour ses recherches… et c'est alors que ses deux grands centres d'intérêt se sont confondus

Tim Laman a photographié ce jeune poisson-ange empereur tandis qu'il nageait devant un adulte endormi.

en une carrière qui le passionne. Ses œuvres comme ses fréquentes collaborations avec la *National Geographic Society* en témoignent avec éclat.

Consultez le site : *www.timlaman.com* (en anglais) ; vous y découvrirez ses articles et de nombreuses galeries de photos (28 à ce jour), toutes plus belles les unes que les autres.

moyenne et un flashmètre, vous permet de réaliser des portraits plus qu'acceptables de vos proches.

Les fabricants ont prévu une griffe au-dessus des boîtiers pour fixer le flash. C'est parfois utile, si ce n'est que le dessus du boîtier est probablement le pire endroit où placer le flash ! C'est l'une des raisons majeures qui justifient l'éclairage de studio. Une lumière dure provenant du dessus du boîtier est généralement peu flatteuse et pose de nombreux problèmes. D'abord, elle rend les yeux rouges, en raison du réfléchissement de l'éclair sur la rétine de l'œil. Deuxièmement, elle peut créer des ombres intenses sur le mur derrière le sujet. Troisièmement, cette lumière très fade prive le sujet de forme et de substance. Et comme le flash est une petite source lumineuse, c'est aussi une source très dure. Un éclairage indirect, une lumière réfléchie (voir schéma page 98) rendent n'importe quel portrait plus flatteur.

Mark Thiessen a utilisé trois sources de lumière – une sur le sol, une seconde sur le côté et la troisième à l'avant – pour réaliser ce portrait de Lauren Pruneski.

Premiers essais

Commençons par des portraits simples. Asseyez votre sujet confortablement, car cela va prendre un peu de temps.

Assurez-vous d'avoir un bon arrière-plan, facteur capital pour la plupart des photos. Examinons d'abord la plus simple installation possible.

- Installez un de vos flashes avec un parapluie.
- Placez votre lampe légèrement au-dessus du visage de votre sujet assis.
- Braquez votre appareil sur le sujet, juste à côté de la source lumineuse.
- Variez votre position par rapport à la source lumineuse et demandez à votre sujet, pour ces premiers clichés, de regarder l'appareil.
- Sur votre LCD ou votre écran, comparez les variations de l'éclairage lorsque la lumière devient plus précise sur le visage du sujet. Vous disposez maintenant de plusieurs photos avec la moitié du visage éclairée et l'autre dans l'ombre. Notez la variation des ombres en fonction de la position de la lumière.
- Si les ombres sont un peu dures et trop marquées, utilisez un réflecteur.
- Utilisez le réflecteur pour rediriger la lumière du flash vers le visage, afin de remplir les ombres. Il est surprenant de voir combien l'éclairage change lorsqu'on introduit un réflecteur.

En résumé

- Apprivoisez votre sujet. S'il s'agit d'un proche, ce n'est pas un problème. Dans le cas contraire, il est important d'instaurer une relation avec lui. Prenez le temps de lui parler avant et pendant la prise de vue pour connaître son univers, et essayez de l'intégrer au portrait dans la mesure du possible.
- Les arrière-plans peuvent magnifier ou ruiner un bon portrait. Prêtez attention à ce qui se trouve derrière votre sujet. L'arrière-plan doit servir votre photo et non lui nuire.
- Si vous ne pouvez éviter un arrière-plan médiocre, optez pour une longue focale avec une grande ouverture, afin de diminuer la profondeur de champ. L'arrière-plan sera alors flou, et son importance relative dans l'image diminuera d'autant.
- Faites des essais en variant les paramètres. Abordez les séances de portrait sans idée préconçue sur le style de la photo. Il est bon d'avoir des idées, mais même après avoir obtenu ce qui

Raymond Gehman a réalisé ce portrait de sa famille un soir.

serait considéré comme un bon cliché, il est toujours intéressant d'essayer d'autres méthodes.

- Changez d'objectif, variez l'éclairage, l'arrière-plan ou la pose de votre sujet, et voyez ce qui se passe. Vous serez sans doute agréablement surpris par les résultats.

LA PHOTOGRAPHIE DE NUIT

Les photos prises de nuit ont la faculté mystérieuse de faire naître des émotions et de remuer des souvenirs. Certains endroits sont même plus beaux la nuit que le jour. La photographie de nuit

peut produire des images magiques de lieux qui, à la lumière du jour, semblent mornes et banals. La technique n'est pas un frein, si vous respectez quelques règles de base. La photo de nuit exige généralement de longs temps de pose. Un trépied est donc indispensable pour maintenir l'appareil totalement immobile pendant l'ouverture de l'obturateur. Parfois, il est possible de poser l'appareil sur une surface stable et de déclencher à l'aide du retardateur.

La photo de nuit est un domaine où, reconnaissons-le, le numérique est en position de faiblesse. Le capteur d'un appareil

Pages précédentes : Chutes de Havasu dans le Grand Canyon, la nuit. Nick Nichols a réglé son appareil numérique sur f/5,6 pour 100 ISO, avec un temps de pose de cinq minutes. Il a vérifié que sa batterie était pleine avant de placer l'appareil sur le trépied.

numérique est un composant électronique parcouru de faibles charges électriques. Lors de longs temps de pose pour des scènes nocturnes, il se produit parfois un phénomène de « bruit ». Comparable à une chaîne de télévision mal réglée, il peut avoir un effet défavorable sur vos photos.

Sur les meilleurs D-SLR, la vitesse d'obturation maximale sans que le bruit soit gênant est d'environ 4 secondes. Souvent, ce temps de pose ne suffit pas à exposer la scène correctement. Une valeur ISO supérieure permet alors des temps de pose plus courts, sachant que l'augmentation de la vitesse est aussi source de bruit. Sur certains appareils, il existe un réglage spécifique de contrôle du bruit pour ce genre de photos. Si le bruit est inévitable, un logiciel de traitement de l'image permettra de le diminuer ou de le supprimer.

Les règles de composition pour la photographie de jour s'appliquent aussi la nuit, mais il faut prêter davantage attention au contenu du cadre. Des sources lumineuses intenses, de grande taille, tel un réverbère au premier plan, doivent être évitées, sous peine d'écraser la scène. Elles affectent également l'exposition globale et masquent souvent les détails subtils qui rendent les photos de nuit si attrayantes. De même, de grandes zones sombres peuvent créer un déséquilibre visuel dans la photo ; toutefois, bien utilisées, elles peuvent aussi contribuer à l'effet produit et recherché.

La photo de nuit implique de porter une attention particulière à l'exposition. Si vous utilisez la mesure pondérée ou multizone de votre D-SLR, toute source lumineuse intense peut induire une mesure erronée de la lumière globale disponible. La photo sera alors bien exposée dans les tons clairs, mais sans détail dans le reste de l'image. Par nature, l'image devrait être un peu surexposée, ce qui fait légèrement « exploser » les tons clairs tout en captant les détails des zones sombres de l'image. Les systèmes de mesure pondérée et même multizone tendent à surexposer dans ces situations, mais l'exposition parfois trop forte diminue la qualité nocturne que vous recherchez.

Associer le flash aux longs temps de pose nocturnes peut donner des effets intéressants. Comme l'éclair est bref, il fige les mouvements des sujets au premier plan, mais le mouvement des éléments mobiles à l'arrière-plan, comme des voitures ou des gens, est perceptible, car l'obturateur reste ouvert bien plus longtemps que la durée du flash. Ainsi, votre ami au premier plan est parfaitement immobile et net, tandis que l'arrière-plan exprime tout le mouvement et l'ambiance d'un cliché de nuit.

La photographie numérique permet de regarder chaque image lors de la prise de vue, ce qui est un immense avantage sur le film. Lorsque vous visualisez vos photos de nuit, contrôlez les zones sombres de l'image. Vérifiez la présence des détails, car c'est souvent là que réside la magie d'une photo de nuit. N'oubliez pas, si vous regardez des photos de nuit sur un réglage sombre, que l'image du LCD d'un D-SLR ne correspond pas toujours exactement au fichier numérique réel.

Photographier de nuit donne l'occasion de faire des essais et d'être un peu créatif. Le mouvement de l'appareil pendant la pose entraîne un bougé de l'image, créant parfois des résultats très surprenants. C'est le cas d'une enseigne au néon, en raison

Les mariages traditionnels nécessitent une bonne stratégie pour compenser les variations de la météo et de la lumière.

de ses motifs complexes et de ses couleurs, et parce que sa luminosité inférieure permet de capter davantage de détails dans les zones sombres alentour. De plus, selon l'instant où intervient le mouvement pendant le temps de pose, l'intensité et le type de filés produits varient. Le bougé délibéré de l'appareil lorsque l'exposition est presque achevée produit une image double à l'aspect fantomatique et, comme l'exposition est presque achevée, les traces sont moins spectaculaires.

Si vous avez un zoom – qui n'en a pas de nos jours ? –, une autre astuce consiste à varier la distance focale de l'objectif pendant le temps de pose (avec un trépied). Pressez le déclencheur et, pendant l'ouverture de l'obturateur, tournez la bague de zoom de votre objectif. Essayez d'aller des petites distances focales vers les longues et vice-versa, et variez la vitesse à laquelle vous tournez la bague. Vous obtiendrez des résultats intéressants.

LA PHOTOGRAPHIE DE MARIAGE

Il existe de nombreux styles de photographies de mariage. Pour simplifier, étudions les deux principaux : le portrait officiel et le documentaire. Votre choix, qui détermine le matériel nécessaire, doit aussi refléter la personnalité du couple. Un couple plutôt réservé préférera le portrait, tandis que des mariés plus extravertis auront du mal à tenir en place ne serait-ce que le temps de la pose. Le style documentaire leur conviendra mieux.

Pour le portrait officiel, vous devez repérer les lieux avant le mariage. Déterminez quelle sera la lumière à l'endroit choisi au moment où vous y serez. Connaître la lumière et l'arrière-plan à l'avance vous fera gagner du temps et vous permettra de travailler tranquillement avec vos sujets.

Si vous prenez des portraits en intérieur, il vous faudra sûrement du matériel de flash, y compris des pieds de lampes, des réflecteurs ou des parapluies. (Un assistant peut aussi être utile.)

Durant la cérémonie, certains religieux n'autorisent pas les flashes à l'intérieur de l'église. Cependant, si vous utilisez le flash par ailleurs, optez pour un flash indirect, ou au moins un diffuseur fixé sur votre flash, pour adoucir la lumière. Vous éviterez ainsi les ombres prononcées et les reflets sur la robe de la mariée.

Si le mariage a lieu en extérieur à midi, utilisez un flash *fill-in* pour supprimer les ombres dures causées par le soleil au zénith.

Josef Isayo s'est agenouillé pour adopter le point de vue de la demoiselle d'honneur pendant le mariage.

La plupart des appareils et des stroboscopes spécialisés actuels ont un réglage automatique pour cela. En mode manuel, prenez une mesure de la lumière et réglez votre flash sur automatique afin qu'il produise un éclair inférieur d'un diaphragme au réglage correct qu'exigerait l'exposition à la lumière naturelle.

Si vous optez pour le style documentaire, il vous faut un boîtier et un bon zoom, par exemple un 24-85 mm. Cet objectif est assez large pour restituer l'ambiance de l'événement – comme l'intérieur de l'église pendant la cérémonie – et assez long pour zoomer et capter les moments plus intimes de la journée. Un téléobjectif plus long, comme un 200 mm (ou un 80-200 mm zoomé au maximum), permet de capturer des moments sur le vif sans être vu. Naturellement, vous perdrez alors un peu de profondeur de champ.

SE PRÉPARER POUR LA PHOTO AÉRIENNE

La première chose que l'on remarque chez Vincent Laforet, photojournaliste, c'est son débit de parole et la quantité d'informations qu'il livre dans ses phrases saccadées. Noms d'appareils. Taille des fichiers. RAW contre JPEG. Archives en ligne. Détails de postproduction. Vous comprenez alors pourquoi *Photo District News* l'a classé parmi les 30 photographes de moins de 30 ans à suivre. La photographie c'est sa vie.

Laforet a d'abord appris la photo argentique avec son père, Bertrand, photographe chez Gamma. Un après-midi, alors qu'il était encore au lycée, Vincent a entrevu son avenir en étudiant un manuel de Photoshop 2. « Je crois que je l'ai assimilé en une journée, explique-t-il. J'ai toujours adoré les ordinateurs. »

Juste après sa licence de journalisme à l'école Medill de l'Université du Nord-Ouest, en Californie, suivent quatre stages dans des rédactions et un poste chez Allsport LA. Puis c'est le tournant de carrière : un poste de producteur web au *New York Times*. Il était l'un des trois responsables du contenu photographique du journal.

« Au début, le plus gros problème avec le numérique était le temps de latence [de l'appareil] », explique Laforet, qui utilisait un Canon DTS-520. Beaucoup de photos étaient ratées.

« J'avais beaucoup de choses à apprendre, admet-il. Il n'était pas possible de redimensionner les photos ; la résolution n'était pas assez bonne. Les disques durs tombaient en panne. Nous devions utiliser des batteries lourdes et encombrantes. Un type qui revenait des World Series du base-ball ironisait : "De combien de diaphs je peux pousser ce disque dur ?" »

Dans les airs, Laforet emporte trois boîtiers Canon Eos 1D. Le premier porte un objectif à ultrasons (USM) Canon EF 16-35 mm f/2,8L. Le deuxième, un Canon EF 28-70 mm f/2,8L. Le troisième, un zoom de 100-400 mm. Il garde un Canon EF 14 mm f/2,8L USM dans sa sacoche. « La photographie aérienne, c'est comme travailler dans le sport, explique-t-il. Au moyen de téléobjectifs, on essaie de capter un moment. »

Le traitement des images occupe aujourd'hui une place centrale pour Laforet. Il archive ses images en ligne avec Photoshelter et peut facilement y accéder depuis son Blackberry.

Laforet a pris ces patineurs sur glace depuis un hélicoptère, lors d'un après-midi à Lasker Rink, New York, États-Unis. Il a intitulé la photo « Moi et mon double », 2004.

Autre élément très utile : un petit escabeau. Il vous permettra non seulement de changer de point de vue pour certaines photos, mais aussi de ne rater aucun moment important lorsque les convives se pressent autour des mariés. Il est aussi pratique pour les photos de groupe, car ainsi les regards seront dirigés en hauteur vers vous.

La variété des points de vue est déterminante pour rendre le récit du mariage plus intéressant. Baissez-vous et prenez des photos de la cérémonie à hauteur d'enfant. Si la nef de l'église est particulièrement belle, prenez une photo verticale de la cérémonie pour la mettre en valeur. Essayez d'adopter le point de vue du prêtre en vous plaçant derrière lui. Utilisez les montants de porte pour former le cadre de votre photo. Asseyez-vous sur un banc et photographiez depuis le point de vue des invités.

Le style documentaire impliquant une plus grande mobilité de votre part, vous pourriez manquer des moments clés. Étudiez soigneusement le déroulement de la cérémonie au préalable et organisez-vous. Prenez connaissance de l'agenda de la journée, puis définissez une stratégie pour la lumière et le matériel photo. S'il le faut, déposez votre matériel à l'avance dans un endroit facile d'accès. Si vous utilisez la lumière disponible, soignez vos expositions. Elles n'ont pas à être toutes parfaites.

Josef Isayo a misé sur son expérience du journalisme pour prendre des photos sur le vif pendant un mariage.

LA PHOTOGRAPHIE ANIMALIÈRE

La photographie animalière évoque les spectaculaires documentaires télévisés sur la nature. Mais le genre ne se limite pas à la savane africaine ou aux parcs nationaux. Il est possible de photographier la nature à deux pas de votre domicile : votre jardin ou le parc voisin suffisent pour débuter. Il vous faudra surtout de la patience, et encore de la patience, car les animaux sont sauvages, ils ont peur des hommes : ils ne vont pas prendre la pose pour vous.

La nourriture et l'eau sont les pièges les plus évidents pour débusquer les animaux et obtenir qu'ils restent immobiles un instant. Pour attirer un écureuil, dispersez des cacahuètes sur le sol. Reculez de quelques pas et faites la mise au point sur l'endroit où se trouve la nourriture. Attendez.

Si vous préférez photographier les oiseaux, vous les approcherez plus facilement en connaissant leurs habitudes. Si vous

Nick Nichols a capturé le mouvement du gorille en le filant avec une faible vitesse d'obturation.

savez qu'un oiseau butineur ne résiste pas aux fleurs de votre magnolia, repérez l'heure à laquelle il vient manger. Est-ce tôt le matin ? En fin d'après-midi ? Une fois que vous connaissez ses habitudes et ses heures favorites, cachez-vous et préparez soigneusement à l'avance les réglages de votre appareil.

Lorsque vous utilisez des téléobjectifs, veillez à ce que la profondeur de champ soit suffisante. En général, vous préférez que le sujet soit entièrement net. Au téléobjectif, si un animal semble occuper toute l'image, seule une partie de son corps sera nette. Si vous voulez remplir le cadre avec un petit animal comme un oiseau ou un écureuil, choisissez des ouvertures de diaphragme type f/8 ou f/11.

Ces ouvertures modérées conviennent également pour tirer le « portrait » (tête et haut du corps) d'un animal de plus grande taille ; si vous ouvrez trop, seuls le nez ou l'œil seront nets, en particulier si vous n'êtes pas en face. Il faut parfois choisir des vitesses d'obturation assez lentes avec un trépied ou un monopode pour que l'appareil reste immobile. Des vitesses raisonnablement lentes (comme 1/15 seconde) devraient permettre de photographier la majorité des animaux sans trépied. Sauf s'ils s'enfuient, vos sujets restent en général en place, surtout s'ils sont en train de manger. Pour prendre un animal de grande taille, il faut souvent s'éloigner en ouvrant l'objectif au maximum, ou presque, par exemple avec une ouverture f/4.

CONSEIL :

Au moment de la publication de cet ouvrage, il existe déjà quelques appareils D-SLR qui proposent des capteurs plein cadre 35 mm. En fonction du boîtier et de la longueur de l'objectif que vous utilisez, le « champ de vision » du capteur est multiplié par un facteur compris entre 1,3 et 2. Pour un Canon EOS-1D, par exemple, un objectif d'une longueur focale de 35 mm serait à peu près l'équivalent, en terme d'angle de vision au format 35 mm, d'un 46 mm ; pour un Olympus Evolt E-300, la même distance focale équivaut à un 70 mm.

Omniprésents, les insectes sont de magnifiques sujets pour la photo. Une araignée tissant sa toile sous le soleil matinal qui fait briller les gouttelettes de rosée donnera une superbe photo. L'ajout d'un objectif macro à votre matériel ouvre des possibilités infinies pour la photo animalière. (voir « La macrophotographie », page 164) Les insectes photographiés en très gros plan font des sujets superbes et intrigants, en extérieur comme en intérieur. Dans ce dernier cas, vous utiliserez un matériel de studio basique, composé d'une paire de lampes halogènes et d'un carton blanc en guise de réflecteur.

Lorsque vous photographiez des sujets à des distances si courtes, n'oubliez pas que la profondeur de champ est extrêmement limitée. En effet, il vous faudra parfois fermer l'objectif macro à f/16 ou f/22 pour qu'un insecte soit complètement net.

PHOTOGRAPHIER LES ENFANTS

Pour photographier des enfants, voici quelques règles et astuces simples qui vous faciliteront la tâche et qui devraient vous aider à produire de bons résultats. Outre le matériel nécessaire, il vous faudra avant tout beaucoup de patience. Si vous n'êtes pas patient, n'espérez pas réussir vos photos d'enfants.

D'abord, il est bien plus facile de photographier un nouveau-né qu'un bébé de quelques mois. Si les nourrissons sont le plus souvent allongés, les bébés plus âgés et les jeunes enfants ne tiennent pas en place. Pour photographier les tout-petits, la présence de la mère derrière vous servira à attirer leur attention. Grâce à un jeu de clés ou à son jouet favori, la maman parvient généralement à capter l'attention de l'enfant, même brièvement, ce qui vous permet de prendre votre photo.

En faisant le guet près de la nourriture déposée dans votre jardin, vous pourrez parfois obtenir des vues rapprochées de ses occupants.

Pages précédentes : Jim Richardson voulait restituer l'atmosphère d'une traversée en ferry le soir, en Colombie-Britannique. Il a attendu que l'enfant pose sa tête sur l'épaule de son père pour prendre cette image.

Les jeunes enfants vivent dans un monde qui mesure 60 cm de haut. Pour réussir vos photos, entrez dans ce monde. Baissez-vous, mettez-vous à genoux, ou même couchez-vous sur le sol pour voir le monde avec leurs yeux. Les photos prises à hauteur d'enfant dégagent une intimité impossible à obtenir si l'on reste debout et que l'on photographie, du haut du berceau, le bébé pendant son sommeil. Certes, vous risquez de friser le ridicule en rampant à la poursuite d'un petit de six mois, mais les résultats en valent la peine.

Quelques règles de base pour réussir au mieux les photos d'enfants :

- Utilisez un téléobjectif moyen ou un zoom téléobjectif. L'angle de champ plus large des grands-angulaires vous oblige à être proche du sujet, ce qui crée des déformations. Essayez de privilégier les distances focales moyennes ou longues, c'est-à-dire des objectifs de 85, 105 ou même 135 mm, et de faire la mise au point sur le bébé et non sur l'arrière-plan.
- Placez-vous de sorte à ménager un bel arrière-plan. Votre sujet doit dominer la photo.
- Préférez la lumière naturelle à la lumière artificielle afin que le sujet soit plus détendu.
- Si votre sujet bouge, choisissez une vitesse d'obturation assez rapide pour figer son mouvement ; dans certains cas, 1/60 ou 1/125 seconde suffisent, mais pour un enfant très actif, préférez 1/250 seconde. Par ailleurs, restez en mode d'exposition automatique – programme ou priorité à l'ouverture, par exemple – pour ne pas avoir à vous soucier de l'exposition. Concentrez-vous sur l'essentiel : le résultat.
- Ayez votre appareil avec vous en permanence. Les enfants sont imprévisibles, et les moments les plus intéressants surviennent souvent spontanément, sans préavis, évidemment. Alors tenez-vous prêt pour ne pas les manquer.
- Si vous ne pouvez pas garder tout le temps sur vous votre appareil photo, essayez au moins d'en avoir toujours un à portée de main (un à l'étage, un autre en bas, etc.). Vous ne pourrez sans doute pas saisir au vol tout ce qui se présente, mais vous aurez déjà moins de regrets !

Un appareil étanche jetable peut être une bonne solution pour photographier des enfants à la piscine.

En résumé

- Soyez très, très patient. Les enfants n'en font qu'à leur tête : préparez-vous à devoir attendre.
- Laissez le temps à l'enfant de s'habituer à votre présence. Idéalement, il vaut mieux qu'il vous oublie, plutôt qu'il soit distrait par vous.
- Faites en sorte qu'un parent soit présent, afin de capter l'attention du sujet.
- Les jouets préférés et autres babioles permettent d'attirer momentanément et pour un laps de temps très court, l'attention d'un tout-petit.
- Placez-vous au même niveau que votre sujet.
- Utilisez des objectifs appropriés.

PHOTOGRAPHIER UNE NATURE MORTE

La nature morte permet au photographe de maîtriser tous les aspects de la prise de vue. Elle nécessite peu d'espace, n'est pas onéreuse et, à moins de photographier à la lumière du jour, vous n'êtes pas dépendant de la météo. En quelques mots, il s'agit de photographier un objet ou un groupe d'objets inanimés disposés dans un contexte évocateur.

Le numérique est idéal pour apprendre. La table de votre cuisine, quelques lampes ordinaires et un peu d'imagination suffisent pour réaliser de magnifiques photos de nature morte.

L'accessoire indispensable pour ce genre de photo est un trépied solide, car vous choisirez très certainement une faible vitesse d'obturation, sauf si vos lampes sont très puissantes ou si vous photographiez au flash. Autre bonne raison d'utiliser un trépied : il vous permettra de conserver la position de votre appareil – et votre composition – pendant que vous réglez l'éclairage.

Pour les natures mortes, l'éclairage est aussi important que le choix du sujet. Vous avez à votre disposition de nombreux types de lampes, depuis les lampes ordinaires jusqu'au matériel de studio onéreux. Si vous n'avez pas de lampes de studio, ne vous inquiétez pas. Un réflecteur fabriqué par vos soins, un diffuseur pour le soleil ou votre flash amélioreront l'éclairage.

Il existe deux grands types de fonds essentiels pour réussir une photo de nature morte : le fond noir et le fond blanc. Les matériaux peuvent être variables : Plexiglas, Formica, tissu, velours, toile peinte, etc. Par la suite, essayez d'inclure des motifs ou des textures. Ou bien achetez une toile pour y peindre vos motifs personnels.

Sur fond noir

Je vous conseille de commencer par le fond noir. J'aime le velours, car il absorbe la lumière ; en conséquence, aucune ombre ni aucun reflet n'entachent mes photos. Le velours doit être placé de telle façon que le sujet se trouve à une extrémité du tissu, l'autre bout étant drapé sur une chaise ou tendu avec des pinces de bricolage sur un cadre approprié. Bien entendu, ce fond de velours ne devra comporter aucune couture visible.

Sur fond blanc

L'utilisation d'un fond blanc est comparable à celle d'un fond noir, si ce n'est que votre image comportera des ombres.

Pour cette raison, il réclame davantage de temps et d'équipement pour une installation correcte. Pensez aussi à l'antagonisme des deux couleurs. Si un fond noir a tendance à ajouter de l'intensité à une photographie, un fond blanc, à l'inverse, apporte pureté et lumière. Pensez à la nature de votre sujet au moment de choisir

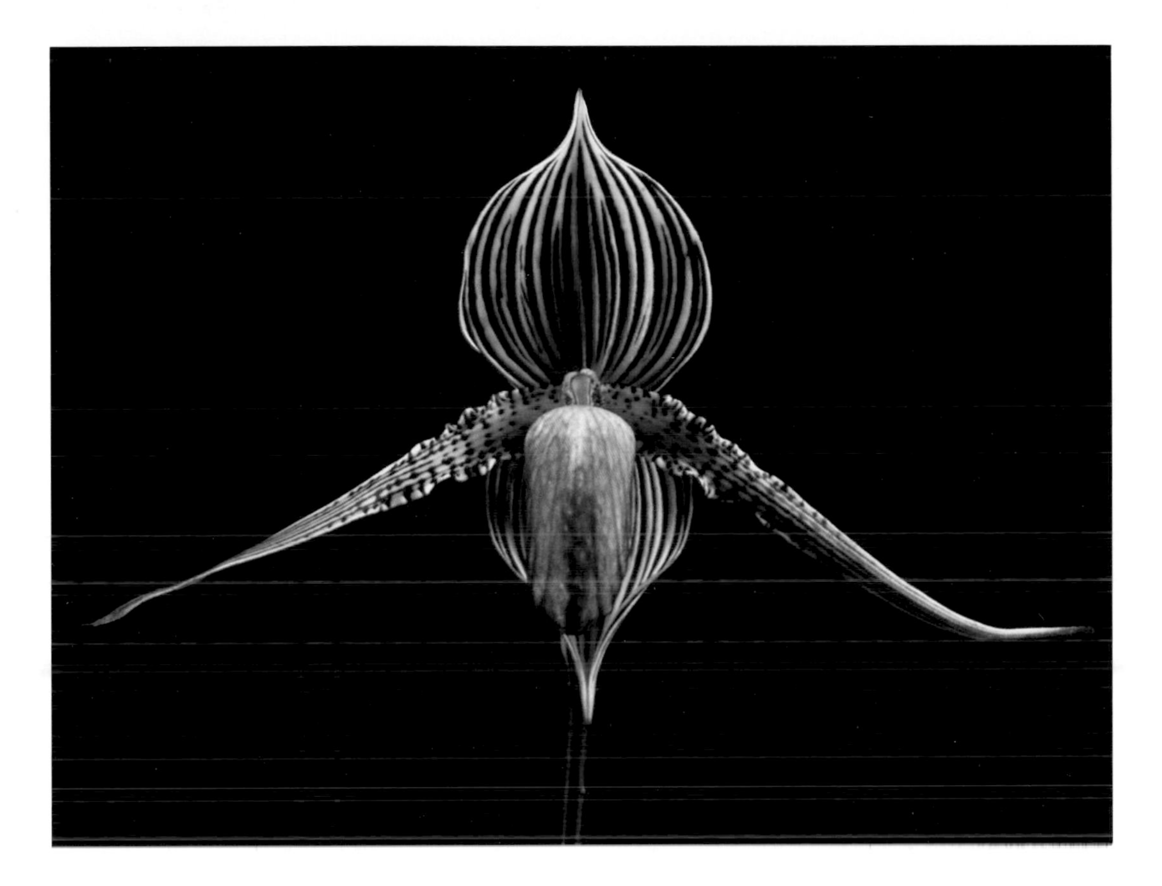

L'orchidée se détache d'un simple fond noir sur cette photo de Robert Clark.

(le noir s'avère plus adapté si votre sujet ne tient pas trop en place !) et, bien sûr, au temps dont vous disposez pour prendre cette photo.

Il existe une technique sur fond blanc qui donne l'illusion que les objets photographiés flottent dans l'espace. Le fond doit être éclairé séparément du sujet, à environ deux ouvertures de plus que l'objet que vous photographiez.

Voici comment faire : prenez un morceau de verre transparent et placez-le entre deux chaises. Disposez votre sujet sur cette vitre et placez vos lampes de façon à éclairer le sujet à votre guise. Prenez les photos en plongée avec l'appareil fixé sur le trépied. Par terre, sous la vitre, étendez un drap blanc que vous éclairerez séparément, à environ deux ouvertures de plus que le sujet.

Si la mesure du posemètre donne pour le sujet 1/30 seconde à f/8, la mesure que vous devez obtenir pour le drap doit être d'au moins 1/30 à f/16. De cette manière, le fond est surexposé, et la distance entre le sujet et le fond est suffisante pour garantir que le fond reste en dehors de la profondeur de champ et qu'aucune texture n'est visible à l'arrière-plan.

Pour illustrer un reportage sur la synthèse du sucre par le corps, David Arky a fabriqué un interrupteur en morceaux de sucre qu'il a placé sur du Plexiglas.

Sur fond transparent

En achetant un grand morceau de Plexiglas transparent, vous pourrez élargir encore vos possibilités de nature morte. Le Plexiglas devra être placé sur une sorte de cadre et légèrement incurvé au centre pour former un arc. En éclairant le Plexiglas par le dessous avec une lampe distincte, le sujet donnera l'impression de flotter dans le vide.

Sur d'autres fonds

Vous pouvez utiliser toutes sortes de fonds pour la photographie de nature morte. Des tissus assortis aux tons et aux textures de votre sujet, disposés de sorte que l'éclairage crée des contours intrigants, peuvent produire des résultats agréables. Soyez attentif à tout ce qui pourrait créer, autour de vous, un arrière-plan intéressant ou différent. Un tas de feuilles mortes, des galets ou du sable offrent des textures et des formes qui ajoutent de l'intérêt à votre photo de nature morte.

Voilà pour les principaux fonds, mais n'hésitez pas à innover. Si vous choisissez de persévérer dans la nature morte et la photographie d'objets, envisagez d'acheter du matériel de studio. Je vous recommande vivement de commencer par bricoler ce matériel, ne serait-ce qu'à des fins pédagogiques. Une meilleure compréhension de l'éclairage vous fera progresser.

Exemple d'éclairage simple

Prenons un fond blanc. Placez d'abord un morceau de carton à 90° par rapport à la surface où se trouve votre sujet. Disposez ce dernier et installez l'éclairage. Pour commencer, placez une lampe principale sur un côté, légèrement au-dessus du sujet. Disposez une seconde lampe de l'autre côté, appelée lampe d'appoint, plus basse que la lampe principale. À l'aide d'un réflecteur composé d'un morceau de papier ou de polystyrène blanc, redirigez la lumière sur le sujet pour remplir les ombres. Pour que le fond reste parfaitement blanc, dirigez une autre lampe uniquement sur ce dernier. Souvenez-vous que le fond doit être plus clair de deux diaphragmes que la mesure de lumière obtenue pour le sujet.

Lorsque vous prenez la mesure de la lumière, veillez à viser le sujet, et non le fond. Essayez d'utiliser votre appareil en mode exposition manuelle. Un réglage automatique, qui lit les demi-tons, risque fort d'assombrir l'image.

N'ayez pas peur de vous approcher de l'objet. Remplissez le cadre et approchez-vous encore. Un détail d'un objet est parfois plus intéressant sur le plan visuel que l'objet dans sa globalité. Regardez votre sujet et demandez-vous s'il a de l'intérêt. Ainsi, l'étiquette d'une bouteille de vin peut être l'élément le plus remarquable : concentrez-vous sur elle.

Certains objets doivent absolument être installés dans un contexte qui leur donne un sens. Par exemple, si vous photographiez un ustensile de cuisine du type râpe à fromage, installez la râpe dans le contexte d'une cuisine. Ou bien, avant de photographier une corbeille à fruits, garnissez-la de fruits.

Bien que ceci soit vrai en règle générale, il est toujours intéressant d'essayer différents fonds. Parfois, un objet photographié complètement hors contexte crée un effet saisissant. Une rose

Holly Lindem a coupé une tomate en deux, puis a recousu les moitiés pour illustrer un article sur la génétique.

rouge soyeuse devant un tas de charbon, ou un bijou magnifiquement travaillé placé sur une table encrassée peuvent produire d'excellents résultats. Il n'y a pas de règle : photographiez ce qui vous inspire.

La mise au point est déterminante pour la photographie de nature morte. Comme la profondeur de champ est réduite sur les courtes distances, choisissez une petite ouverture pour l'objectif, avec des vitesses d'obturation longues. Naturellement, l'utilisation d'un trépied solide s'impose. Toutefois, on distingue aujourd'hui une tendance plus « moderne » en nature morte : l'introduction d'une légère profondeur de champ permet de flouter délibérément certains détails des objets.

Il n'y a pas de bons ou de mauvais objectifs pour la photo de nature morte, mais plutôt de bons ou de mauvais objectifs pour un sujet donné. Lorsque vous photographiez des objets aux lignes droites, des boîtes – par exemple –, il est préférable d'utiliser un téléobjectif, ou une longue focale d'au moins 85 mm, car un grand-angle provoquerait une déformation des lignes droites et des lignes verticales.

Amusez-vous avec la photo de nature morte. Faites des essais. Placez les objets dans des situations délirantes. Mettez des filtres colorés sur vos lampes. Utilisez la lumière naturelle qui vient de la fenêtre. Lorsque vous prenez des photos numériques, visualisez vos clichés, vérifiez la composition, traquez les ombres et les reflets. Préférez l'écran de l'ordinateur au LCD, il vous fournira une image plus précise. Lorsque vous utilisez des lampes, il est toujours préférable de contrôler vos images sur ordinateur.

LA MACROPHOTOGRAPHIE

Le terme de macrophotographie désigne la photographie rapprochée. On dit généralement qu'une photo est macro lorsque l'objet photographié est agrandi de la moitié de sa taille réelle, comme sur le capteur, jusqu'à cinq fois sa taille réelle. La « taille réelle » signifie que l'objet a la même taille sur le capteur que dans la réalité ; le « rapport de grossissement » est alors 1:1. Si le sujet est un scarabée de 1 cm de long, il mesurera aussi 1 cm sur le capteur, à condition que la mise au point soit correcte afin que le tirage de l'objectif corresponde précisement à deux fois la longueur focale.

Pour photographier cette abeille posée sur une marguerite jaune, Jonathan Blair a utilisé une lampe à ultraviolets.

Si vous envisagez de vous adonner à la macrophotographie, voici quelques éléments à connaître (comme toujours) :

- Les objectifs et les accessoires spécialisés permettent de s'approcher bien plus que des objectifs normaux. Il peut s'agir de simples lentilles d'appoint relativement bon marché ou d'objectifs macro plus coûteux. Certains objectifs standards disposent d'une fonction Macro intégrée (généralement signalée par la mention « macro » sur la bague).
- La profondeur de champ diminue à mesure que l'on s'approche du sujet et que le grossissement augmente.
- Si vous souhaitez utiliser le flash, il existe des accessoires spécifiques à la macrophotographie, dont le flash annulaire.

Todd Gipstein a utilisé un objectif macro pour magnifier la géométrie d'une feuille de palmier.

- Un trépied robuste et de qualité est essentiel. Il y a deux options : vous achetez soit un trépied dont les pieds s'écartent assez pour permettre une position très basse, soit un trépied à tête réversible afin de suspendre l'appareil sous la rotule.
- Un viseur d'angle supplémentaire qui vous permet de voir dans le viseur de votre D-SLR quelle que soit la position de votre appareil est un achat avisé.
- Certains appareils affichent bien une fonction Macro, mais ne vous y fiez pas trop : son usage doit rester occasionnel, car l'objectif dont ils sont équipés ne peut pas remplacer un véritable objectif macro.

Objectifs pour la macrophotographie

La macrophotographie implique de s'approcher très près du sujet, bien plus près que ce que les objectifs normaux autorisent. Voici quelques suggestions parmi lesquelles vous pourrez faire votre choix.

Une bonnette est une lentille plate, en forme de filtre, qui se fixe à l'avant de votre objectif ordinaire ; elle se visse généralement dans le pas de vis du filtre et permet de faire des mises au point rapprochées, même si le grossissement maximal dépend de la distance focale de l'objectif sur lequel vous la fixez.

Une bague-allonge se fixe entre le boîtier et l'objectif pour éloigner ce dernier du boîtier. Ces bagues sont généralement spécifiques à un objectif et un boîtier donnés. C'est probablement la manière la plus économique d'aborder la macrophotographie. Les bagues-allonges s'achètent généralement par deux ou trois et permettent par combinaison d'obtenir plusieurs niveaux de grossissement. Comme elles ne contiennent pas de verre, elles n'ont pas d'effet notable sur la qualité de l'image. Toutefois, contrôlez votre exposition. L'allongement de l'objectif induit généralement une exposition supérieure.

Les vrais objectifs macro sont chers, mais plus simples à utiliser, car ils préservent tous les couplages électroniques entre l'objectif et l'appareil, y compris pour les réglages automatiques. Par ailleurs, leur optique a été conçue pour la macrophotographie. Ces objectifs permettent généralement de faire le point de l'infini à 1:1.

De nombreux objectifs zoom standard sont vendus comme objectifs macro, car ils peuvent produire un rapport de grossissement de 1:4, voire 1:3, ce qui suffit amplement dans bien des cas. Avec un rapport de 1:4, par exemple, vous pouvez photographier une surface aussi petite que 10 x 15 cm. (Cela s'applique aux appareils numériques plein cadre, pour lesquels la superficie de l'image avoisine 24 x 36 mm.)

Un soufflet-allonge éloigne l'objectif du boîtier, comme une bague-allonge. La différence est qu'un soufflet permet une variation continue du grossissement. En tournant une mollette sur le côté, vous réglez la distance entre l'objectif et le capteur.

Une bague d'inversion permet de retourner l'objectif. Bien que cette méthode soit efficace et peu coûteuse pour obtenir une mise au point rapprochée, elle est impraticable pour les D-SLR, car la plupart des appareils numériques modernes reposent sur des couplages électroniques entre le boîtier et l'objectif.

Techniques de macrophotographie

La profondeur de champ est un problème majeur en macrophotographie. En règle générale, pour que la quasi-totalité du sujet soit nette, n'utilisez pas de valeur f supérieure à f/16. Si vous photographiez un sujet qui ne peut tenir dans un même plan, sélectionnez avant tout les détails que vous souhaitez nets. Comme il vous faudra utiliser une faible ouverture, votre vitesse d'obturation devra forcément être plus longue. Un bon trépied s'avère alors essentiel pour éviter les bougés pendant l'ouverture de l'obturateur.

Cela dit, il est amusant de faire des essais avec de plus grandes ouvertures, car les parties du sujet qui sont floues peuvent produire des effets plaisants.

Si vous utilisez des accessoires de macro, comme des bagues-allonges ou des bonnettes, il est préférable d'allonger la distance focale de l'objectif au maximum et de faire la mise au point sur le sujet en déplaçant l'appareil. D'abord, faites une mise au point approximative sur le sujet à la distance d'où vous voulez prendre la photo, puis avancez ou reculez lentement l'appareil afin que le sujet soit le plus net possible. C'est une manœuvre parfois délicate lorsque l'appareil est monté sur un trépied (et il l'est le plus souvent). Si vous pensez persévérer dans ce domaine, sans doute devrez-vous envisager l'achat d'une plate-forme de mise au point : un dispositif fixé entre l'appareil et le trépied qui permet de déplacer harmonieusement l'appareil en avant et en arrière, sans bouger le trépied.

Macrophotographie au flash

Le flash intégré de l'appareil n'est pas pratique pour la macrophotographie. En raison de la longueur de l'objectif équipé de tous ses compléments macro, il produit une ombre.

L'utilisation d'un flash externe, monté sur la griffe ou relié par câble, peut être une solution. Les meilleurs ont une tête pivotante horizontalement et verticalement. Si la tête du flash est suffisamment surélevée, l'ombre projetée ne constituera déjà plus un problème, mais, comme vous le savez déjà, un éclairage moins cru, sinon indirect, est toujours plus flatteur. Couvrir la tête de votre flash d'un papier de soie (un truc du métier) donne également d'excellents résultats.

Un flash pivotant vous permettra de diriger l'éclair sur le plafond, le mur ou telle autre surface proche du sujet que vous allez photographier. En s'y réfléchissant, la lumière va s'adoucir et devenir plus diffuse. Notez que sa couleur sera affectée par

Au Brésil, Joel Sartore a photographié cette fourmi transportant un énorme fruit sec.

celle de la surface sur laquelle vous braquez le flash. Visez de préférence du blanc ou des tons neutres.

Il existe également des flashes spécialement conçus pour la macrophotographie. Sur ces modèles, le tube-éclair lui-même est fixé à l'extrémité de l'objectif et relié par un câble à une commande adaptée sur la griffe de flash de l'appareil. La puissance de ces modèles est calibrée pour les courtes distances.

Certains emploient même une paire de tubes qui coulissent autour de l'extrémité de l'objectif et peuvent être activés ou désactivés indépendamment, ce afin d'encore mieux contrôler la qualité directionnelle de la lumière. Enfin, sur d'autres modèles appelés « flashes annulaires », le tube-éclair encercle complètement l'extrémité de l'objectif. Leur avantage ? Ils offrent la possibilité de créer une lumière diffuse et uniforme, sans ombre.

ARGENTIQUE, NUMÉRIQUE... L'EXPÉRIMENTATION SANS FIN

Nick Nichols a réponse à tout. Vous voulez prendre un cliché rare d'un léopard la nuit ? Trouvez un point d'eau, inventez un « piège-appareil » et laissez le léopard faire la photo. En mission en Afrique, vous n'avez plus de film jour ? Utilisez le film le plus lent que vous ayez. Vos amis et collègues ne font que du noir et blanc ? Optez pour la couleur, au flash.

Depuis près de 40 ans, Nichols n'a pas cessé d'expérimenter. Dans les années 1970, il a réalisé des reportages sur le rafting et l'alpinisme pour le magazine *American Geo*, ainsi que des chroniques pour *Rolling Stone*. Lorsqu'il a vu qu'il donnait l'impression du mouvement dans ses photos en utilisant en même temps un flash et la lumière naturelle, il a beaucoup exploité cette astuce. En 1980, dans un reportage sur les gorilles des montagnes, il a transposé les techniques issues du documentaire à la photographie animalière, inaugurant une vision inédite des animaux. « Je voulais capter le mystère qui s'en dégage, explique-t-il pour décrire les filés, les panoramiques et le flash *fill-in* qu'il remet au goût du jour. Dans mes photos, je cherche à célébrer la vie sauvage, non à l'apprivoiser. »

Nichols s'intéresse désormais au numérique. Son premier reportage portait sur le Grand Canyon. Il s'apprête à partir photographier les éléphants au Tchad, avec ses appareils numériques, et prévoit de recharger ses batteries d'ordinateur sur son camion ou grâce à un générateur portatif. Il adore la maniabilité des numériques lorsqu'il travaille sous la canopée dans la jungle, avec un faible éclairage. Selon lui, cette technologie stimule sa créativité, car il peut s'exprimer d'une façon toute nouvelle.

« Je repousse toujours les limites avec les vitesses d'obturation, et je constate que ça marche », explique Nichols, qui a effectué un reportage sur la dernière tournée des Rolling Stones, « A Bigger Bang ». Chaque soir, il fait des essais avec une vitesse d'obturation donnée. Le premier soir, il n'a pris que des clichés au 1/15 seconde. Le deuxième, au 1/20 seconde, le troisième au 1/25 seconde. « J'arrivais à restituer les traits au 1/25, avec des photos pleines d'énergie. »

Nichols a découvert la photographie à l'armée, où la règle était f/8 et « Garde à vous ! ». « Ça voulait dire que vous deviez d'abord

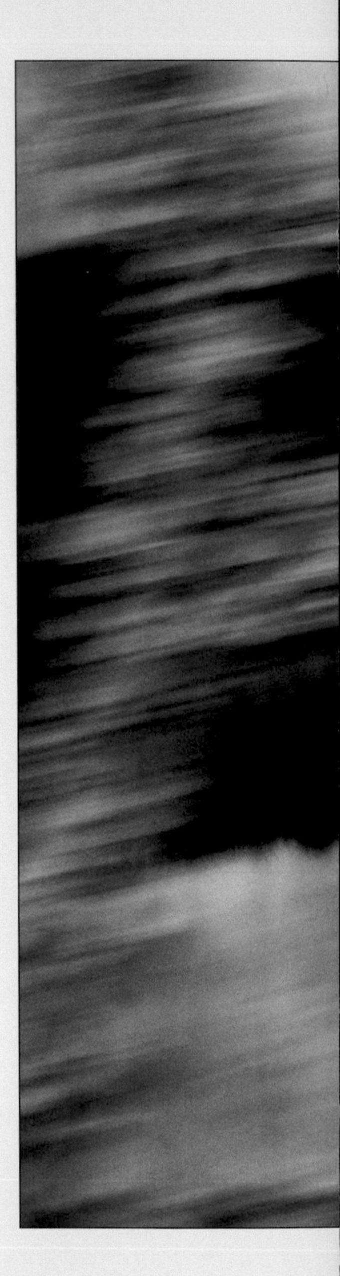

Un léopard noir rôde dans le zoo Audubon, à La Nouvelle-Orléans, États-Unis.

prendre la photo et penser à la technique ensuite », précise Nichols, qui a arpenté des territoires hostiles pendant une grande partie de sa carrière. Après avoir étudié la photographie plastique, il a rejoint Magnum Photos et le photojournalisme alors en plein essor. Il a réalisé plus de 30 reportages pour *National Geographic*.

Consultez son livre, *The Last Place on Earth*, et pour en savoir plus, allez sur *www.michaelnicknichols.com* (en anglais).

Un bébé chimpanzé regarde à travers les barreaux de sa cage au zoo de Monrovia, Liberia.

Un léopard traverse le faisceau infrarouge d'un « piège-appareil » près d'un point d'eau dans le parc national de Bandhavargh, Inde.

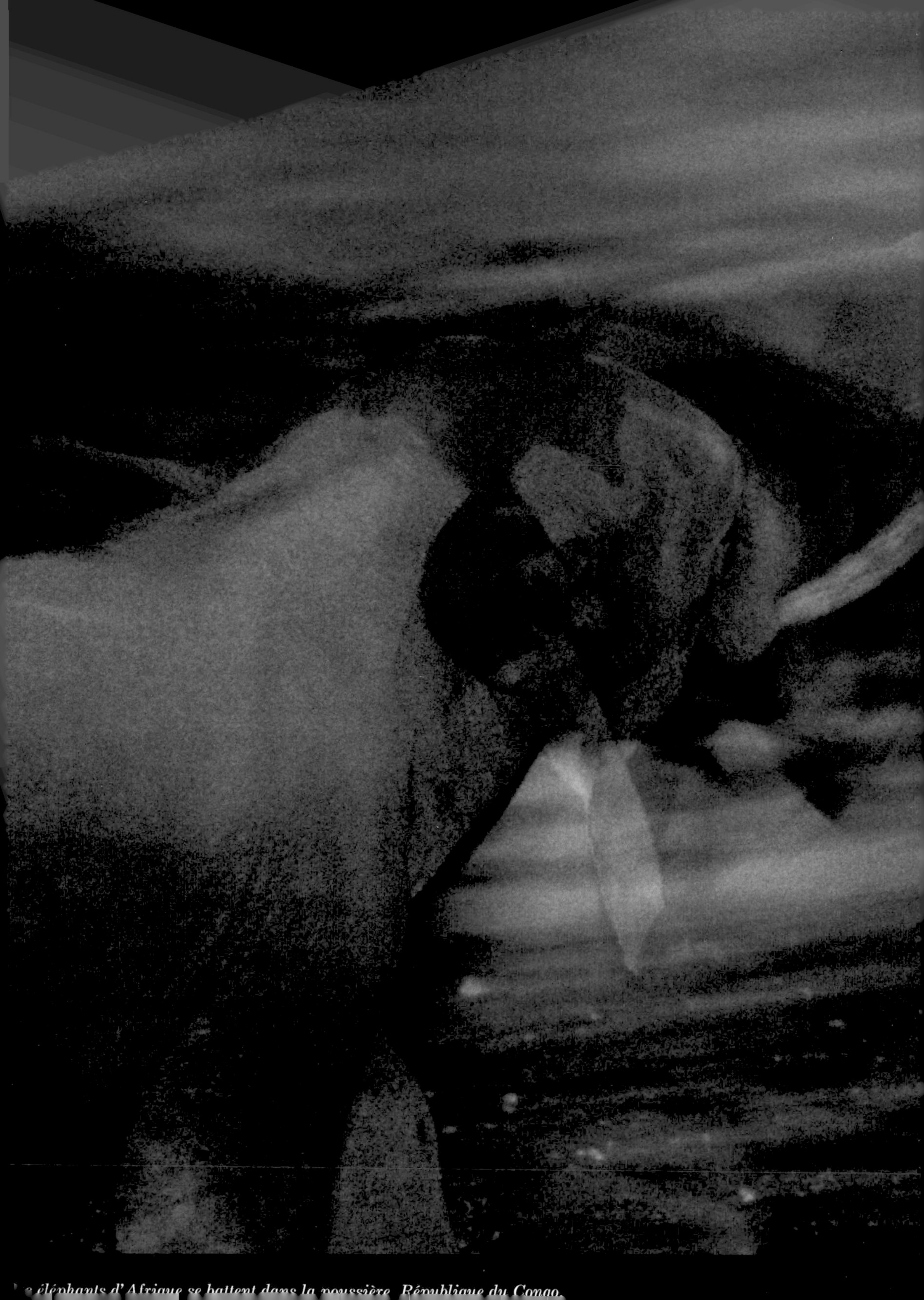

Des éléphants d'Afrique se battent dans la poussière. République du Congo.

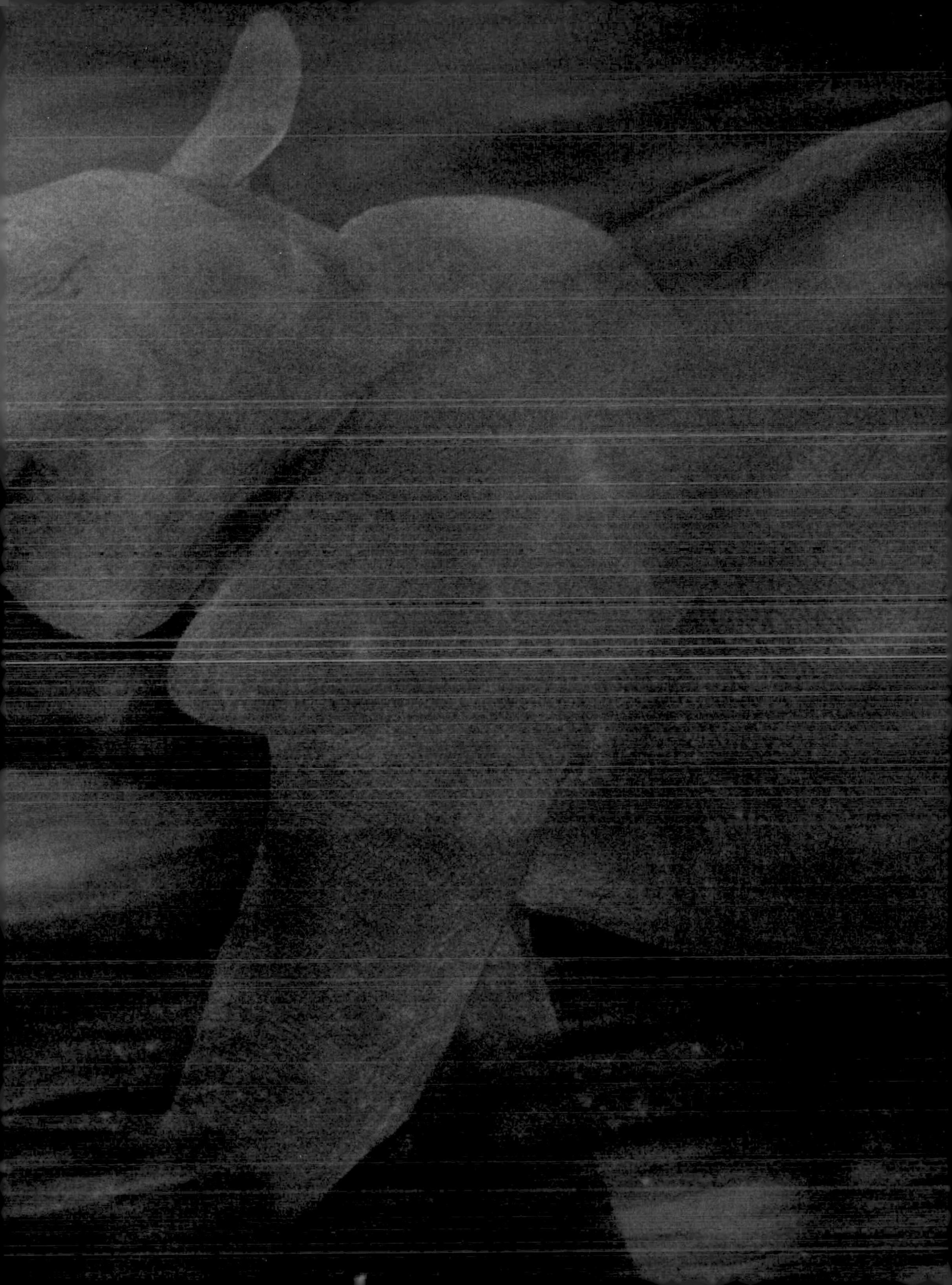

Chapitre 4

Le carnet de voyage d'un téléphone-photographe

4 Le carnet de voyage d'un téléphone-photographe

Robert Clark a réalisé un autoportrait dans son rétroviseur.

En 2005, le photographe Robert Clark a publié un des premiers livres entièrement réalisés avec des images numériques prises au téléphone-photo. Comme les plus grands noms de la photographie, Clark a choisi le voyage pour explorer non seulement les possibilités du téléphone-photo, mais aussi son univers personnel. Voici le making-of de son livre, Image America.

Dès que j'ai ouvert *Les Américains*, grand livre de photos réalisé par Robert Frank en 1958, j'ai eu envie de traverser les États-Unis pour créer une série d'images qui exprimeraient un lieu et une heure donnés. L'opportunité s'est présentée en 2004, sous un angle intéressant : j'allais pouvoir réaliser ce voyage, muni de mon seul téléphone portable. Sony Ericsson a fourni un téléphone-photo S710A de 1,5 mégapixel et le magazine *American Photo* a créé un site Internet sur lequel je devais transférer 25 photos par jour durant cette odyssée de 50 jours.

SE FAMILIARISER AVEC L'APPAREIL

Pour me familiariser avec mon nouvel appareil, je le gardais tout le temps sur moi. Ma première image a été une photo de ma fourchette, prise au restaurant The Diner, à Williamsburg, Brooklyn, que je considère comme ma cantine. J'y viens depuis des années, et les serveurs ont l'habitude de me voir prendre des photos. Ils étaient étonnés que je passe autant de temps avec mon téléphone-photo, alors que je venais généralement avec un matériel professionnel perfectionné.

J'ai débuté comme photographe de presse, et il ne s'est pratiquement pas écoulé un jour depuis 1977 sans que j'utilise des appareils 35 mm. Après mon déménagement à New York en 1991, j'ai utilisé des chambres 4" x 5", 6 x 7 cm, 20 x 25 cm, 35 mm et demi-format – le principal étant que le travail soit accompli. Le processus de familiarisation avec un autre système d'appareil est à la fois frustrant et fascinant. J'avais à peu près un mois pour tester ce nouveau gadget. Même si j'étais impatient de partir, je m'inquiétais de la qualité des images que j'allais produire.

Une simple bougie éclairait cette fourchette, un soir au restaurant. Le téléphone-photo a augmenté la valeur ISO de son propre chef, d'où la texture granuleuse de l'image.

Un après-midi, j'ai rencontré un confrère du *National Geo-graphic*, Tomasz Tomaszewski. C'est un excellent photo-journaliste originaire de Pologne, et un ami très proche – de bon conseil, sincère et d'une franchise sans détour. Nous avons entamé ensemble un grand débat sur ce voyage. Il ne comprenait pas pourquoi j'allais travailler avec un téléphone-photo alors qu'il y a tant de bons appareils. Il m'a conseillé de laisser tomber ce projet, avec des arguments probants.

Pourtant, j'avais la conviction que chaque appareil a ses atouts et ses inconvénients. C'est au photographe de savoir tirer parti des avantages et de remédier aux défauts. Pour moi, ce n'était pas un simple gadget, mais je n'ai pas convaincu mon ami ; mon voyage n'avait pas encore commencé.

J'ai quitté Brooklyn le 2 mars 2004, après avoir dit au revoir à ma femme, à mes amis et à mes 29 appareils professionnels. Immédiatement, j'ai ressenti un mélange intense de liberté et de tension : la liberté de prendre ce que je voulais, et la tension qui en découle.

Le véhicule de Clark, surnommé Moby Dick, avale les kilomètres.

Chaque jour, je devais actualiser le site Internet créé par *American Photo*. Par chance, mon assistant Max Sternberg était là pour m'aider à organiser ce projet et lire les cartes pendant que je conduisais. Prendre 25 photos intéressantes par jour et trouver le moyen de les transférer est une gageure. Il a fallu deux semaines pour que les choses se mettent en place sans incident. J'ai fini par acheter un disque dur de 1 téraoctet, et nous transférions les images dès que possible. Nous trouvions généralement un accès Internet sans fil dans les centres commerciaux ou dans les nombreux *coffee shops* qui jalonnent le pays, le temps d'une pause-café.

CHOISIR UN SUJET

Au cours de ce voyage, j'ai appris des choses sur mon pays et redécouvert l'excitation de « la quête du sujet », chose que j'avais connue lorsque je travaillais pour plusieurs quotidiens. Je traquais en permanence la bonne et la mauvaise lumière, ou l'absence de lumière pour les photos. J'étais toujours à l'affût.

Un jour, nous avons traversé une énorme tempête de neige dans la région de Toronto, dans l'Ontario. Oui, je sais, Toronto est au Canada et pas aux États-Unis. Mais c'est une ville magnifique, et je n'ai pas pu résister. Max conduisait, Steve Miller passait à la radio. Le soleil brillait, mais on voyait à peine la route à cause de la neige. Il faisait un froid glacial, j'étais content d'être au chaud dans le van. En levant les yeux, j'ai vu Max dans le rétroviseur, et j'ai pris quelques clichés. Je commençais à apprécier la simplicité de ce téléphone-photo.

L'appareil permettait de photographier en noir et blanc ou en couleur. Le choix était déterminé par plusieurs facteurs : la lumière disponible, la couleur du sujet et ma première réaction lorsque je décidais de prendre une photo. C'est vraiment une question d'instinct. Alors que certaines photos rendent bien en couleur, d'autres s'en trouvent limitées. L'observateur est parfois « séduit » par la couleur, et le contenu passe au second plan.

CONSEIL :

Approchez-vous. L'objectif de mon téléphone-photo permettait une grande profondeur de champ, mais ce n'est pas le cas de tous les appareils. Vérifiez ce que votre objectif peut faire en vous approchant et en plaçant quelque chose au premier plan. Que se passe-t-il à l'arrière-plan ? Est-il flou ou net ? Dans mon cas, je savais que, quoi que je mette au premier plan, l'arrière-plan serait net, j'ai donc pris mes photos en fonction de cela.

Certaines photos basées sur la couleur sont ennuyeuses, alors que d'autres sont des œuvres d'art.

De retour sur la route, j'essayais de m'habituer à aborder des étrangers et de réfléchir sur le thème du projet. Je voulais que ce soit un voyage, un parcours qui soit aussi humain sur le plan visuel. Je voulais surprendre le public. J'ai décidé dès le début que si je voyais quelque chose d'un tant soit peu intéressant, j'arrêterais la voiture, et même, je reculerais s'il le fallait pour prendre la photo. J'étais certain que la beauté véritable du voyage résiderait dans ces photos imprévues ou inexpliquées.

Après une semaine environ sur la route, à visiter des villes du Midwest comme Detroit et Chicago, où j'ai eu la chance d'écouter de la musique live, j'ai commencé à trouver mon rythme. Pas celui du blues, mais mon rythme de croisière. En quittant la côte Est vers l'ouest, les choses me sont devenues de plus en plus familières. Les grands espaces autour de Chicago me rap pelaient les plaines du Kansas où j'ai grandi. Je n'avais pas de plan de route à proprement parler, mais j'avais l'intention de voir

En fin d'après-midi, Clark a juxtaposé les couleurs froides du crépuscule et la chaleur d'un réverbère.

À Roswell, au Nouveau-Mexique, Clark a associé l'ombre d'un arbre sur un trottoir et un autre arbre pour réaliser cette photo.

autant de membres de ma famille que possible. Le Kansas serait un point central. Mon frère et mes nièces habitent à Kansas City, ma sœur et ses enfants à Randolph. Mes parents vivent toujours à Hays. Puis, en mettant le cap sur l'ouest, j'irais voir une autre sœur à Port Orford (Oregon) avant de virer au sud vers Galveston

(Texas) pour voir l'aîné de ma famille. Je suis le plus jeune de six enfants, donc le téléphone-photo allait avoir du travail.

Même si le livre de Robert Frank reste ma principale source d'inspiration, la littérature exerce une grande influence sur mon style. Je pensais aux *Raisins de la colère* et au *Voyage avec Charley* de John Steinbeck, à *Sur la route* de Jack Kerouac, et à *Blue Highways* de William Least Heat Moon. Je comprenais parfaitement le confort du tipi sur roues, que Least Heat Moon appelait Moon Dancing. Je me sentais en sécurité et chez moi, dans mon Eurovan Volkswagen blanc arctique de 2002, surnommé « Moby Dick » par mon frère Patrick.

CONSEIL :

Analysez la lumière. J'ai remarqué que je passais au noir et blanc lorsque la lumière était plus verticale. Ainsi, les images deviennent plus un problème de composition ou de motif à résoudre. Lorsque la lumière commençait à décliner, je photographiais en couleur, au lever comme au coucher du soleil, où que je sois.

À propos de mon voyage, mon frère Steve avait cité Steinbeck : « Ce ne sont pas les gens qui font des voyages, ce sont les voyages qui font les gens. » Dans cet esprit, j'ai commencé par photographier ce qui m'intriguait. Dans l'Illinois, j'ai vu une ferme magnifique comme celles que j'admirais, petit, sur les photos en noir et blanc du *Topeka Capital Journal* – un panneau « Sortie 0 », des chevaux dans les champs, du bétail en pâture, des espaces immenses.

OBSERVER LES GENS

Dans le Missouri, j'ai décidé d'observer les gens sur le parking d'un Wal-Mart, pour changer. Depuis mon déménagement à New York il y a quatorze ans, ces supermarchés et leurs parkings me sont devenus étrangers. J'ai rencontré un vieil homme au visage magnifique, barré d'une grosse moustache et ridé comme un fermier du Midwest. Je me suis présenté et lui ai dit ce que je faisais. Clifford m'a laissé le photographier tandis que nous devisions sur le déclin des petites villes de la région, la guerre en Irak, l'impermanence des choses. Notre rencontre fut brève, (mais immortalisée grâce au cliché reproduit en page suivante), une des centaines que j'allais faire au cours de ces 50 jours. À chaque kilomètre franchi, j'étais plus à l'aise pour aborder des étrangers. Avoir la chance de croiser sur sa route des êtres comme Clifford est bien l'une des plus grandes joies du métier de photographe.

Clark est passé en mode noir et blanc avant d'aborder cet homme dans sa voiture, pour réaliser son portrait. Il a résolu le problème du soleil en contre-jour en s'approchant davantage du visage.

DES LIEUX FAMILIERS

Tandis que Max et moi roulions vers Kansas City, j'ai remarqué que j'optais pour la couleur quand la lumière était bonne, et pour le noir et blanc quand les couleurs étaient ternes. Tout m'intéressait – un arbre, un banc ou une personne. Si la lumière était mauvaise, mais le sujet bon, je composais ma photo en noir et blanc.

Arrivés chez mon frère Patrick, nous avons profité de la meilleure heure de la journée – 16 heures – pour photographier mes nièces, Ava et Meredith, qui jouaient dans le parc voisin. Ces clichés illustrent parfaitement la liberté que procure le numérique. Pour la roue d'Ava, j'ai visualisé les clichés que je prenais jusqu'à ce que je sois satisfait.

De nombreux appareils numériques ont un temps de latence, que vous devez apprendre à deviner afin d'anticiper le moment du déclenchement. Prendre des photos d'action n'est qu'une question de timing. J'ai mis du temps à comprendre que mon téléphone-photo avait environ 1,5 seconde de latence. Un portrait de Meredith en contre-jour n'a été possible que parce qu'en visualisant le résultat, j'ai pu maîtriser la taille et la position du reflet. En argentique, je n'aurais jamais braqué mon objectif vers le soleil comme cela. Les chances d'obtenir une exposition correcte en argentique sont faibles. Le numérique, lui, permet d'apprendre à partir de ses erreurs, grâce à la possibilité de voir le résultat et de recommencer.

Après Kansas City, nous avons parcouru 275 km jusqu'à Randolph, 850 habitants. Ma sœur Cindy et ses deux enfants, Russ et Dora, habitent là-bas. J'ai passé beaucoup de temps au lycée pour photographier ma nièce et ses amies. Les jeunes étaient accueillants et ouverts. J'ai pris deux photos que j'aime beaucoup : une de ma nièce dans sa robe de bal, l'autre de ses amies dans leur jacuzzi de fortune chauffé au bois, alias le *Hillbilly Hot Tub*.

En revenant vers ma ville natale, Hays, j'ai pensé à mon enfance isolée dans le Kansas. Une des raisons qui m'ont poussé à devenir photographe était l'envie de voyager et d'explorer le monde. Et justement, ce voyage me ramenait vers mon passé.

Pendant des années, j'ai fait le trajet qui sépare l'université du Kansas à Manhattan de Hays, en passant à chaque fois devant une magnifique église, à la sortie Sylvan Grove de la I-70. Elle semble avoir été placée là pour que l'on pose les yeux sur elle en regardant l'horizon. L'église a toujours eu une croix qui clignote devant elle. Je l'ai photographiée en 1985 pour la une du journal étudiant de l'université, mais je n'étais pas pleinement satisfait. La version de 1985 montrait un énorme nuage sombre en arrière-plan, mais la croix n'était pas allumée. Ce n'était pas encore ça.

En roulant vers l'ouest sur la I-70, j'ai revu l'église et je me suis dit que c'était le genre de cliché iconoclaste qui contribuerait à exprimer le sentiment d'appartenance à un lieu que je recherchais pour le livre. Pendant deux heures, j'ai étudié l'église sous tous les angles tandis que la lumière changeait avec le coucher de soleil. J'étais enfin satisfait de ce que je voyais. J'ai garé le van dans le champ de blé de l'autre côté du chemin et éclairé les pousses de blé avec mes phares. L'équilibre de l'exposition entre les ampoules

Le soleil en contre-jour a créé un joli reflet qui répond à l'ambiance joyeuse dégagée par la roue d'Ava, dans le parc après l'école.

Pages précédentes : Autoportrait en forme d'ombre pris dans le Middle-west.

de la croix, le coucher de soleil et les phares me plaisait. Vingt ans après, j'ai enfin réussi ma photo de l'église à la croix illuminée.

En roulant vers la maison de mes parents, j'ai croisé une voiture immatriculée dans le Massachusetts sur le bord de la route. Quand j'ai vu ce qu'ils faisaient, je me suis mis à rire. Ça m'a rappelé l'été 1985, lorsque je livrais des alcools en camion dans les petites villes de l'ouest du Kansas. Le chauffeur et son épouse essayaient de tirer quelque chose de sous leur voiture. Étant du coin, j'ai décidé de m'arrêter pour voir si je pouvais aider. En approchant, j'ai vu que c'était de la soude roulante, qu'ils ajoutaient aux buissons déjà posés sur le siège arrière. Ils pensaient avoir découvert la plante la plus exotique du monde. Les heures suivantes, je les ai aidés à ramasser de la soude roulante pour leurs amis de Boston « pour leur montrer que ce sont des vraies ! ». J'ai souvent repensé à ces gens, en me demandant si leurs amis avaient apprécié le cadeau. Pour un type du Kansas, la soude roulante, le vent et les magnifiques couchers de soleil font partie du quotidien.

Clark s'est servi des phares de sa voiture pour éclairer l'église de la I-70 qu'il avait photographiée lorsqu'il était étudiant.

CONSEIL :

Gardez toujours votre appareil sur vous. Combien de fois vous êtes-vous dit : « Ah, si j'avais pris mon appareil photo ! » L'immense avantage du téléphone-photo, c'est que vous l'avez toujours sur vous.

L'attente de la lumière idéale à l'église et la chasse à la soude roulante pour ce couple de Nouvelle-Angleterre avaient retardé mon arrivée à Hays. Mes parents, Dora Lou et Russell Clark, ont l'habitude. Je suis en retard à cause de la photographie depuis que je suis en âge de conduire.

Le lendemain, je suis allé au *Hays Daily News*, où j'avais eu mon premier boulot. J'ai parlé avec deux jeunes confrères qui travaillent au numérique. Ils voulaient venir avec moi faire un tour dans Hays, petite ville américaine typique. La vie semblait tourner au ralenti. Il y avait peu de monde, alors que, dans ma jeunesse, la grand-rue était le lieu de rassemblement de centaines de jeunes. Nous avons dépensé beaucoup d'essence et autant d'heures, ici. Mais certaines choses n'ont pas changé. Au centre se trouve un silo géant, la plus haute structure de la ville. Endommagé par un incendie il y a quelques années, il demeure le témoin silencieux de l'évolution de la communauté qui l'entoure. Je savais que ce cliché devait être en noir et blanc.

TRAVERSER LES ÉTATS-UNIS

Après m'être attardé chez mes parents, j'ai cru devoir rattraper le temps perdu, sur la I-173 en direction du Nebraska. Erreur. À 50 km de Hays, un policier m'a arrêté à 130 km/h au lieu de 105. L'amende m'a fait réagir. Certes, je voulais être dans les temps, mais aussi que les choses se produisent naturellement. À partir de ce moment, nous avons à peu près respecté les limitations de vitesse et n'avons jamais réservé un hôtel plus de deux heures à l'avance. Nous étions là où nous allions. Pour reprendre une expression qui m'a toujours plu, « le voyage est la destination ».

Les journées défilaient : Rapid City, Dakota du Sud ; Jackson Hole, Wyoming ; Arco, Idaho. Je n'avais jamais roulé dans cette partie du pays. L'est de l'Oregon est l'endroit le plus isolé et le moins fréquenté que j'aie jamais vu aux États-Unis.

Nous avons subi une grosse tempête de sable près du lac Albert. Ansel Adams adorait ce lac. Les rochers sont blancs à cause des dépôts alcalins issus du sol et des nappes phréatiques. Le lac Albert est un grand espace ouvert. En faisant le tour, je pensais aux prix de l'immobilier à New York – 10 750 $ le m² –

en comparaison. C'est le seul endroit où nous avons failli manquer d'essence. Mon nouvel assistant Chris Farber (Max avait dû rentrer) et moi avions bien évalué la distance entre les stations-service, mais nous n'avions pas tenu compte de la puissance du

Dans l'est de l'Oregon, la poussière en suspension, signe d'une tempête à venir, a agi comme un écran gris pour le posemètre, produisant une exposition parfaite qui évoque la palette de l'ancien Kodachrome.

vent contraire, une barrière constante de 65-95 km/h à l'avant de notre véhicule.

Nous avons passé la nuit à Klamath Falls (Oregon) dans un Days Inn et transféré les photos jusqu'à 3 heures du matin. Le

CONSEIL :

Évitez d'utiliser le zoom. Presque tous les zooms des téléphones-photo sont numériques, ce qui signifie qu'ils agrandissent une petite partie de l'image du capteur et produisent une piètre qualité.

lendemain, nous avons contourné Crater Lake – endroit que j'aimerais visiter – pour aller chez ma sœur Sara à Port Orford (Oregon). Sa maison se trouve sur l'arpent de terre le plus à l'ouest des États-Unis.

Voir Sara est toujours un plaisir. Elle est masseuse et agent immobilier, diplômée en droit. Son compagnon, Paul, est un potier reconnu qui vend toutes ses créations. Je l'ai photographié sur la côte en train de pêcher. Je crois que les photos sont réussies. J'étais content de voir la mer et d'être arrivé au milieu du voyage.

Pour la première fois depuis le début, j'ai dormi dans le même lit plusieurs nuits de suite. Dans un restaurant du coin, j'ai mangé le plus grand pancake du monde, avant de quitter l'Oregon pour la Californie.

J'ai toujours eu envie de voir les forêts de séquoias. Nous avons emprunté l'avenue des Géants, près d'Eureka, en Californie. En roulant au milieu de ces arbres colossaux, j'étais à court de mots pour les décrire. On m'a dit que ce sont les plus vieux arbres vivant sur terre... J'ai été frappé par le calme et par la profonde majesté qui se dégagent de cet endroit.

Prendre en photo de pareils géants avec un petit portable relevait du défi. Au début, j'ai regretté mon grand-angle, mais après quelques tâtonnements, j'ai subitement réalisé qu'au contraire, bien mieux qu'avec mon encombrant matériel professionnel, je pouvais coller au plus près de la terre. J'ai ainsi pris de petites plantes entre les racines des arbres au premier plan, les séquoias s'élançant au-dessus. Ce qui m'a rappelé que chaque appareil a ses atouts, que le photographe doit exploiter.

Une torche vidéo placée sur la droite a permis de détacher le visage d'Evan de l'arrière-plan et de donner de la profondeur à la photo.

Dans un précédent reportage pour *National Geographic*, j'avais eu la chance de rencontrer Evan Green, un garçon de dix ans atteint d'allergies invalidantes, jusqu'à mettre parfois sa vie en péril. Je voulais lui rendre visite, car je savais qu'il ferait un beau sujet. Nous avons donc contourné San Francisco pour rejoindre sa maison, dans la région d'East Bay. C'est un gosse extra, fier de son pigeon domestique nommé Pearl. Evan est extrêmement photogénique, mais a tendance à en faire un peu trop. Parfois, c'est bien, mais il faut être patient. Lorsqu'un sujet est trop actif ou embarrassé, il est difficile de capter un moment sincère, sur le vif. Au terme de ma visite, j'ai réussi à prendre une photo d'Evan qui lui ressemble davantage que les photos de ma première rencontre avec lui.

Sud-ouest des États-Unis

Impossible de traverser les États-Unis sans faire une halte à Las Vegas. Le trajet durait sept heures, mais je voulais me poser là-bas quelques jours. Ma première visite à Vegas remontait à 1994, lorsque j'avais conduit un groupe d'amis à un concert des Grateful Dead. Vegas a changé. C'est devenu une sorte de parc d'attractions, mais l'endroit reste unique pour observer les gens et les photographier. Les tapis en peau de léopard et les minijupes sont partout.

À Las Vegas, mon épouse m'a rejoint pour dix jours. Je n'avais volontairement aucun programme défini pour cette partie du voyage. La décision de Lai Ling de me retrouver à Vegas était conditionnée par son travail. Productrice de télé à l'information, elle est très occupée et son temps libre dépend de ses reportages. Même si j'étais content que ma femme soit avec moi, j'étais seul pour gérer la tâche quotidienne du transfert des photos. De plus, Lai Ling s'est rendu compte que son permis avait expiré, ce qui signifiait que j'étais le seul conducteur. Il n'empêche, il n'y a rien de mieux que tailler la route avec ma femme. Nous étions heureux de nous retrouver après plusieurs semaines de séparation, et elle a beaucoup aimé prendre des photos avec mon téléphone pendant que je conduisais.

Au Mix, un night-club de Las Vegas, le téléphone-photo a choisi une faible vitesse d'obturation. Clark a retenu sa respiration pour que l'appareil reste stable.

Après Vegas, cap vers l'Utah, au nord. À notre arrivée à Bryce Canyon, le soleil déclinait, et nous avons été pris dans une tempête de neige. Nous avions raté la bonne lumière et le parc fermait ; nous avons alors roulé toute la nuit vers Monument Valley, pour atteindre la réserve navajo à l'aube. C'est là qu'ont été tournés la plupart des films avec John Wayne. Les paysages sont fabuleux, non seulement pour la couleur ou la lumière, mais aussi pour les formes des rochers.

Une peinture murale offre un fond original pour ce portrait matinal d'une serveuse.

La roche est un magnifique grès rouge. Les formations de la vallée sont appelées des mitaines, en raison de leur forme. Leur constitution est si délicate qu'on peine à croire que ce sont des formations rocheuses. Pour moi, c'est comme essayer de décrire la différence entre la photographie au 20 x 25 cm et le 35 mm. Cela touche aux dimensions internes du médium. Le choix même du matériel modifie la perception de l'image obtenue. C'est un peu comme notre rapport au temps qui passe : il se modifie avec l'âge.

Pour en revenir à nos formations rocheuses, Lai Ling a jugé qu'il était trop difficile de prendre les mitaines avec le téléphone-photo, donc elle a passé son temps à prendre les nuages. Mais à ce stade du voyage, je le maîtrisais mieux. Je savais que photographier les monuments sans ajouter quelque chose à la composition sonnerait faux. Un morceau de bois sur le sable formait un arc parfait vers la mitaine. À nouveau, la petite taille de l'appareil m'a permis de choisir un angle bas plus intéressant.

J'ai travaillé sans relâche, et nous sommes restés jusqu'à la tombée de la nuit. La dernière photo de la journée était une mitaine. Tout était dans l'ombre, puis la lumière a surgi quelques secondes. L'image a pris vie avec cette belle lumière, qui ajoutait de la profondeur à la scène. C'était un moment magnifique partagé avec Lai Ling, dans ce cadre splendide et serein. Je ne m'étais jamais senti aussi paisible depuis le début du voyage.

Albuquerque se trouvait à 610 km, si bien que nous avions décidé de partir tôt. Mais la grasse matinée était trop tentante, nous nous sommes levés à midi. D'habitude, j'étais debout à temps pour capter la lumière du matin. Mais c'était le 29e jour, et la fatigue se faisait sentir. La lumière de la mi-journée est parfois si verticale et froide qu'il valait mieux rouler. Nous sommes partis vers le Nouveau-Mexique en espérant arriver pour le coucher du soleil.

On m'avait beaucoup parlé de cette fameuse lumière du soir au Nouveau-Mexique. À juste titre. C'est comme si je voyais avec un regard neuf tout ce que je photographiais – le banc d'un arrêt de bus baigné de cette lumière dorée, la lumière dans le van tom bant sur le visage de Lai Ling, juxtaposé avec des sans-abri dans la rue. J'avais l'impression de passer la journée dans un tableau d'Edward Hopper. La ville semblait triste et morne, mais sans

Placer des objets au premier plan améliore les compositions.

Les rayons de soleil à travers la vitre de la voiture éclairaient à la fois le visage de Lai Ling et les hommes dans la rue derrière elle.

toutefois inspirer de pitié. J'ai rencontré des gens pauvres, mais pas désespérés, qui travaillaient dur ou s'échinaient à trouver un travail. L'endroit semblait pourtant idéal pour prendre un nouveau départ, pour peu qu'on se donne la peine d'essayer.

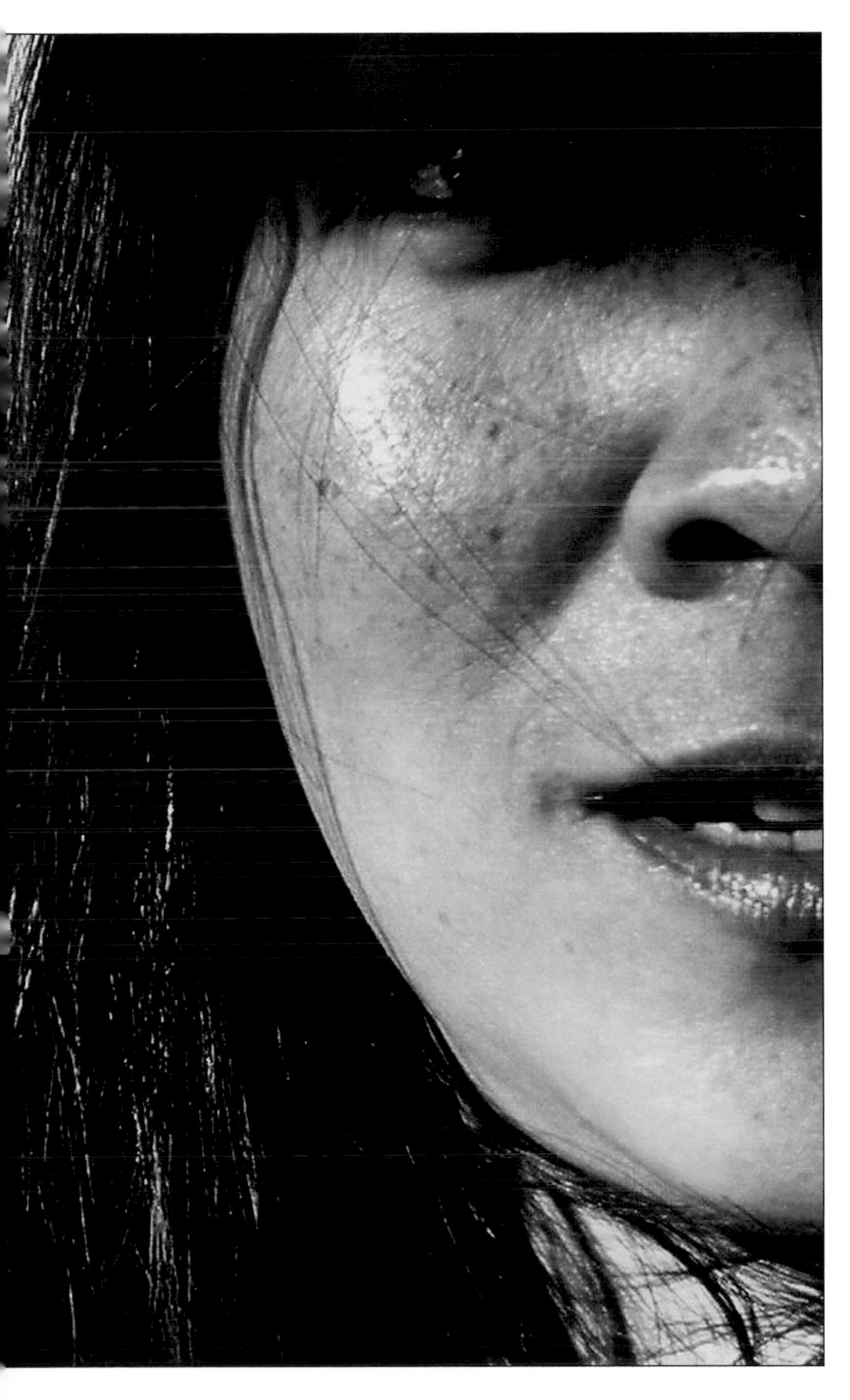

Notre étape suivante, Roswell, au Nouveau-Mexique, n'était pas aussi cérébrale. J'avais toujours voulu voir si on y trouvait des extraterrestres. Nous n'avons rencontré que des ombres extraterrestres, dont l'une ressemblait beaucoup à Lai Ling de profil.

Clark a fait poser ce musicien contre le mur éclairé par un réverbère. Il a dû surexposer d'un diaphragme pour obtenir une exposition correcte.

Au Texas

Nous avons traversé le Texas et ses grands espaces, avec ses splendides couchers de soleil. Pendant deux heures, nous avons longé les différentes entrées du Ranch 6666 (Four Sixes), qui s'étend sur des milliers d'hectares. C'est l'une des plus grosses exploitations d'élevage de bétail des États-Unis. Avec ses collines vallonnées, son immense cheptel et ses cow-boys à cheval, le Four Sixes est le genre d'endroit que j'adorerais photographier pendant un, deux ou trois mois.

CONSEIL :

Multipliez les prises de vue, le numérique vous le permet. Pour ma part, j'essaie de photographier tout ce qui m'intéresse.

Nous sommes enfin arrivés à Odessa (Texas), où j'avais réalisé les photos de mon premier livre, *Friday Night Lights*. Il parlait de l'équipe de football du lycée du coin, les Permian Panthers, et de leur obsession de gagner à tout prix. Le journaliste Buzz Bissinger traitait ce sujet sans détour et évoquait l'impact que cette pression exerçait sur les joueurs et sur la communauté. Ce projet a été un tournant dans ma carrière à plus d'un titre, et je me demandais si l'endroit avait changé depuis mes précédents séjours.

Quelques heures plus tard, en direction de Lubbock (Texas), Lai Ling a vu un édifice intrigant, immense à tout point de vue. Elle était impressionnée par sa beauté. S'agissait-il d'une bibliothèque ? D'un palais de justice ? Non, c'était la façade du stade de football du Texas Tech. On m'avait dit que la religion occupait une place centrale au Texas, comparable au football. J'en avais la preuve.

À notre arrivée au Days Inn, la réceptionniste nous a proposé une chambre avec vue. En effet. Elle donnait directement sur le drive-in de Taco Bell et le parking du motel. Je suppose que j'aurais dû demander : « Vue sur quoi ? »

À Dallas, nous nous sommes arrêtés à Daley Plaza, où JFK a été tué. Il y a des années, j'ai passé un peu de temps ici pour le *Texas Monthly*, mais Lai Ling n'était jamais venue. Nous nous sommes garés dans la rue qui passe sous le Book Depository Building et avons refait le trajet du cortège de JFK le jour de son assassinat.

Nous discutions des détails de cette tragédie, lorsqu'un type du coin nous a proposé une visite nocturne. Notre guide nous a démontré avec ferveur l'absurdité de la « théorie de la balle unique ».

Sur la route d'Austin (Texas), nous avons rencontré des gens intéressants : un séduisant éleveur de chevaux d'Olney nommé Chet Burrows, le paléontologue Joe Taylor, des ouvriers des champs de pétrole et des étudiants. L'Ouest regorge de types comme Chet Burrows – travailleurs et heureux de vivre, en accord avec eux-mêmes.

À Austin, nous avons rejoint mon ami D. J. Stout et Julie, sa compagne. Nous avons mangé beaucoup de mets exotiques, bu pas mal de bière et de tequila et écouté de la bonne musique dans 6th Street ; des centaines d'étudiants flânaient dans les rues. Le matin suivant, nous avons foncé vers l'aéroport de Houston pour que Lai Ling rentre à la maison. Nous nous sommes dits au revoir et j'ai promis de revenir aussi vite que possible.

Restant seul, j'ai rendu visite à ma sœur Lynn et son mari Michael à Galveston. J'ai apprécié les plats faits maison et la nuit douillette dans un lit familier. Tous deux sont de grands musiciens ; nous sommes allés dans un pub écouter un groupe de folk hongrois. Le matin, nous avons marché sur la plage, et les mouettes venaient me voler mon pop-corn. En échange, j'ai pu prendre quelques gros plans des oiseaux en vol, profitant de cette belle journée ensoleillée.

Avec cette image, Clark rend hommage à une célèbre photo du livre de Robert Frank, Les Américains.

À la Nouvelle-Orléans

Pour la majorité des photos de paysages, veillez à ce que les lignes restent horizontales.

Le 35e jour, un nouvel assistant, David Coventry, m'a rejoint pour les cinq heures de trajet vers La Nouvelle-Orléans. David et moi travaillons ensemble depuis 1995, essentiellement pour *National Geographic*. Nous sommes allés dans dix pays différents, pour dix projets confiés par le magazine. Nous étions excités de séjourner dans le quartier français. Nous ignorions que, quelques mois plus tard, la ville serait transformée à jamais par l'ouragan Katrina. Rien n'est immuable.

La Nouvelle-Orléans faisait partie des villes que je tenais à voir. Un éditeur du *National Geographic*, Kurt Mutchler, dont c'est la ville natale, m'avait recommandé ses restaurants préférés. Au Giacomo's, nous avons mangé du crocodile. Au-delà du cliché, ça ressemble beaucoup à du poulet. Délicieux.

En descendant Bourbon Street, j'ai commencé à me sentir nauséeux, mais pas à cause du crocodile. J'avais déjà ressenti ce malaise lorsque j'étais jeune photographe pour le compte des journaux de Philadelphie et Cincinnati. Cela m'arrivait quand je devais aborder des étrangers pour leur demander l'autorisation de les photographier. Je ne pouvais jamais le prévoir. Cette première nuit à Bourbon Street, ça a recommencé, et je n'ai pas pu prendre un seul cliché.

Le jour suivant, j'étais rétabli et impatient de me mettre au travail. Mais il pleuvait tellement que je ne pouvais rien faire. Plus tard dans l'après-midi, lorsque la pluie s'est calmée, j'ai vu des jeunes gens jouer de la musique de parade, du jazz, pour de l'argent dans Bourbon Street. Le joueur de tuba se tenait devant un superbe mur jaune. C'est une photo pure, graphique. Pour retrouver ma passion intacte, il me suffit de prendre une photo que j'aime vraiment – mon énergie revient et je peux alors travailler pendant des heures. Le reste de la nuit, j'ai photographié des videurs de clubs de musique ou de strip-tease, des hommes roulant des cigares et des gens ivres trébuchant, toujours dans Bourbon Street.

Le lendemain à 8 heures, nous sommes allés au cimetière Lafayette. La Nouvelle-Orléans est connue pour ses tombes au-dessus du sol. Si vous creusez trop profond, vous atteignez

CONSEIL :

Apprenez à archiver souvent vos images. Il serait dommage de manquer une photo parce que votre mémoire est pleine.

l'eau. Dans un vase en ciment, j'ai trouvé quelques fleurs qui semblaient peintes à la main, devant la neutralité du marbre et du ciment. L'épitaphe était très simple et poignante : « Époux. »

Nous avons petit-déjeuné à la périphérie du quartier français, près des rails du tramway, et je me suis souvenu d'une photo de *Les Américains*. J'adore cette image, et j'ai pris une photo du même tramway dans la même ville que Robert Frank il y a des dizaines d'années. Contrairement à la sienne, ma photo ne parle ni de race, ni de classe, ni de culture. Je pense à la force de travail de Robert Frank et au chemin qu'il me reste à parcourir.

Boucler la boucle

En route vers l'Alabama, j'ai pris une photo de la carte sur le tableau de bord du van. Comme j'avais hâte d'arriver, nous ne nous sommes arrêtés que pour l'essence, la nourriture et les pauses sur des aires décidément peu accueillantes. Je me disais que plus vite je roulerais, plus tôt j'arriverais chez moi.

Ma tante Anne habite à Leesburg (Floride), dans une communauté de retraités. Étant du Kansas, elle a décoré sa porte d'un immense tournesol. Je ne l'avais pas revue depuis l'enterrement de mon oncle Pat à Ness City (Kansas). Nous avons passé trois heures avec elle avant de repartir vers Jacksonville (Floride), pour aller chercher un autre assistant à l'aéroport, Alex Disuvero. David, Alex et moi habitons dans le même bâtiment à Brooklyn et avons collaboré sur plusieurs projets, ces dernières années. J'appréciais de les avoir avec moi, même pour un jour ou deux. Nous avons passé la journée à Amelia Island (Floride), dans la nature indolente des îles. La région est devenue prospère. Durant ce voyage, j'ai découvert qu'il ne reste que très peu de littoral non construit. C'est une des nombreuses observations inutiles que j'ai faites en 40 jours sur la route.

Ensuite, nous avons mis le pilote automatique. J'ai encore pris quelques bonnes photos, mais j'étais déjà tourné vers l'avenir : revoir ma femme et me préparer à ma prochaine mission. Alex et moi nous sommes arrêtés à Washington, où nous avons rencontré deux hommes typiquement américains et pourtant très différents. Le premier, Larry Ward, avait été marine pendant trente-et-un ans.

Je lui ai dit que je voulais le photographier parce que j'aimais son visage. Il m'a répondu que son père disait qu'il avait un visage agréable, « une vraie tête à claques ». Il consacre une grande partie de son temps au mémorial d'Iwo Jima comme bénévole.

Ensuite, nous avons rencontré Benoît, d'origine haïtienne, gardien du cimetière national d'Arlington. Il nettoyait les pierres tombales à l'aide d'un Kärcher. Son travail a beau être mal payé et peu considéré, c'est peut-être la personne la plus heureuse que j'ai rencontrée pendant ce voyage. Après 15 000 km, ces deux hommes m'ont aidé à comprendre le rêve américain. Pour Larry Ward, c'était servir sa patrie, pour Benoît, le bien-être de sa famille. Les deux hommes étaient altruistes et optimistes.

Au cours des dernières heures, j'ai commencé à réfléchir à ce que m'avait apporté ce voyage. J'ai eu la chance de voir des membres de ma famille ; c'était la meilleure partie. J'ai pu prendre quelques belles photos, importantes, avec une nouvelle technologie. J'ai ainsi beaucoup appris sur la manière dont je veux montrer les photos.

S'il y a trop de couleurs et une mauvaise lumière, passez en noir et blanc, de sorte que le contenu de l'image domine plutôt que l'affrontement des couleurs.

Comme il faisait sombre et qu'il pouvait visualiser l'image immédiatement, Clark a surexposé pour le premier plan jusqu'à ce que la photo lui plaise.

Pour produire les images que veulent les éditeurs des magazines, mes photos demandent souvent aujourd'hui un gros travail de retouche et des lampes. Ce voyage m'a permis de revenir aux racines de la photographie, c'est-à-dire prendre la photo avec ce que m'offre la vie. J'ai ainsi photographié tout ce que j'ai

trouvé intéressant, drôle, beau ou triste. La photographie est mon moyen d'expression le plus efficace. À sa façon, un voyage a une durée propre et une fin inévitable. La différence est qu'une fois terminé, je rentre chez moi. Et il y a le pont de Williamsburg, ma femme, mon foyer. New York m'a manqué.

Dès 2007, 71 % des téléphones portables étaient des téléphones-photo. Mais où vont toutes ces images, et sont-elles réellement intéressantes ? Parfois, oui. De nouveaux organismes créent des passerelles pour que les gens envoient leurs photos en guise de reportages pris sur le vif. Certains magasins de téléphones et sites de photo proposent des galeries de photos prises au téléphone. Il y a eu un mobile film festival à Shanghai, en Chine, ainsi qu'en France voir : *http://mobile-film-festival.com*. Les écoles de cinéma organisent des concours de films réalisés avec un portable. Et une communauté de « moblogs » existe pour ceux qui souhaitent tenir un blog sur leur portable. On estimait en 2009 que 4 personnes sur 5 étaient équipées d'un téléphone-photo, des appareils encore plus performants.

Pour en savoir plus, *www.robertclarkphoto.com* (en anglais).

Clark a laissé le téléphone-photo prendre la mesure de la lumière réfléchie par le mur éclairé afin que la femme apparaisse en silhouette.

« J'adore les enseignes », confie Clark, qui a déniché ce décor digne d'Edward Hopper à Arco, dans l'Idaho.

Clark est passé devant cette soude roulante dans l'Oregon.

Chapitre 5

La chambre noire numérique

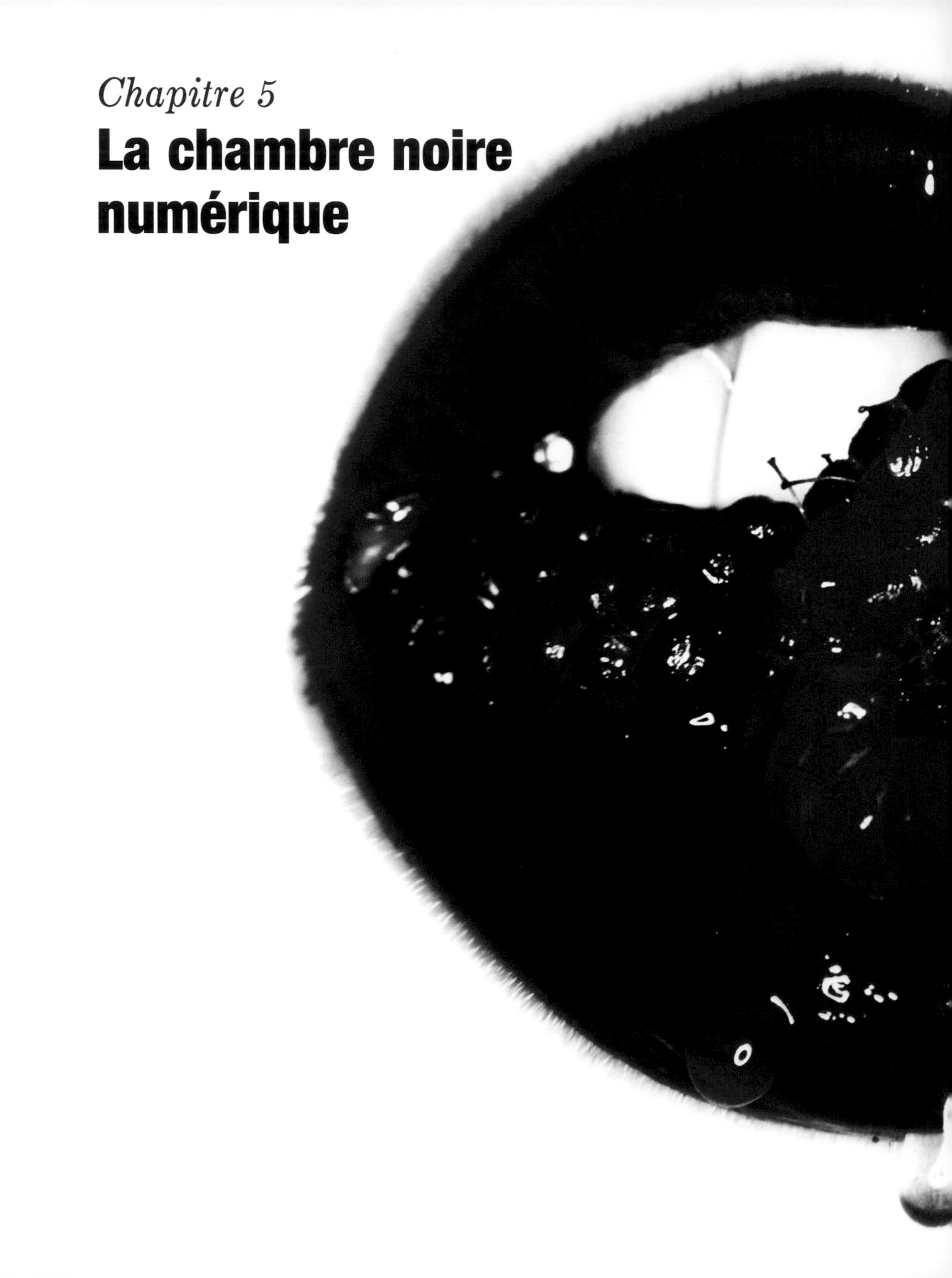

5 *La chambre noire numérique*

La création d'une belle photo demande du temps et des efforts. Il faut attendre le bon moment et la lumière adéquate, chercher la juste composition et le sujet idéal. Cette quête peut être épuisante, mais il arrive que tous les éléments soient réunis, du premier coup. C'est là tout le charme de la photographie : le voyage dans lequel elle vous emmène, au propre comme au figuré, est aussi important que le résultat obtenu.

Avant l'ère du numérique, le travail dans les chambres noires était à l'exact opposé de celui que demande une prise de vue, il se déroulait en effet dans un lieu plongé dans l'obscurité, sans couleurs ni sujets. À l'issue d'un processus qui semble aujourd'hui bien mystérieux – mélange minutieux de liquides, chronométrage précis, et surtout beaucoup de patience et d'expérience –, les photographes transformaient ce qui n'était au départ qu'une idée en un objet « vivant ».

La naissance du numérique a balayé une grande partie de ce mystère. Désormais, la photo que vous venez de prendre est visible immédiatement. La chambre noire a été remplacée par des écrans d'ordinateurs et par des kilomètres de câbles. Ce qu'il est nécessaire de savoir pour se lancer n'est rien comparé au long apprentissage des techniques de la chambre noire. Pourtant, devenir un utilisateur averti des procédés que décrit cet ouvrage demande tout autant de compétences.

Les photographes utilisaient déjà tous ces procédés avant le numérique, mais les facilités qu'offre aujourd'hui l'ordinateur sont sans commune mesure avec la complexité du processus d'alors. Certes, l'aspect « artisanal », une grande partie du mystère de cette chambre noire a disparu.

Mais ont disparu aussi l'odeur irritante du fixateur, les vêtements maculés de révélateur et la poubelle pleine de tirages ratés. Si certains en gardent la nostalgie, d'autres, plus pragmatiques, sont ravis d'en être débarrassés.

Aussi pratique que soit le numérique, certains photographes restent viscéralement rebutés par sa complexité. L'équipement peut être extrêmement onéreux et l'archivage des photos est

toujours sujet à controverse : une armoire de rangement, bien qu'encombrante, ne tombe jamais en panne et ne peut disparaître comme les fichiers d'un disque dur. Les appareils eux-mêmes ne sont pas aussi simples ni fiables qu'on le dit. Le film reste un

La colorisation, autrefois faite à la main, s'effectue aujourd'hui rapidement sur ordinateur.

outil vraiment étonnant : avec lui, nul besoin de raccordement électrique, les boîtiers ne deviennent pas obsolètes, vous n'êtes encombré d'aucun ordinateur, disque dur, lecteur de carte ni pile. Si le film avait été inventé après le numérique, tout le monde aurait crié au génie.

COMPRENDRE LE FONCTIONNEMENT DE L'ŒIL HUMAIN

La photographie est un art merveilleusement expressif, qui touche nos cordes sensibles. Mais nous nous demandons rarement comment et pourquoi une photo éveille notre émotion. D'ailleurs, voulons-nous vraiment le savoir ? Le plaisir ne naît-il pas de l'émotion pure ? Peut-être est-ce justement parce que ce lien est si direct que nous ne souhaitons pas en savoir plus.

Toutefois, pour obtenir de belles images, il est important de comprendre ce qui nous y rend sensibles. C'est en partie l'objet de ce chapitre : apprendre le comment et le pourquoi en utilisant un ordinateur pour recréer les techniques classiques de la chambre noire.

Nos yeux et notre cerveau sont des modèles stupéfiants de technologie visuelle. Prenez le temps de réfléchir à l'appareil photo qui se trouve déjà dans votre tête : vous disposez du système de mise au point le plus rapide jamais conçu, d'un automatisme d'exposition capable d'analyser instantanément les scènes les plus complexes et d'assez de mémoire pour stocker plus de 70 années d'images.

Beaucoup d'entre nous ne savent pas comment leurs yeux et leur cerveau arrivent à analyser le monde qui les entoure. Par exemple, il est facile de duper la balance des blancs automatique de vos yeux. Regardez dehors, la nuit, les lumières des immeubles de bureaux et des maisons. Celles des bureaux tirent souvent sur le vert, tandis que celles des maisons apparaissent nettement jaunes. Cela provient, pour les bureaux, des lampes fluorescentes très vertes généralement utilisées.

À l'intérieur des bureaux, notre cerveau sélectionne rapidement une balance des blancs qui fait apparaître la lumière blanche. Mais, dehors, il opte pour un tout autre scénario, et la couleur que nous voyons alors est verte. De même pour les maisons, souvent éclairées par des ampoules au tungstène dont

la lumière beaucoup plus chaude donne ce reflet jaune que l'on voit de la rue : nous compensons ce reflet inconsciemment une fois à l'intérieur.

Notre système oculaire est plus apte à nuancer la gamme allant des ombres les plus obscures jusqu'aux très hautes lumières que n'importe quel capteur ou film photo. Toutefois, les appareils et les ordinateurs ont atteint un tel degré de performance que nous en oublions que nous fonctionnons nous-mêmes d'une façon très perfectionnée.

Comparer les limites d'un appareil photo avec nos propres capacités nous permet de prendre de meilleures images et de comprendre comment les améliorer sur un ordinateur.

Les appareils photo, numériques ou argentiques, seront toujours moins performants que nos yeux et notre cerveau. L'ordinateur vous aidera à modifier l'image obtenue pour faire revivre celle de votre souvenir – ou celle dont vous aimeriez vous souvenir.

Les éclairages des bureaux brillent d'une lumière verte, la nuit, que nos yeux corrigent automatiquement en lumière blanche lorsque nous sommes à l'intérieur. Ce n'est là que l'un de nos multiples talents visuels.

Exposition

Que vous utilisiez un appareil photo numérique dernier cri ou un Kodak Brownie classique, l'exposition sera toujours un élément clé dans la qualité de votre photographie. Avec un film, l'exposition était un art. Il fallait de l'expérience, des connaissances ou de la confiance (et probablement un mélange des trois) pour arriver à une bonne exposition dans des situations difficiles. Tant de livres ont été écrits sur ce sujet que l'on pourrait y consacrer une bibliothèque entière. Et, si son apprentissage a été fort réduit avec l'arrivée du numérique, celui qui possède de solides bases dans ce domaine créera toujours de meilleures photos que celui qui se repose totalement sur l'intelligence de son appareil photo, aussi parfaite soit-elle.

Lorsque vous créez une photo, vous voulez voir apparaître les détails dans la plupart des zones : ombres, demi-tons et hautes lumières. Pourquoi ? Tout simplement parce que nous voyons ainsi, et que, par conséquent, les photos nous semblent plus agréables quand elles présentent une large gamme de tons, riches en détails.

Bien sûr, vous pouvez outrepasser cette règle et suivre votre instinct créatif. Mais sachez que ce qui fait habituellement une belle photo, c'est d'abord la richesse des détails, ce qui passe en priorité par une exposition convenable.

Un appareil photo base, généralement, l'exposition automatique sur une « moyenne » de tous les tons de la scène pour

La lumière joue un rôle essentiel. Observez les pneus de la voiture : le soleil s'y réfléchit. Il était suffisamment bas pour éclairer la voiture, mais le ciel et le paysage étaient sombres. Ajoutez à cela une vitesse d'obturation lente et une bonne stabilité du boîtier : vous obtenez une sensation de vitesse.

obtenir une exposition fondée sur l'hypothèse que cette moyenne donnera un « gris moyen ». Ainsi, la meilleure scène à photographier pour que votre appareil sélectionne précisément et automatiquement l'exposition est une boîte grise, plein cadre, sous un éclairage de jour uniforme. Le gris moyen ainsi obtenu correspond à une référence courante de réglage.

Lorsque vous modifiez les modes automatiques de votre appareil photo, c'est comme si vous lui disiez : « Je prends une photo de rue de nuit » ou : « Je prends mon ami en snowboard. » Cela lui permet d'ajuster ses réglages, dont celui de l'exposition. Avec le réglage de nuit, l'appareil comprendra que l'image est plus sombre que dans une scène de neige qui, elle, est très lumineuse. Comme avec un film, il est primordial de faire le bon réglage lors de la prise de vue, même si le numérique autorise une certaine flexibilité, à condition d'avoir photographié en mode RAW (ou brut). Il est bien connu qu' « il faut de la qualité pour faire de la qualité ». Et pour retoucher une image sur ordinateur, il faut avant tout qu'elle soit correctement exposée.

Réglages de l'ordinateur et de l'écran

Le réglage de la couleur et le calibrage de l'écran font partie des techniques les plus pointues d'une chambre noire numérique. Vu la diversité des ordinateurs, des écrans et des imprimantes disponibles, les réglages varient considérablement de l'un à l'autre. Il suffit de se rendre au rayon télévisions d'un magasin d'électroménager pour s'en rendre compte : la couleur et l'étalonnage sont très fluctuants d'un écran à l'autre. En fait, la précision des couleurs de votre écran dépend des réglages de votre ordinateur.

Avant tout, vérifiez que votre ordinateur est réglé pour afficher le maximum de couleurs (voir les Préférences écran) et que votre écran affiche les couleurs avec précision. Le plus sûr est d'utiliser un écran de qualité, qui soit aussi assez récent. Les écrans cathodiques (CRT) sont ceux qui reproduisent les couleurs avec le plus de précision, mais de nombreux écrans plats haut de gamme ont rattrapé le retard et peuvent être utilisés en toute confiance.

Si, en effet, vous possédez un écran de qualité, relativement récent et affichant le maximum de couleurs, vous avez toutes les

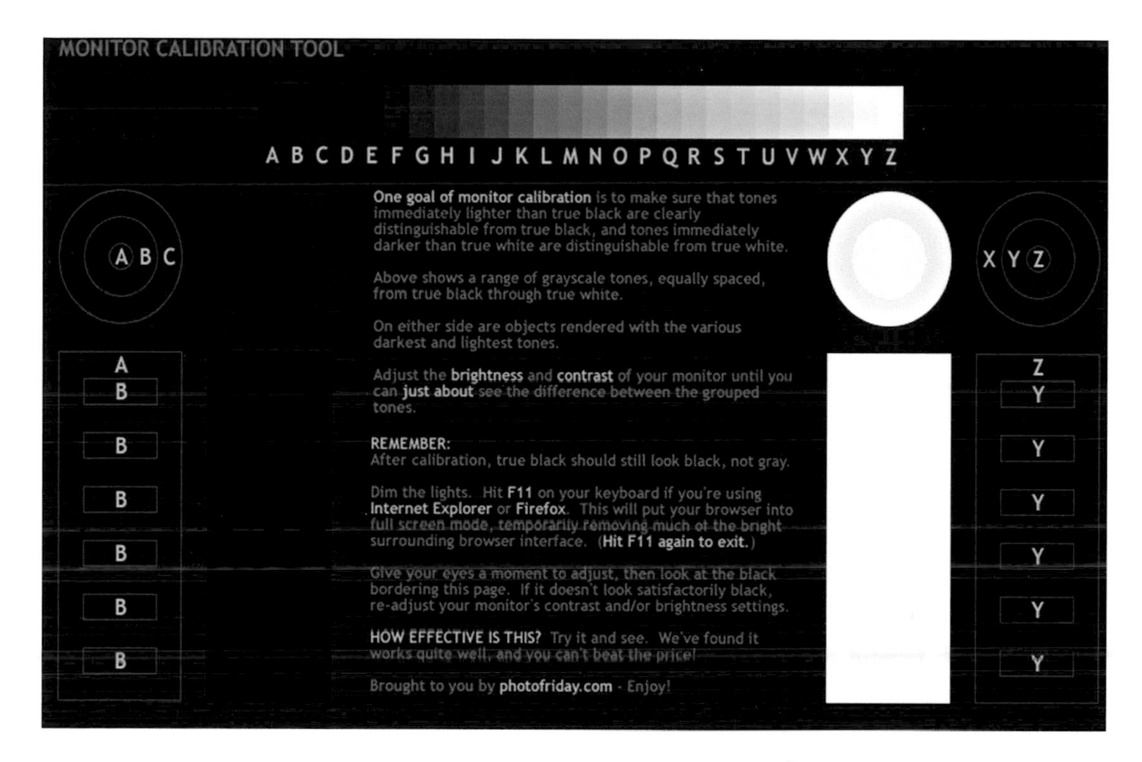

chances d'avoir un rendu des couleurs fidèle. Pour encore davantage de précision, vous pouvez étalonner votre écran.

Cet étalonnage part du principe que tous les écrans sont différents. Vous comparerez donc dans un premier temps les couleurs affichées aux couleurs de référence et, si elles sont décalées, vous ajusterez les réglages écran et couleurs.

Il existe de nombreuses méthodes pour l'étalonnage, mais les meilleurs résultats sont obtenus par les systèmes qui disposent d'une sonde attachée à l'écran. Cette sonde analyse les couleurs produites par le logiciel d'étalonnage et enregistre les réglages nécessaires pour un bon rendu des couleurs. Cela évite toute erreur humaine dans l'interprétation.

Vous pouvez au moins vérifier les réglages de base de votre écran (luminosité et contraste) sur les sites web qui proposent des gammes test allant du noir absolu au blanc absolu. Si votre réglage est correct, vous devriez distinguer parfaitement les nuances de noir, de gris et de blanc. Sur la plupart des écrans, il faut mettre le contraste à son maximum, puis régler la luminosité pour voir tous les tons de la gamme test. Cette fonction n'est pas toujours disponible sur les écrans bas de gamme ou anciens.

La perception des couleurs peut aussi être faussée par certaines couleurs de fond d'écran. Choisissez un gris neutre lorsque vous

De nombreux sites web proposent des tests d'étalonnage des couleurs dont vous pouvez vous servir pour vérifier l'exactitude des couleurs affichées sur votre écran. Il existe aussi des logiciels spécifiques. Avec un écran correctement calibré, vous devez voir nettement les différences entre les bandes de gris, de noir et de blanc.

travaillez sur vos images. Ainsi, votre perception des couleurs sera plus juste.

Ce chapitre explique les fonctions proposées par Adobe® Photoshop®, l'un des logiciels les plus courants de traitement de l'image. Ces outils se retrouvent, sauf indication contraire, dans toutes les versions professionnelles ou familiales, comme Adobe® Photoshop® Elements. Bon nombre de ces réglages sont également disponibles sur d'autres programmes de traitement de l'image, selon les mêmes principes.

Photographier en mode RAW et traiter ses images soi-même

En photographiant en mode RAW (ou brut), vous pouvez ensuite modifier dans une certaine mesure les éléments de base qui composent votre photo à l'aide d'un logiciel de conversion RAW. C'est pourquoi, pour obtenir une qualité d'image optimale, il est recommandé de photographier dans ce mode. Le terme RAW désigne une image encore à développer, pour parler en langage argentique, une sorte de « négatif numérique ». Les images qui ne sont plus dans le format brut d'origine, en JPEG par exemple, ont été traitées par le logiciel de l'appareil photo, qui a interprété ce que vous avez vu et créé une image en se fondant sur ce qu'il pense être les meilleurs réglages de température de couleur, de tonalité, de teinte, etc.

Cela peut, bien sûr, donner un résultat totalement différent de ce que vous avez vraiment vu. Un fichier compressé, comme un JPEG, ne comporte pas toutes les informations contenues dans les pixels, comme un fichier RAW, bien plus riche. Le logiciel de conversion RAW vous donne ainsi la possibilité de traiter l'image comme vous l'avez vue, et même comme vous aimeriez l'avoir vue.

Même si l'exposition est incorrecte à cause d'un décalage des commandes ou d'un changement de la lumière pendant la prise de vue, vous avez, avec le mode RAW, toutes les chances de garder ce qui fait une photo bien exposée : des détails dans tous les tons (hautes lumières, demi-tons, ombres), une bonne saturation des couleurs et une texture générale parfaite. Vous comprenez pourquoi les pros photographient toujours en mode brut : ils peuvent ainsi « développer » leurs négatifs numériques comme

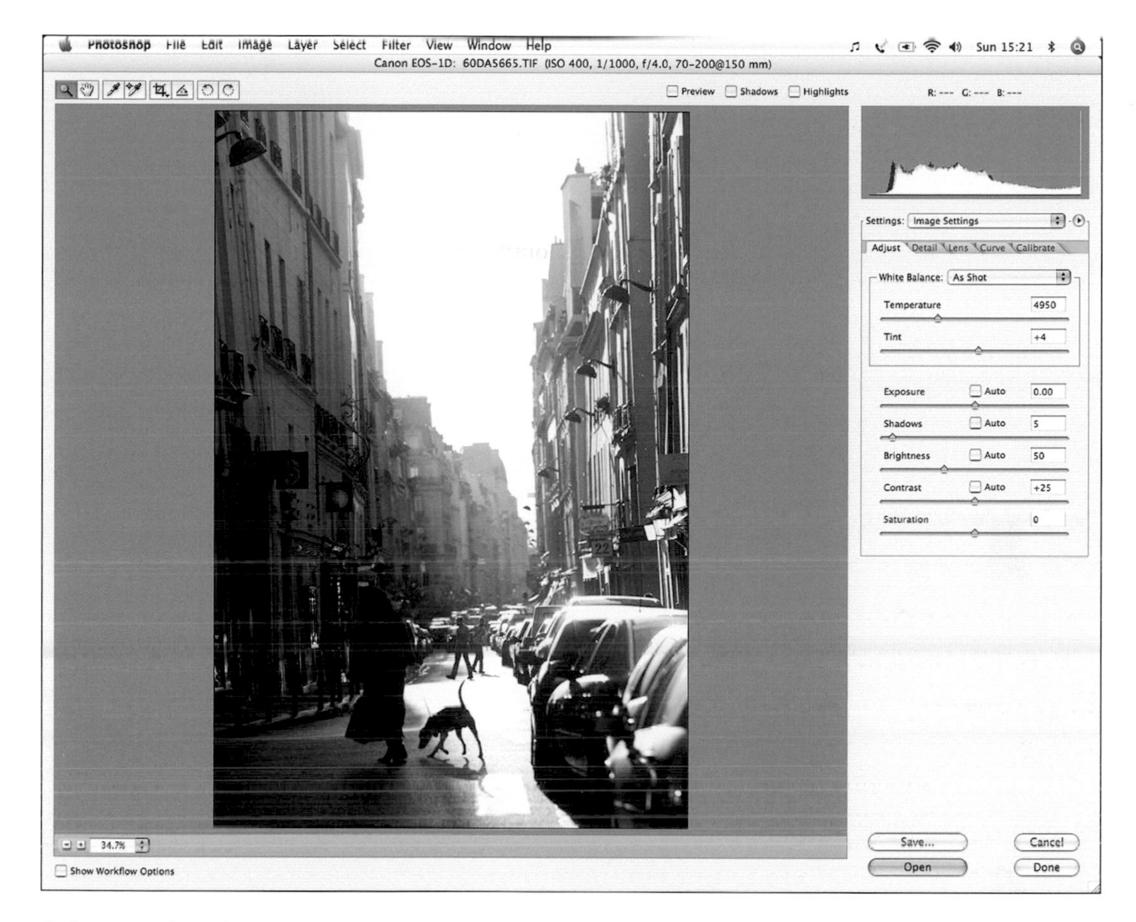

Cette photographie montre l'image telle qu'elle a été prise et ouverte dans le plug-in Camera RAW d'Adobe® Photoshop®.

ils le jugent bon (et non pas selon les choix de l'appareil), avec en plus une certaine garantie en cas d'erreur pendant la prise de vue.

Avec un film, ou un mode autre que brut, vous ne bénéficiez pas des fonctions de développement du convertisseur RAW. Il n'est pas possible de créer un fichier brut à partir d'une image qui n'est plus à l'état brut. Il vous reste cependant une pléthore de réglages possibles, qui néanmoins n'offrent pas l'extrême latitude de la conversion RAW.

Avec le plug-in Camera RAW, vous travaillerez de haut en bas, en commençant par la température de couleur pour finir par la saturation. Adobe se chargera automatiquement de ces contrôles afin que vous obteniez la meilleure qualité d'image lors des réglages.

D'abord, cochez trois cases dans le plug-in : Aperçu, Tons foncés et Tons clairs (ces deux dernières cases sont situées de part et d'autre de l'histogramme). Cela vous permet de voir les changements effectifs (Aperçu). L'étape suivante est importante : au fur et à mesure que vous modifierez l'image, vous perdrez des détails dans les zones colorées, ce qui sera indiqué en rouge (hautes lumières) ou en bleu (ombres). La coloration en rouge signale les zones qui ont perdu tout détail, c'est-à-dire celles qui sont devenues toutes blanches. Le bleu indique les zones où il n'y a plus que du noir. Les photographes disent que les hautes lumières ou les ombres ont été « solidarisées ». Perdre des détails dans certaines zones ne porte pas à conséquence tant que celles-ci ne sont pas fondamentales pour la photo.

Pour l'instant, laissez les cases situées au-dessus des curseurs non cochées. Elles permettent la sélection automatique des valeurs pour chaque curseur, ce qui n'est pas très utile à cette étape de l'apprentissage.

Température de couleur

Les appareils photo numériques sont souvent réglés en balance des blancs auto, c'est-à-dire que leur processeur analyse l'image et essaie de baser les couleurs sur un blanc neutre en changeant la température de couleur de l'image. L'appareil photo blanchira ainsi la lumière chaude d'un éclairage aux bougies ou estompera le rose et l'orangé d'un magnifique lever de soleil dans sa tentative d'équilibrer les couleurs d'une scène pour laquelle il n'a pas été réglé, avec souvent des résultats désastreux. Les appareils photo plus performants sont dotés de différents réglages de balance des blancs afin de mieux capturer ce que vos yeux ont vu. En changeant la température de couleur, vous retrouverez la photo de votre souvenir ou vous lui donnerez un effet plus théâtral. C'est là toute l'utilité du mode brut. Il permet de modifier la température de couleur pour donner des ambiances colorées différentes, allant des décalages très spectaculaires aux photos les plus naturelles.

Réglage Exposition

Il faut avant tout comprendre que ce réglage n'a rien à voir avec celui de votre appareil photo. Dans le mode Camera RAW, il se concentre sur les tons clairs de votre image. On est tenté de croire qu'une image trop sombre, mal exposée peut être corrigée avec ce curseur. Certes, vous obtiendrez un effet, mais pas le plus correct. Utilisez plutôt cet outil pour ajuster les hautes lumières, puis la commande Luminosité (voir page 255) pour ajuster les demi-tons.

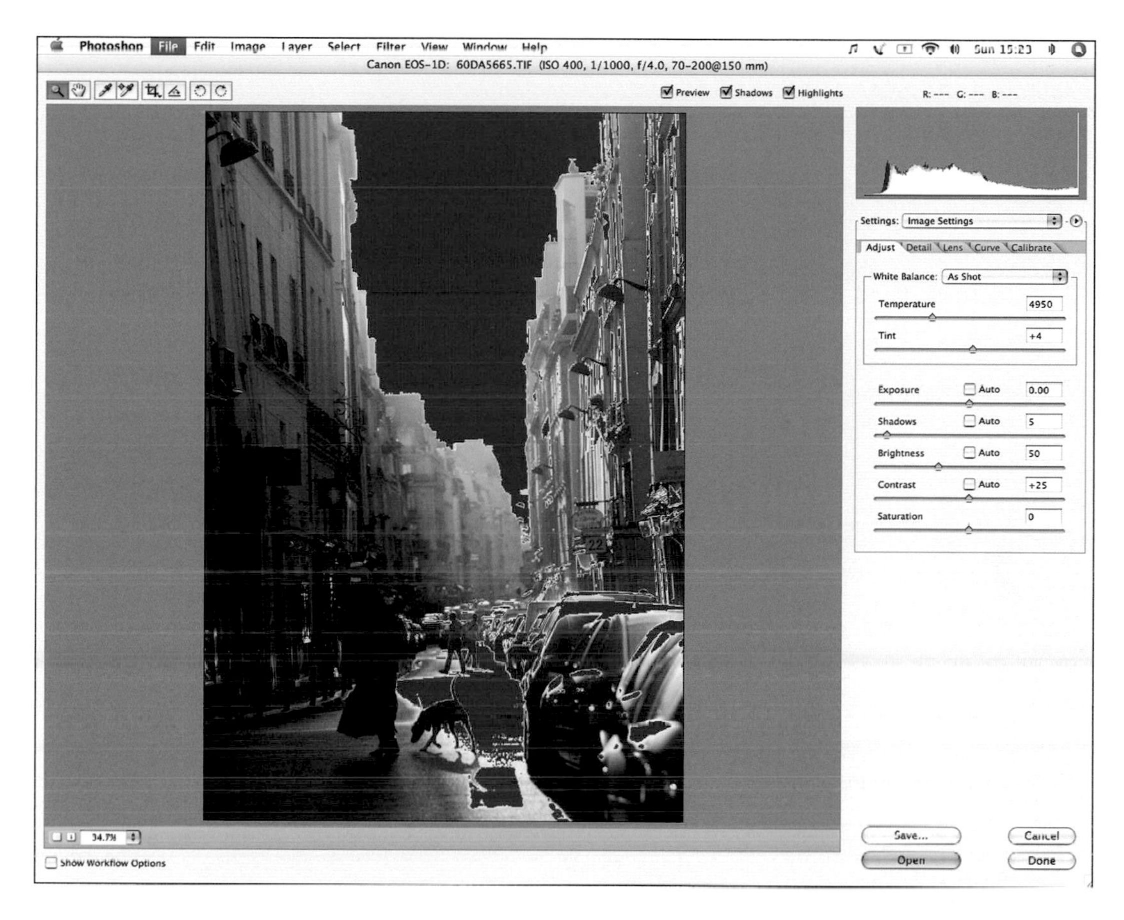

Déplacez le curseur Exposition jusqu'à ce que les tons clairs commencent, dans le jargon photographique, à « cramer », c'est-à-dire à devenir complètement blancs (ou rouges puisque vous avez coché la case Tons clairs). À priori, cela peut sembler étrange, car vous ne voyez sur une partie de l'image que du blanc. Mais il existe dans ce blanc des centaines de variations (telles qu'un artiste comme Mondrian en joue dans ses peintures) qu'il est crucial de conserver pour faire apparaître l'image idéale. Une image est surexposée lorsque les hautes lumières sont cramées et sans détail, quels que soient les ajustements qui y sont faits.

Lorsque les cases Aperçu, Tons foncés et Tons clairs sont cochées, les zones sans détail sont signalées en rouge. C'est normal sur cette photo, étant donné son effet de contre-jour. Le ciel est si lumineux qu'il restera dépourvu de détail, quel que soit le réglage du curseur d'exposition.

Récupération

L'option Récupération sert à restituer des détails à partir de zones dans lesquelles une ou deux couches de couleur sont écrêtées sur du blanc ; cela peut arriver au moment de la prise de l'image d'origine, si l'exposition a été mal réglée. Camera RAW va tenter de reconstruire certains détails manquants à partir de tons clairs.

C'est un outil merveilleux si vous cherchez à retrouver la subtilité d'une nuance, la finesse d'un grain de peau, le vaporeux d'un nuage et d'autres effets de lumière.

Lumière d'appoint

À l'inverse de l'outil précédent, mais selon un procédé similaire, la Lumière d'appoint (aussi dite lumière de remplissage) récupère certains détails à partir de tons foncés. Camera RAW essaie de reconstruire ces détails dans les zones sombres en utilisant tous les canaux de couleur, mais sans éclaircir les zones complètement noires. Une option idéale pour une image trop contrastée.

Gestion des noirs

Le curseur Noirs permet de contrôler les tons les plus sombres d'une image, et seulement eux – ce qui autorise un réglage plus

Voici l'image obtenue une fois les réglages effectués. L'appareil photo était réglé en Balance des blancs auto, d'où une image très bleue à l'origine. L'augmentation de la Balance des couleurs à 6 500 K a rendu au soleil ses tons chaleureux. La luminosité est plus forte, tout comme le contraste. Et, grâce à la saturation légèrement forcée, le soleil brille d'un éclat agréable.

précis que le curseur Contraste. La plupart des images ont besoin de véritables parties noires pour être belles.

Ajustez les zones sombres de votre image de telle sorte que les tons les plus foncés virent complètement au noir (vérifiez aussi régulièrement l'écrêtage des bleus lorsque vous poussez le curseur : des zones totalement noires deviendront alors bleues, signe qu'elles n'ont plus de détails).

Luminosité

Déplacez le curseur Luminosité pour ajuster les tons moyens. Ce critère est important pour l'homogénéité de votre image une fois les ombres et les hautes lumières réglées, car la plupart des valeurs qui constituent une photographie normale se trouvent dans cette plage.

Contraste

Pour finir, le curseur Contraste ajustera la différence (contraste) entre les tons les plus foncés et les plus clairs dans les demi-tons de votre photo.

En haut, à gauche : Voici l'image d'origine, prise par l'appareil photo.

En haut, à droite : Voici l'image obtenue avec le réglage Niveaux automatiques. Notez le contraste plus élevé et la légère dominante bleue. Même si l'image d'origine a été améliorée, je la préférerais plus chaude ou moins bleue. La femme et son chien sont aussi un peu perdus dans les tons foncés, qui sont assombris en raison du fort contraste.

Clarté

Le paramètre Clarté peut grandement modifier la netteté et la profondeur d'une image. Cet outil accentue le contraste des tons moyens, ce qui revient à augmenter le contraste entre les zones de lumière et d'obscurité dans les tons entre blanc et noir. Pour un effet optimal, déplacez le curseur jusqu'à apercevoir des halos autour des détails de l'image, puis réduisez graduellement la clarté jusqu'à l'obtention de l'effet souhaité.

Vibrance et Saturation

Le paramètre Vibrance – uniquement disponible dans le module Camera Raw – permet de régler la saturation en veillant à moins modifier les couleurs qui sont déjà saturées que les couleurs de saturation inférieure. Il en résulte un effet naturel, en particulier pour les tons chair (pas de sur-saturation).

Le paramètre Saturation, quant à lui, gère équitablement la saturation de toutes les couleurs d'images comprises entre -100 (monochrome) et +100 (saturation multipliée par deux).

TRAITER SON IMAGE DANS PHOTOSHOP

Les étapes suivantes sont valables pour toute image, qu'elle soit brute, prise directement de l'appareil photo ou numérisée avec un scanner.

Nous travaillerons d'abord avec l'image ci-contre sans qu'aucun changement n'ait été opéré dans le plug-in Camera RAW, faisant ainsi comme si votre appareil photo ne disposait pas de mode brut ou comme si vous travailliez à partir d'une épreuve photo traditionnelle scannée.

Réglages des tons

La tonalité d'une image – la relation entre les ombres, les demi-tons et les hautes lumières – influence considérablement sa clarté et sa charge émotionnelle. Une image assez bonne dont les tons n'ont pas été retouchés gagnera nettement en beauté après quelques simples petites retouches.

Les différents outils disponibles pour ajuster la tonalité d'une image font globalement tous la même chose, mais pas avec la même précision. Ils sont décrits ici, du moins complexe au plus complexe.

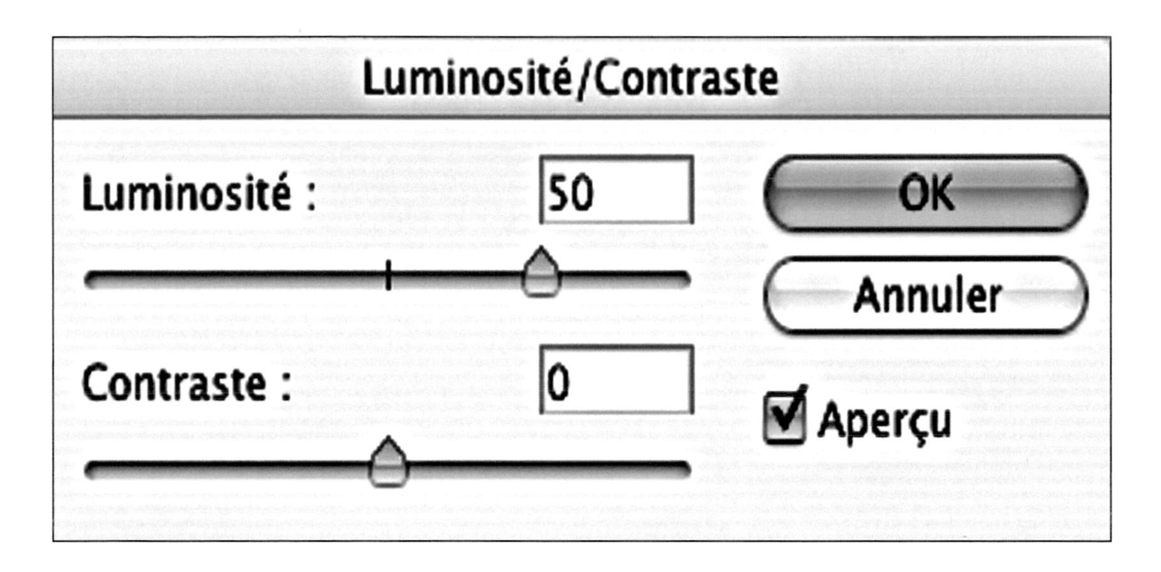

Si vous augmentez trop la luminosité, l'image n'est vraiment pas jolie car les tons sont trop lumineux. Résultat : l'image est délavée.

Niveaux automatiques

Photoshop : Image > Réglages > Niveaux automatiques

Photoshop Elements : Renforcement > Niveaux automatiques

Cette nouvelle option est identique à la fonction Exposition auto de votre appareil photo. Elle analyse les hautes lumières et

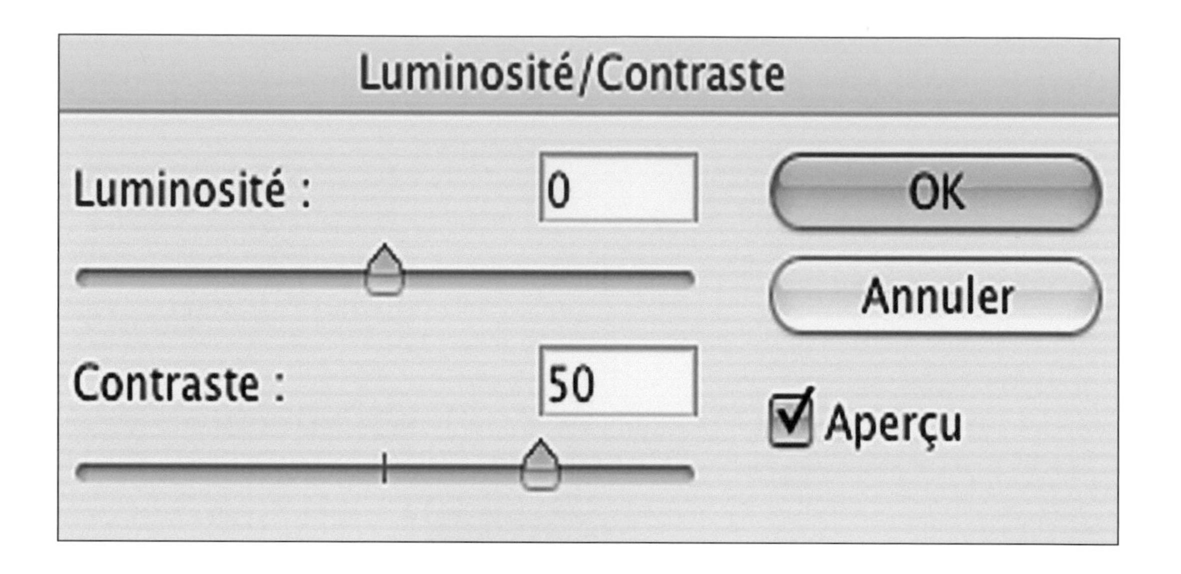

Augmenter le contraste fait perdre le détail dans les ombres, assombrit les tons moyens et éclaircit les hautes lumières.

les ombres, et base la luminosité d'ensemble sur ces valeurs. Sur des images normales, avec une majeure partie de détails dans les demi-tons et un équilibre chromatique moyen, cet outil peut faire des merveilles. Mais il risque aussi de générer des décalages chromatiques, de trop assombrir ou éclaircir le sujet. Essayez-le, vous pourrez toujours annuler son action.

Luminosité et contraste

Photoshop : Image > Réglages > Luminosité/Contraste
Photoshop Elements : Renforcement > Éclairage > Luminosité/Contraste

Nous avons presque tous acquis une certaine connaissance du contraste et de la luminosité en réglant nos téléviseurs. Avant le numérique, le contraste était influencé par le type de film utilisé, les filtres installés, le mode de développement et la manière dont les photos étaient tirées. Compliqué ? Oui. Avec l'ordinateur, tout est plus simple.

En règle générale, les photographes n'aiment guère se servir du curseur Luminosité/Contraste parce que cette fonction affecte brutalement tous les tons en corrigeant globalement l'exposition.

Après avoir ouvert l'outil Niveaux, l'histogramme révèle ce qui apparaît dans l'image : les ombres sont trop pâles.

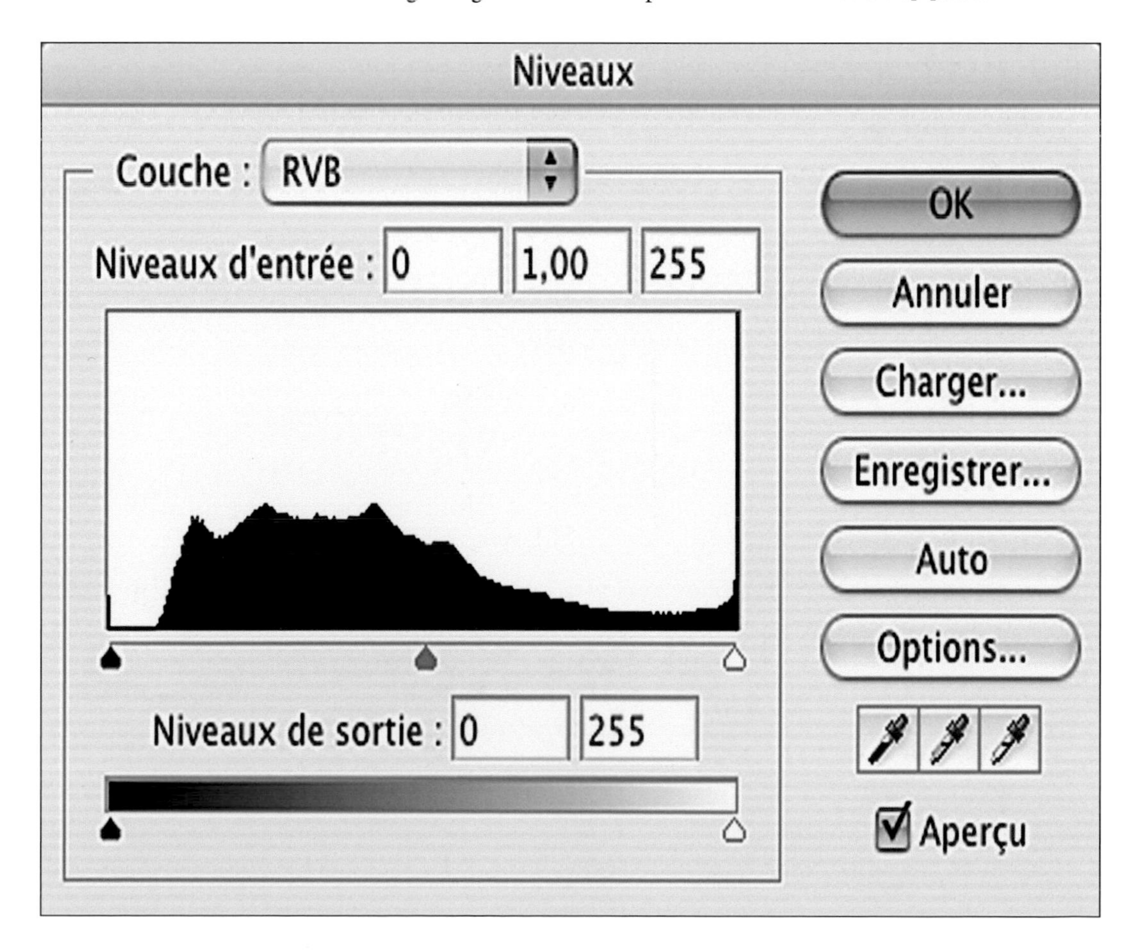

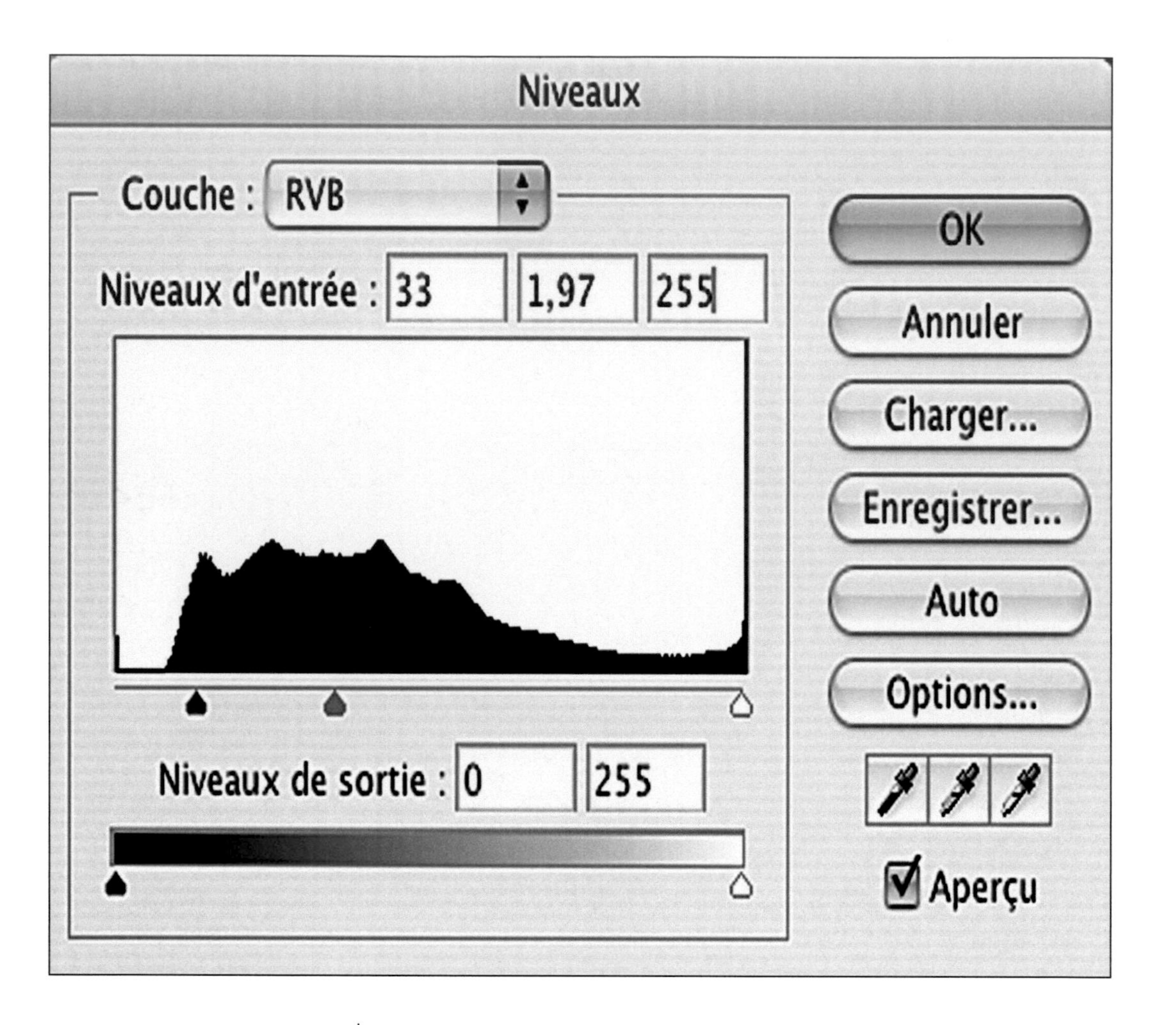

Déplacer le réglage des tons foncés vers la droite (le curseur foncé) et celui des tons moyens vers la gauche (curseur gris) a pour effet d'augmenter le contraste.

Cela étant, les nouvelles versions de Photoshop et de Photoshop Elements proposent des paramètres révisés et affinés qui permettent de mieux contrôler les modifications, tout en réduisant la quantité de détails qui peuvent être potentiellement perdus. Dans les autres versions, mieux vaut recourir à ces outils plus sophistiqué que sont Niveaux et Tons foncés/Tons clairs.

Tons foncés/Tons clairs

Photoshop : Image > Réglages > Tons foncés/Tons clairs
Photoshop Elements : Renforcement > Éclairage > Tons foncés/Tons clairs

Nos yeux sont habitués à voir une gamme de tons plus large qu'il est possible d'en obtenir sur une photo. Cet outil vous permet d'améliorer facilement la gamme de tons de vos images, pour leur donner plus de naturel et d'effet. C'est en quelque sorte un outil « intelligent » de contraste et de luminosité.

Voici l'image obtenue une fois les niveaux réglés : la femme et son chien ont maintenant un ton riche et sombre qui leur permet de mieux se détacher des tons moyens.

Vous pouvez éclaircir les ombres, assombrir les tons clairs et contrôler le contraste dans les demi-tons. Mais vous ne pourrez travailler que sur les détails qui étaient déjà là dans votre exposition. Si votre ciel est cramé, aucun assombrissement n'y pourra rien changer. Mais cet outil révélera souvent des détails que vous n'aviez peut-être pas remarqués.

Niveaux

Photoshop : Image > Réglages > Niveaux

Photoshop Elements : Renforcement > Éclairage > Niveaux

L'outil Niveaux permet d'ajuster les ombres, les demi-tons et les hautes lumières d'une image en en contrôlant plus

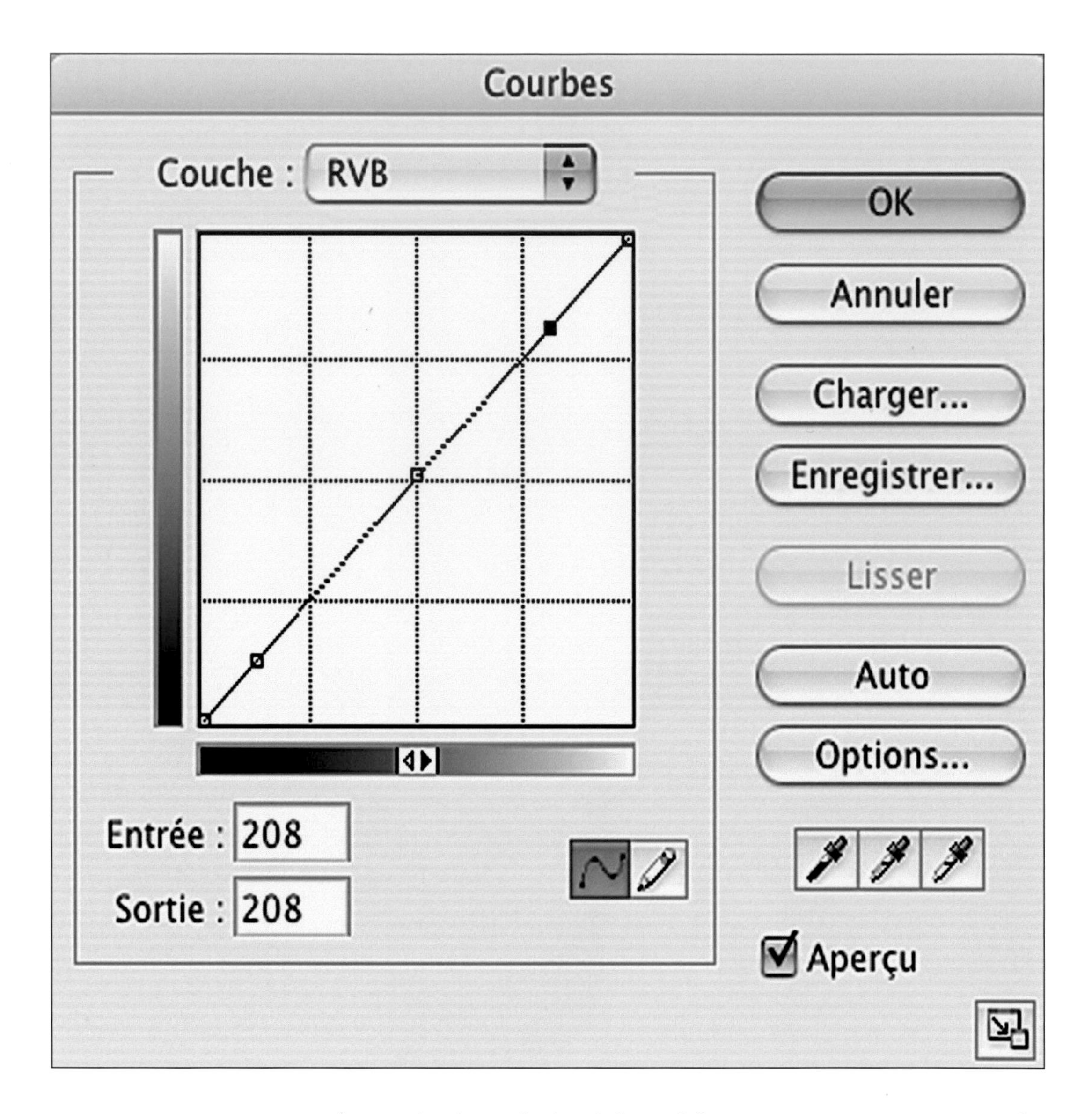

Cette capture d'écran montre l'outil Courbes avec trois points de réglage ajoutés. (Les deux points aux extrémités de la ligne sont ici par défaut.) Ces trois points représentent, de gauche à droite, les tons foncés, les tons moyens et les tons clairs de l'image.

précisément le degré de modification. Vous pouvez ainsi modifier certains tons sans toucher aux autres.

Avec l'outil Niveaux, vous verrez trois triangles identifiés par la couleur du ton qu'ils modifient. Notez que lorsque vous ajustez les tons foncés ou clairs, le curseur Tons moyens se déplace aussi afin de maintenir le même rapport entre les tons moyens et les tons clairs. Les réglages peuvent être justes ou nécessiter de remettre les demi-tons à leur position d'origine.

Pour bien faire, commencez avec le curseur correspondant aux zones les plus importantes de votre photo, puis réglez les deux autres en fonction du résultat.

Une fois la courbe modifiée en déplaçant les points de réglage, les ombres ont été foncées, les tons moyens éclaircis, et les tons clairs restent inchangés.

Courbes

Photoshop : Image > Réglages > Courbes

Photoshop Elements : Renforcement > Couleurs > Niveaux

L'outil Courbes est le mode de réglage le plus précis, car il permet de contrôler la luminosité ou l'obscurité du ton voulu, que ce soit dans les ombres, les demi-tons ou les hautes lumières.

La ligne qui apparaît lorsque vous ouvrez cet outil représente tous les tons de l'image, des plus foncés (en bas, à droite) aux tons moyens (au centre), jusqu'aux tons les plus clairs (en haut, à droite). Les dégradés figurant de chaque côté du graphique facilitent aussi l'identification.

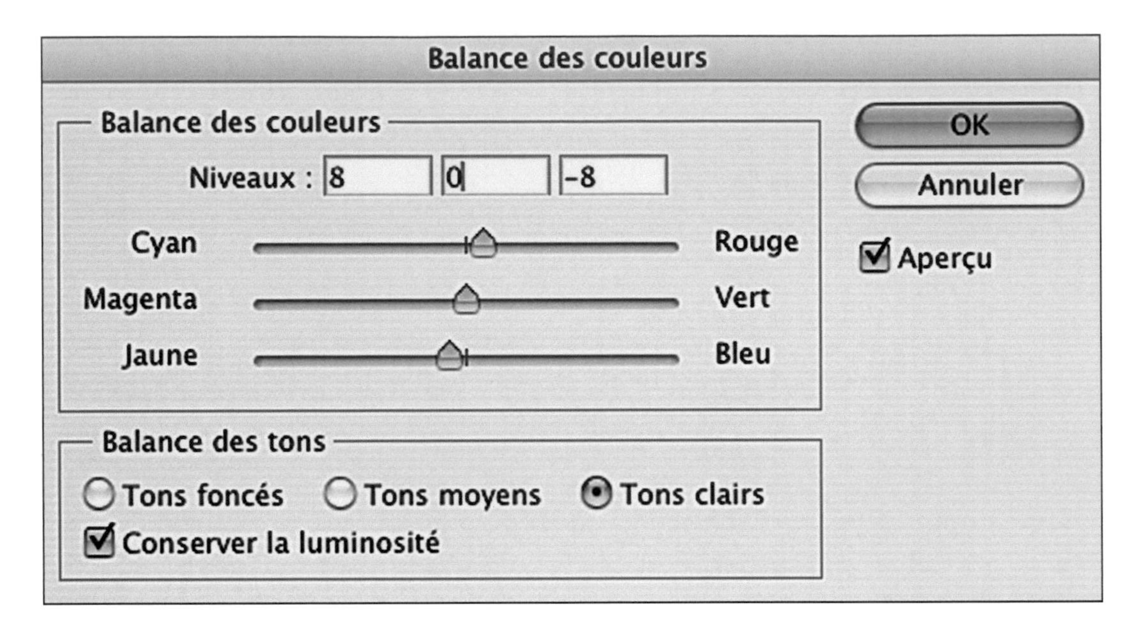

Le réglage Balance des couleurs des tons clairs, moyens et foncés crée un effet similaire à celui de la Température de couleur dans le plug-in Camera RAW de Photoshop. Les tons clairs ont été ajustés en premier, car ils sont très présents dans l'image.

Si vous souhaitez modifier une partie spécifique de votre image, placez le curseur dessus et cliquez en maintenant enfoncée la touche Option (Mac) ou Contrôle (PC) : un point d'ancrage apparaît sur la ligne à l'endroit où se trouve ce ton. Vous pouvez alors soit déplacer ce point pour ajuster le ton avec les touches curseur ou votre souris, soit, si vous voulez ajuster uniquement ceux qui sont autour, régler la ligne autour du point d'ancrage.

Mais attention, une courbe d'image normale évolue graduellement, c'est-à-dire qu'elle passe progressivement des tons foncés aux tons moyens, puis aux tons clairs. Des goûts et des couleurs… chacun trouve tel ou tel ton plus agréable à l'œil. Évitez cependant de provoquer des pics de courbe qui font perdre du naturel à l'image. Commencez plutôt par faire une copie d'une image pour jouer avec les variations, afin de vous familiariser avec le bon dosage.

Couleur automatique

Photoshop : Image > Réglages > Couleur automatique
Photoshop Elements : Renforcement > Correction des couleurs automatique

Cet outil, comme celui des Niveaux automatiques, influe sur l'équilibre chromatique d'une photo, mais utilise aussi un autre algorithme, dont les résultats varient selon l'image. Essayez. Si cela ne vous convient pas, vous pourrez toujours annuler.

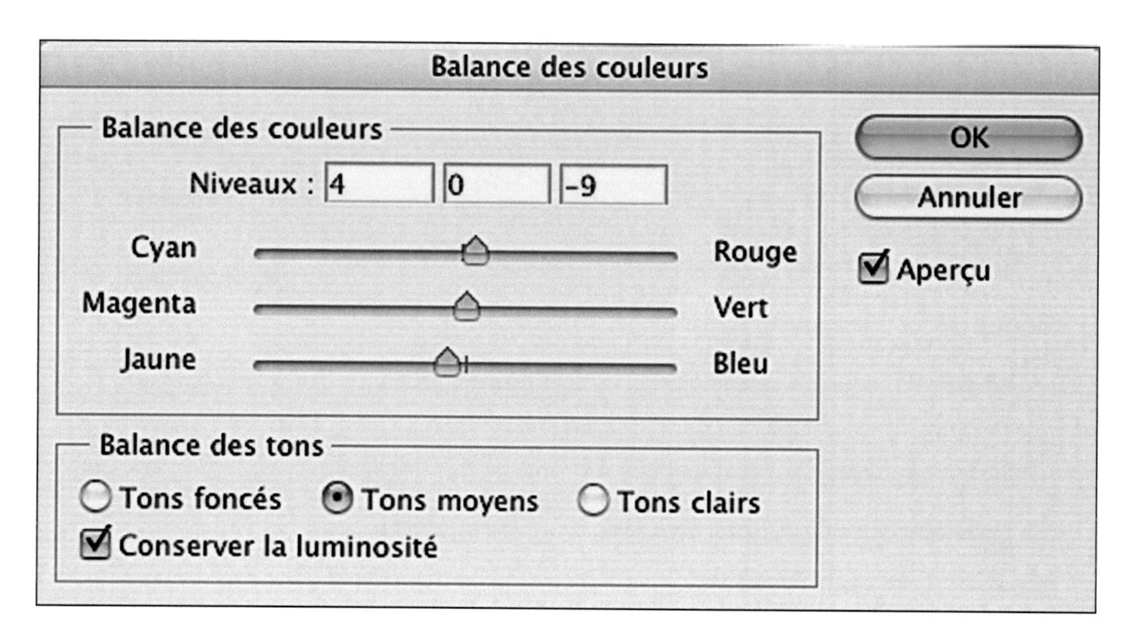

Les réglages de Balance des couleurs des tons moyens sont subtils mais importants.

Niveaux

Photoshop : Image > Réglages > Niveaux

Photoshop Elements : Renforcement > Éclairage > Niveaux

Revenons aux Niveaux pour voir, cette fois, comment ajuster la chromie avec chaque curseur. Vous disposez dans cet outil d'un menu Canaux. En sélectionnant Rouge, Vert ou Bleu, vous pouvez contrôler la quantité de chacune de ces couleurs dans les différents tons de la photographie.

Veillez à bien activer l'Aperçu pour visualiser les changements apportés en temps réel.

Balance des couleurs

Photoshop : Image > Réglages > Balance des couleurs

Photoshop Elements : Indisponible, utilisez à la place Renforcement > Couleurs > Variations

La méthode la plus directe pour ajuster la couleur est d'utiliser l'outil Balance des couleurs. C'est un système assez simple de curseurs qui règlent séparément l'équilibre colorimétrique dans les tons foncés, moyens et clairs.

Là encore, l'effet de ces changements sur l'image dépend de l'importance de ces zones dans votre image. Pour une scène de nuit, par exemple, l'équilibre colorimétrique des tons foncés joue un rôle important sur l'aspect général.

Cela est vrai, à l'inverse, pour les tons clairs dans une scène de neige. Avec cet outil, cochez toujours l'option Préserver la

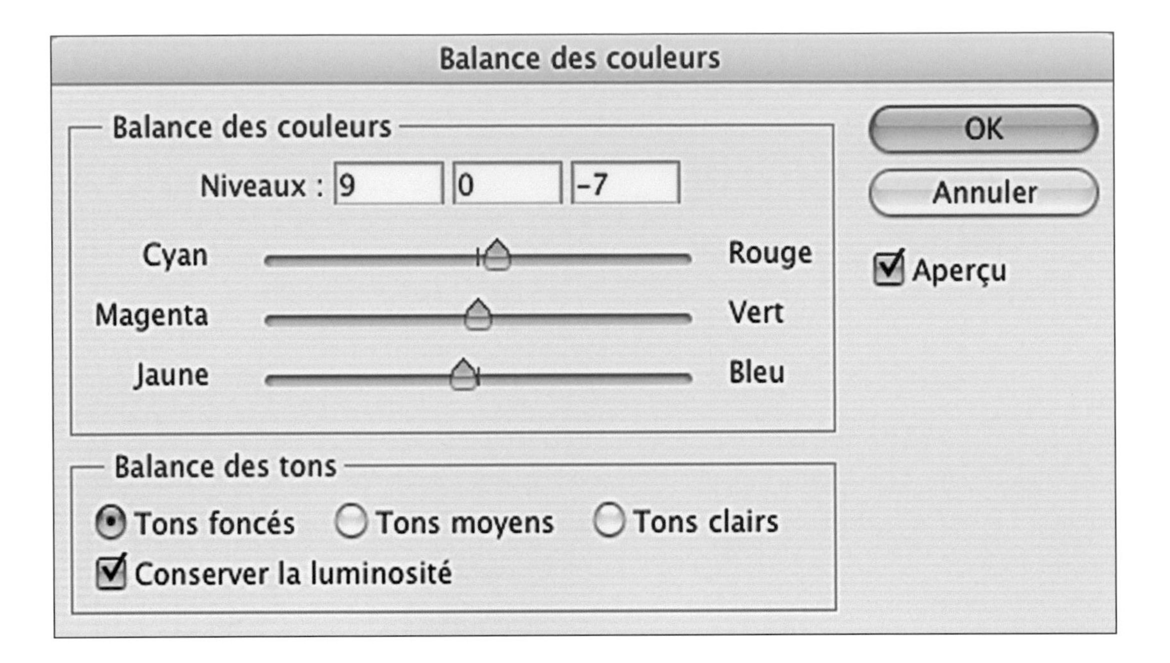

Cette capture d'écran montre les réglages de Balance des couleurs sur les tons foncés.

luminosité : vous éviterez ainsi un changement trop radical de l'équilibre de l'image.

Il existe des règles de base à connaître avant de vous lancer dans la chromie d'une image.

D'abord, les ombres paraissent souvent bleutées, quelle que soit leur origine. Il faut, pour les corriger, ajouter du jaune (ôter du bleu) et/ou du rouge (ôter du bleu). Ensuite, certains films et appareils photo numériques tendent à décaler légèrement l'équilibre colorimétrique de tout ou partie de votre image par rapport à ce qui est considéré comme correct. Cela s'appelle une dominante. Certains appareils photo produisent des images tirant légèrement sur le vert, tandis que d'autres tirent sur le rouge, même avec les boîtiers numériques les plus performants.

Photoshop Elements dispose d'une fonction intéressante qui essaie de détecter ces dominantes et de les compenser automatiquement. Enfin, l'ajustement des tons chair peut avoir un effet vraiment bénéfique sur vos portraits. Vous pouvez corriger un teint bleuté ou jaunâtre avec l'équilibre colorimétrique, ou bien avec le réglage de teinte et de saturation décrit ci-dessous.

Ici, la saturation de toutes les couleurs, ou de Global, a été augmentée de 15 points.

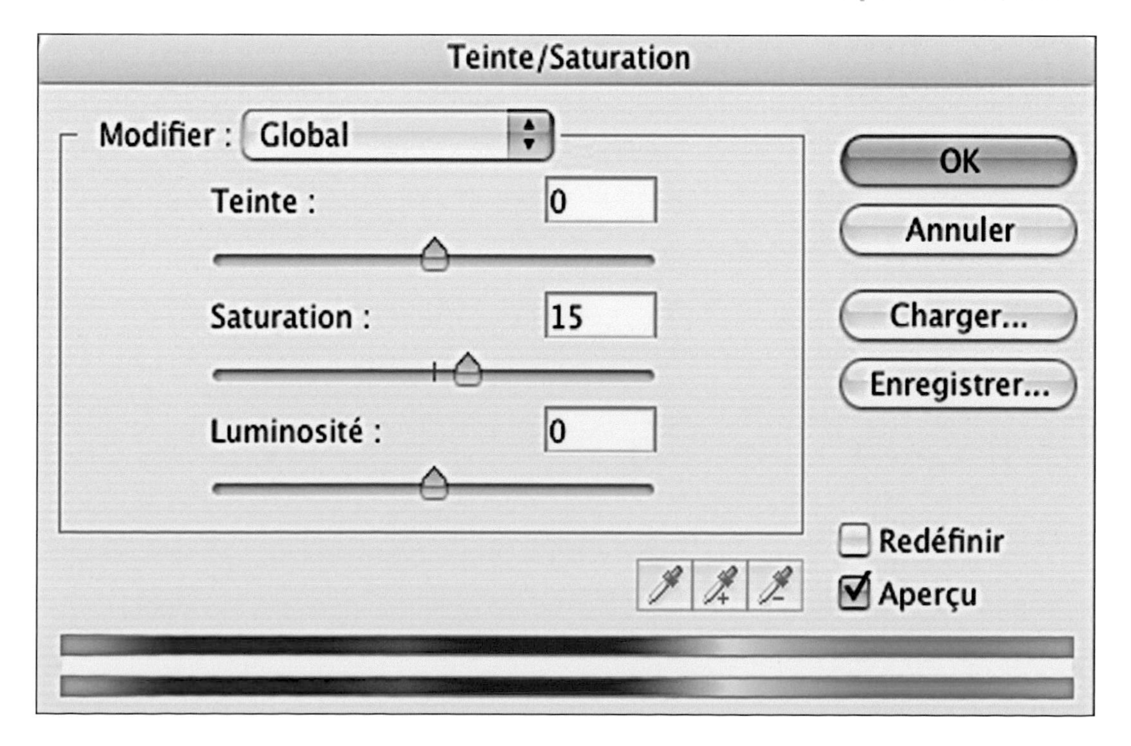

Couleur, teinte et saturation

Photoshop : Image > Réglages > Teinte/Saturation

Photoshop Elements : Renforcement > Couleurs > Teinte/Saturation

Une fois la chromie réglée, certaines couleurs peuvent ne pas ressortir tout à fait correctement, car elles sont difficiles à rendre pour certains appareils. Parmi elles se trouvent les tons chair, auxquels, en tant qu'êtres humains, nous sommes naturellement sensibles, (sans en être forcément conscients), ainsi que la palette des couleurs sous éclairage fluorescent. Vos couchers ou levers de soleil peuvent ne pas paraître aussi fabuleux que dans votre souvenir. Modifier la teinte (dominante) de ces différentes couleurs ainsi que leur saturation (intensité) jouera directement sur vos émotions.

L'outil Teinte/Saturation est particulièrement efficace et facile à utiliser : vous pouvez sélectionner une des six nuances à ajuster ou choisir l'option Global pour ajuster toutes les couleurs de l'image. De nombreux appareils photo numériques ou photos scannées présentent des couleurs légèrement décalées. Si vous n'avez pas réussi à les corriger avec la Balance des couleurs, essayez avec la Teinte et la Saturation. Cependant, sachez que ce que vous percevez souvent comme une seule couleur se compose en réalité d'une autre couleur. L'herbe verte, par exemple, contient beaucoup de jaune ; au lieu d'ajuster le vert, il vous faudra peut-être ajuster le jaune. Comme pour la balance des couleurs, les couleurs prédominantes dans une image ne sautent pas forcément aux yeux, mais le réglage Teinte/Saturation aura un effet visible et vous secondera efficacement.

Netteté

Photoshop : Filtre > Renforcement > Accentuation

Photoshop Elements : Filtre > Renforcement > Accentuation

On conseille toujours en photographie d'acheter des objectifs de bonne qualité. C'est la meilleure chance d'obtenir des photos bien nettes, avec un bon contraste et un rendu des couleurs optimal. Mais, même avec un très bon objectif, les photos peuvent manquer de netteté, problème qui peut être dû au photographe, au sujet, à l'appareil photo ou à la façon dont le film ou l'image numérique a été traité ou numérisé à l'origine. Il est possible

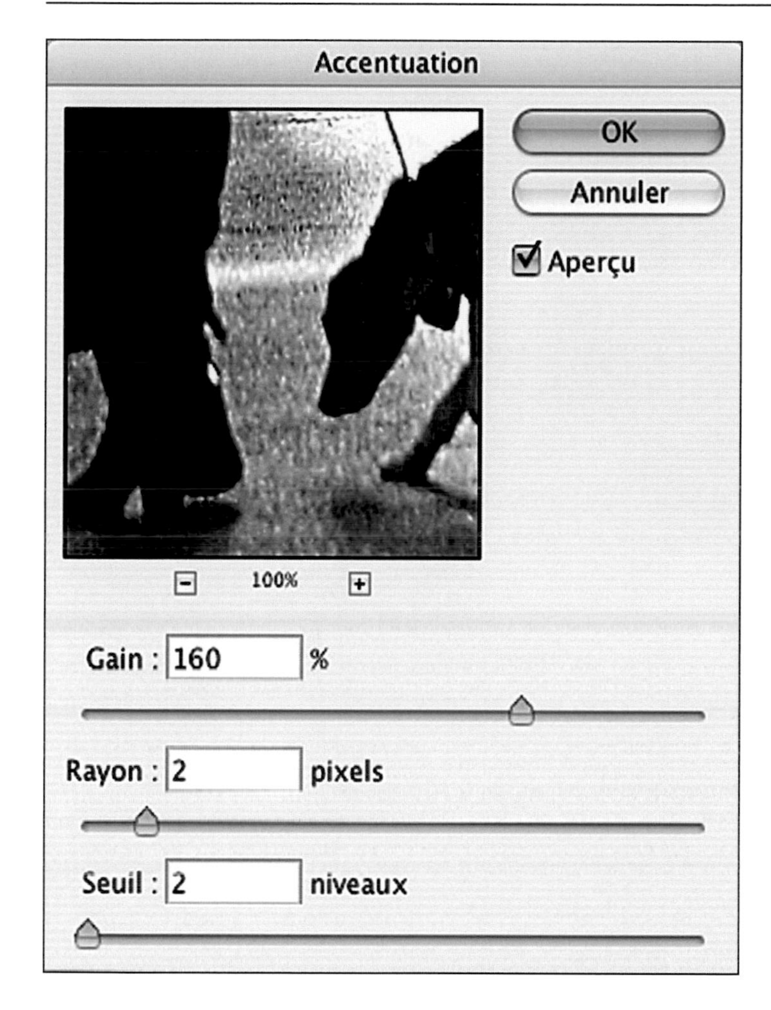

L'agrandissement permet de voir l'effet de netteté. À noter que le grain devient plus apparent avec l'accentuation des contours.

d'accentuer numériquement les contours d'une photo avec quelques outils simples qui mettront en valeur de nombreux détails. Et, lorsque vos amis verront le résultat, ils seront sûrement impressionnés. Même une photo très nette peut ainsi être perceptiblement améliorée.

L'accentuation logicielle exploite la façon dont nous percevons d'emblée la netteté d'une image. Cette qualité de l'image est en grande partie définie par le contraste entre la lumière et l'obscurité. C'est sur cette zone de transition que le logiciel agit pour donner plus de netteté à la photo.

Dans Adobe® Photoshop®, l'outil Accentuation dans Renforcement est, comme son nom l'indique, destiné à accentuer les contours. Pour bien l'utiliser, il est essentiel de comprendre ses trois commandes : Gain, Rayon et Seuil. Gain détermine l'importance de l'augmentation du contraste dans la zone de

L'outil Flou gaussien montre un grossissement de l'image pour bien voir l'effet obtenu. Notez que l'image de droite paraît plus nette, tandis qu'elle semble floue à gauche. Si le contour progressif n'avait pas été appliqué à la sélection, le début du flou serait trop nettement marqué par une ligne.

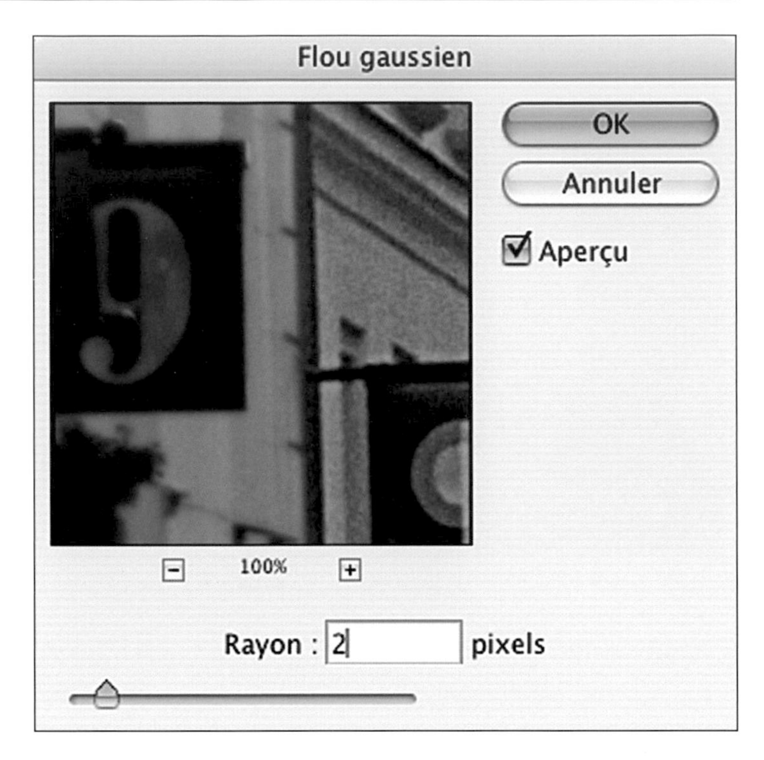

transition. Rayon ajuste l'étendue de cette augmentation, joue sur la finesse de l'effet. Seuil détermine les zones de contraste qui seront touchées par l'accentuation. Une faible valeur signifie que l'accentuation se portera sur les zones moins contrastées, tandis qu'une valeur élevée indique que seules les zones très contrastées seront accentuées. La règle est de garder le rayon aussi bas que possible tout en augmentant le gain et en gardant une faible valeur de seuil afin que la plupart des détails soient accentués. Des images en basse résolution (pour la diffusion sur Internet) n'ont pas besoin d'une grande netteté, à l'inverse des images en haute résolution (à imprimer) pour lesquelles la netteté est indispensable. C'est pourquoi, pour de nombreux photographes, l'accentuation des contours est la dernière étape du traitement de l'image. Commencez par un rayon autour de 1 et un gain légèrement supérieur à 100 %. Le mieux est de faire le plus d'essais possible. Notez aussi que la dernière version du logiciel dispose du très efficace outil Smart Sharpen.

Flou et correction sélective

Photoshop : Filtre > Atténuation > Flou gaussien

Photoshop Elements : Filtre > Atténuation > Flou gaussien

La partie centrale a été retouchée avec l'outil Accentuation, et la sélection a ensuite été inversée [Sélectionner > Inverser]. Cette opération sélectionne tous les pixels qui n'ont pas été accentués et qui seront maintenant flous.

Flouter des parties gênantes sur une image peut simuler l'effet d'une prise de vue à grande ouverture. Les photographes confirmés choisissent une ouverture plus grande (plus petit nombre f/) pour réduire intentionnellement la profondeur de champ et estomper l'arrière-plan gênant.

Vous pouvez recréer le même effet en utilisant l'outil Atténuation flou gaussien. Ici encore, vous n'obtiendrez pas autant de naturel qu'avec votre boîtier, mais vous pourrez ajouter une touche artistique et, surtout, focaliser l'attention sur ce qui est important pour vous de souligner.

Créez un nouveau calque et utilisez l'outil Flou. À l'aide d'un pinceau d'une force d'environ 12 %, passez l'effet de flou uniformément sur les zones de l'image qui entourent le sujet principal. Voir l'effet obtenu est le meilleur moyen de progresser. Une

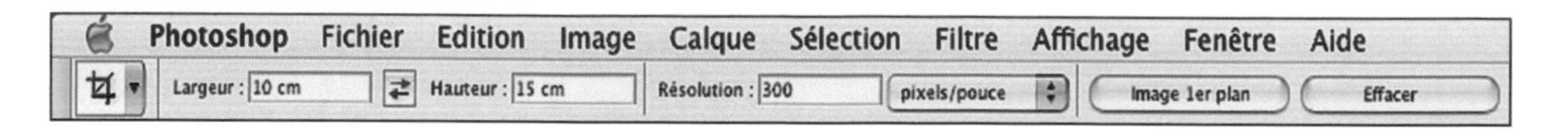

L'outil Recadrage a été réglé pour que l'image finale ait une largeur de 10 cm et une hauteur de 15 cm à 300 pixels par pouce.

méthode plus précise consiste à sélectionner certaines zones avec les outils Lasso ou Sélection. Sélectionnez le Contour progressif [Sélection > Contour progressif] : 20 pixels pour une image basse résolution, 80-100 pour des résolutions supérieures. Puis choisissez le filtre de flou gaussien. Commencez par un rayon de .3 à .5 et utilisez le moins de flou possible pour rester naturel.

Recadrage

Pour certains, c'est la première chose à faire sur une photo. Les puristes, eux, sont fiers d'avoir su trouver le bon cadrage au premier coup d'œil, sans oublier qu'un recadrage trop important réduit la qualité de l'image, tant en argentique qu'en numérique. Cet outil permet, cependant, de mettre l'accent sur l'essentiel et donc d'augmenter la puissance de l'image. L'expression de votre chien est sans aucun doute plus importante que la rutilante auto qui est entrée dans le champ au moment du déclenchement.

Laissons de côté pour l'instant le casse-tête de la balance des couleurs et de la tonalité et revenons à ce qui fait une belle image, c'est-à-dire la composition. C'est là qu'intervient votre créativité. Vous pouvez abandonner sans crainte les formats classiques de la photo 24 x 36 qui ne sont pas forcément les meilleurs pour votre image. Il est possible, par exemple, de créer une photo panoramique en coupant le haut et le bas de l'image, ou de créer un carré parfait. Les appareils argentiques traditionnels disposaient aussi d'un large panel de formats, du carré au panoramique.

L'outil Recadrage est simple à utiliser, soit librement, soit en sélectionnant des rapports et/ou une résolution afin d'obtenir une certaine forme appelée résolution finale. Cette dernière méthode est utile si vous créez une image à publier sur Internet, car vous pouvez ainsi programmer la résolution adaptée (généralement 72 pixels par pouce).

N'oubliez pas non plus que, pour l'encadrement, les formats de photos courants diffèrent dans leur forme finale. Par exemple, une image 10 x 15 a un rapport 2/3, tandis qu'une image 20 x 25 a, elle, un rapport de 4/5. L'image 10 x 15 est donc beaucoup plus rectangulaire que l'image 20 x 25.

Le débat reste ouvert sur l'utilité du recadrage, mais ici, un léger ajustement a permis de faire disparaître du champ une partie des voitures gênantes et de resserrer la photo sur son « idée » première.

Densité – et Densité +

Exécutés correctement, l'éclaircissement (Densité –) et l'assombrissement (Densité +) d'une zone étaient des techniques de chambre noire assez difficiles et longues à maîtriser. Elles consistaient, pour éclaircir une zone, à occulter avec un objet le papier photo pendant l'exposition afin d'agir uniquement sur la partie retenue et, pour assombrir une zone, à n'autoriser la lumière que sur la partie souhaitée. Pour occulter la lumière, on utilisait un disque doté d'une poignée en fil de fer, d'où l'origine de la forme de l'outil Densité – dans Adobe® Photoshop®. On assombrissait grâce à un système plus élaboré de morceaux de papier troués, ou en plaçant astucieusement sa main sous la lampe de l'agrandisseur, d'où l'icône de la main.

Nouveau calque

Nom : Calque d'incrustation — OK

☐ Créer un masque d'écrêtage d'après le calque précédent — Annuler

Couleur : ☐ Sans

Mode : Incrustation — Opacité : 100 %

☑ Couleur neutre pour le mode Incrustation (50% gris)

Ici, un calque a été créé pour éviter de travailler directement sur l'image avec la Densité + et –. Tous les pixels supérieurs à 50 % de gris éclairciront l'image principale (Densité –), tandis que les pixels plus foncés que 50 % de gris l'obscurciront (Densité +).

Dans la zone de l'image entourée d'un cercle, les tons moyens ont été éclaircis pour augmenter le contraste entre les tons foncés de la femme et les tons moyens derrière elle. Le sujet principal ressort ainsi mieux sur l'arrière-plan.

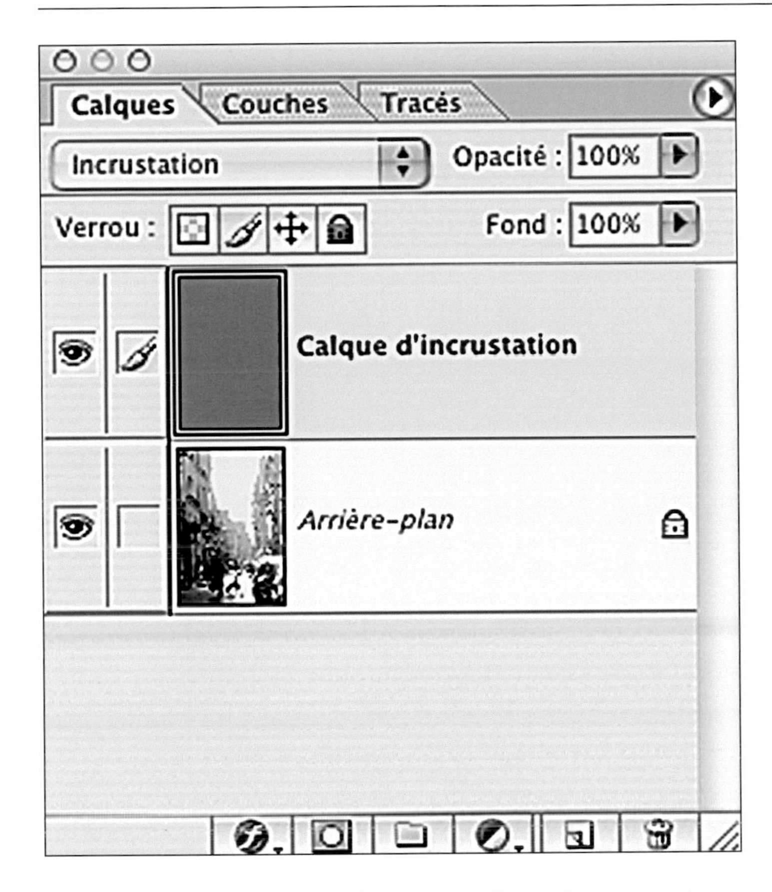

Après avoir appliqué l'outil Densité –, vous pouvez distinguer les zones où les pixels ont été éclaircis. Cliquez sur l'icône de l'œil, à gauche du calque, pour voir la différence avant/après.

Ce sont les parties les plus lumineuses d'une photo qui attirent généralement notre regard. Il est bon de se le rappeler lors de la prise de vue ou de l'utilisation de ces outils.

L'outil Densité – est souvent employé pour éclaircir le visage du sujet afin d'en révéler tous les traits. Exécuté avec un pinceau plus large, l'outil Densité + permet d'assombrir les parties lumineuses qui détournent notre attention du sujet principal.

Chacun de ces outils vous permet de travailler dans les tons foncés, moyens et clairs. Prenez un pinceau fin et réglez l'exposition (ou force) de l'outil entre 5 % et 8 % pour commencer. Cette amplitude de réglage vous garantit des modifications subtiles pour commencer en douceur.

Vous pouvez utiliser ces outils directement sur l'image, mais il est préférable de les appliquer sur un calque que vous aurez créé et couvert de gris neutre. Vous ne touchez pas ainsi directement à l'image et pourrez jeter le calque si vous n'êtes pas satisfait du résultat. Déroulez le menu Calques, sélectionnez Nouveau calque, puis Remplir, et cochez Remplir de gris neutre (gris à

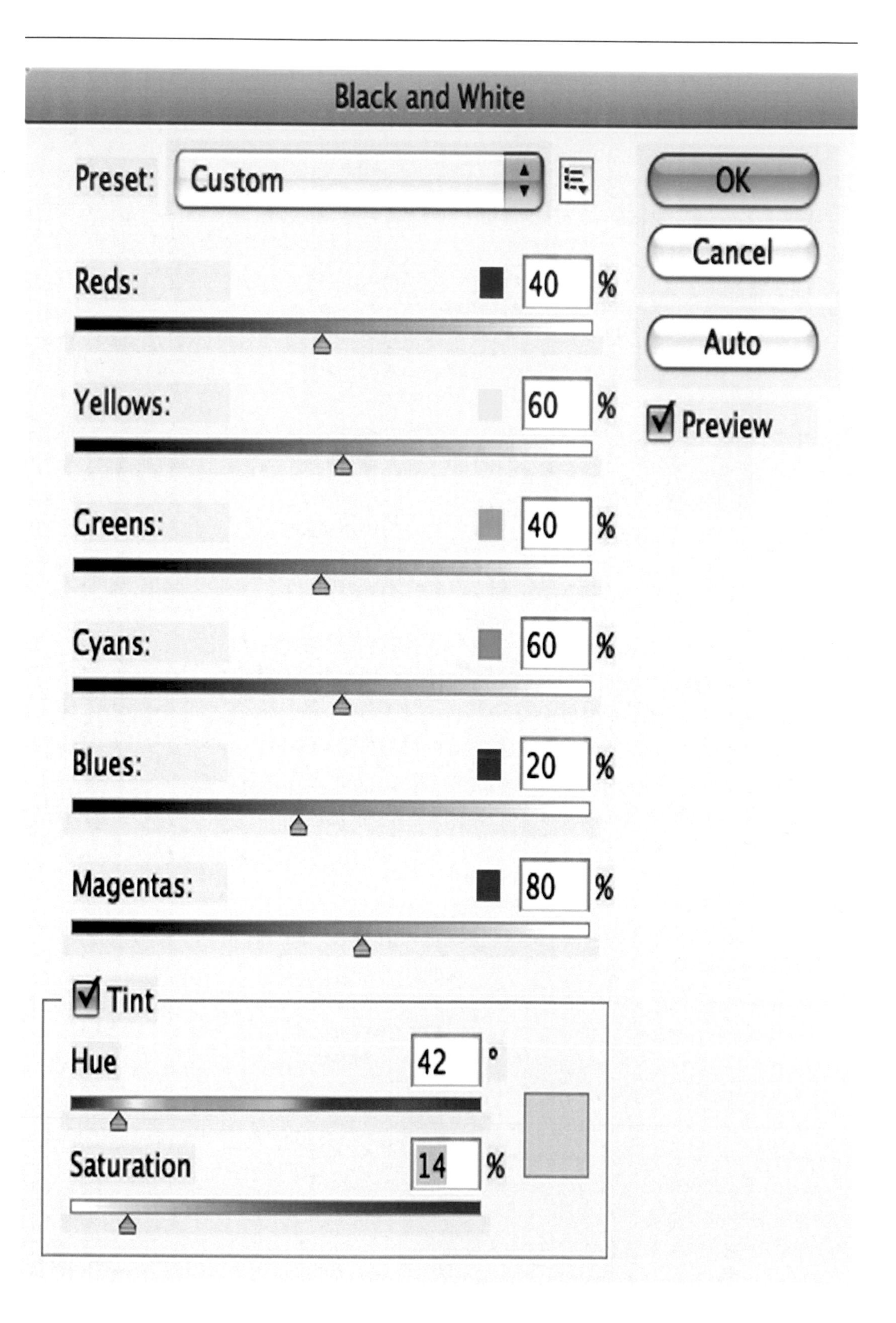
Black and White
Preset:
Custom
OK
Cancel
Auto
Preview
Reds:
40
%
Yellows:
60
%
Greens:
40
%
Cyans:
60
%
Blues:
20
%
Magentas:
80
%
Tint
Hue
42
°
Saturation
14
%

50 %). Appliquez la Densité + ou – sur ce calque, c'est lui qui sera modifié, mais l'effet apparaîtra sur l'image.

Une autre méthode intéressante, souvent préférée en raison de la précision de son contrôle, consiste à sélectionner certaines zones de l'image et à appliquer les réglages de tonalité précédemment décrits en n'utilisant l'outil Niveaux que sur ces zones précises.

À gauche :
Certains logiciels, tels BW Workflow Pro™ de Fred Miranda, permettent de transformer les images couleur en noir et blanc, d'appliquer une coloration et bien d'autres réglages.

Filtres photo numériques

De nombreux logiciels de traitement de l'image proposent des filtres numériques qui imitent l'effet des filtres classiques montés sur les objectifs ou utilisés dans les chambres noires traditionnelles. Par exemple, par temps couvert avec une lumière très bleue, le photographe mettait souvent devant son objectif un filtre jaune pâle/orange qui rendait l'image plus chaleureuse. Ce filtre modifiait, bien sûr, l'équilibre colorimétrique de la photo, ce qui peut être fait dans Adobe Camera RAW ou en modifiant la balance des couleurs.

Si plusieurs méthodes existent pour simuler manuellement de nombreux effets de filtres, il reste souvent plus simple et plus rapide d'appliquer sur l'image un filtre existant. Adobe® Photoshop® en propose certains sous Image > Réglages > Filtres photo.

Les noms classiques de ces filtres se trouvent entre parenthèses. Si vous demandez à un revendeur photo un 81A, il sait que vous parlez d'un filtre qui sert à réchauffer la chromie.

Il existe aussi des plug-ins pour Photoshop®, comme dans Nik Color Efex, qui offrent un tout autre niveau de qualité. Ce logiciel vous permet de prévisualiser l'effet et de l'appliquer ou de l'annuler en quelques secondes. En revanche, il vous faudra prévoir quelques milliers d'euros et disposer aussi de beaucoup de temps.

Néanmoins, on considère généralement, dans le milieu de la photo, qu'une manipulation de l'image par traitement numé-rique donne de moins bons résultats qu'une prise de vue originale de qualité. Tout dépend de la façon dont vous préférez travailler. Mais, en résumé, sachez que plus vous serez près du résultat souhaité lors de la prise de vue, meilleur en sera le rendu final.

Voici l'image finale, convertie en noir et blanc. Notez que j'ai sélectionné un ton plus chaud pour la conversion noir et blanc en choisissant une dominante brune.

Conversion en noir et blanc et coloration

Photoshop : Image > Réglages > Noir et blanc

Photoshop Elements : Renforcement > Convertir en Noir et blanc

Même si le film noir et blanc devient rare, les photos noir et blanc n'en sont pas pour autant moins intéressantes. Pour convertir vos photos couleur en noir et blanc, il suffit de retirer la couleur en réduisant la saturation dans Teinte/Saturation à – 100 (comme Remove Color dans Photoshop Elements®). Il est également possible, dans le menu Image > Mode de passer de RVB à Niveaux de gris. Vous pouvez aussi faire des conversions plus précises en utilisant les plug-ins dédiés à cette tâche, comme Alien Skin's Exposure et BW Workflow Pro™, disponible en ligne sur le site de son fabricant, Fred Miranda (fredmiranda.com, en anglais).

De tels logiciels vous permettent de mieux contrôler la conversion des couleurs de votre image et de créer des photos noir et blanc plus fortes. En outre, ces plug-ins facilitent les essais de coloration des images. En ajoutant une légère quantité de couleur à une image noir et blanc, vous obtiendrez un tirage vraiment noir et blanc.

C'est une technique classique en chambre noire qui exige des produits chimiques chers et nocifs, beaucoup de temps et d'expérience. Même si les logiciels ne vous permettent pas d'obtenir la même qualité que sur un tirage papier, les résultats seront relativement intéressants.

Conclusion

L'ordinateur occupe aujourd'hui une place majeure dans la photographie, surtout depuis que la sophistication des outils d'édition d'image peut presque imiter et/ou remplacer l'art du développement en chambre noire qui fit les beaux jours de la photographie argentique. Aujourd'hui, quelques clics de souris suffisent pour disposer de la même photo en noir et blanc ou en couleur...

La technique et l'équipement en matériel ont pris un poids considérable, en termes de temps et d'argent, pour les photographes amateurs et professionnels.

Heureusement, Internet fournit les dernières informations et mises à jour. La richesse de sites Web comme ceux de John Nack, qui dirige Adobe® Photoshop® développement (*blogs.adobe.com/jnack/*), de Rob Gaibraith (*www.robgalbraith.com*) et, en français, de *www.cours-photophiles.com* en fait d'inestimables ressources. Même si les appareils photo et les ordinateurs sont de plus en plus performants, il n'en reste pas moins qu'une belle photo naît avant tout de l'imagination, de la sensibilité et du talent du photographe.

La technologie moderne s'avère bien sûr une aide précieuse mais, au final, même avec le plus basique des appa-reils, il est réellement possible de réussir des photos magiques. L'essentiel est bien d'explorer le monde avec votre appareil – et, pour cela, vous êtes l'élément le plus important.

INSPIRÉE PAR LES PEINTRES FLAMANDS ET PAR SON UNIVERS PERSONNEL

Julie Blackmon a étudié la photographie à l'université. Un mari et trois enfants viennent vite remplir sa vie et, aînée d'une famille de neuf enfants, elle se trouve aussi entourée de nombreux neveux et nièces. En 2001, lorsqu'elle retourne à la photographie, celle-ci a beaucoup changé. L'ère du numérique est née. Julie s'inscrit alors dans la section Beaux-Arts de l'université du Missouri, dans sa ville natale. Puis elle se lance en autodidacte dans l'apprentissage de Photoshop®, des techniques de numérisation et d'impression numérique.

Elle braque son appareil photo sur tout ce qui l'intrigue chez elle. Sa première série de photos, « *Mind Games* » (« Jeux d'esprit »), plonge, en noir et blanc, dans les merveilles des jeux de l'imaginaire. Elle photographie des enfants au jardin, à la piscine, sur des trampolines, entourés de jouets et s'inspire de Sally Mann, Keith Carter, Henri Cartier-Bresson, Diane Arbus et Meatyard.

Sa deuxième série de photos – cette fois en couleur – est une interprétation remarquable de sa vie de mère et d'enfant issu d'une famille nombreuse. Intitulée « *Domestic Vacations* » (« Vacances familiales »), elle se compose de photos qui montrent de poignantes juxtapositions du réel et de l'imaginaire. Des adultes dînent, tandis que des enfants jouent sous la table. Les jambes d'une mère grimpent les escaliers derrière un bébé qui joue tranquillement par terre. En 2006, elle obtient le premier prix au concours de projet photographique du Centre de Santa Fe.

Pour son travail en couleur, Julie s'inspire des peintres hollandais et flamands, ainsi que de l'humour subtil des illustrations de Ian Falconer dans sa célèbre série de livres pour enfant dont Olivia la petite truie est l'héroïne.

Elle travaille en argentique, avec du film Fuji 160 NPS et quelques lampes, puis elle numérise le film au scanner à plat ou Imacon. Après avoir travaillé ses fichiers sur Photoshop®, elle utilise une imprimante Epson grand format pour faire des tirages 60 x 60.

Retrouvez ses œuvres sur *www.julieblackmon.com.*

Ci-dessus : « Trampoline, Springfield, MO » *de la série* « Mind Games ».

« Nail Polish »,
2005, de la série
« Domestic
Vacations ».

Chapitre 6

Réaliser de meilleurs tirages

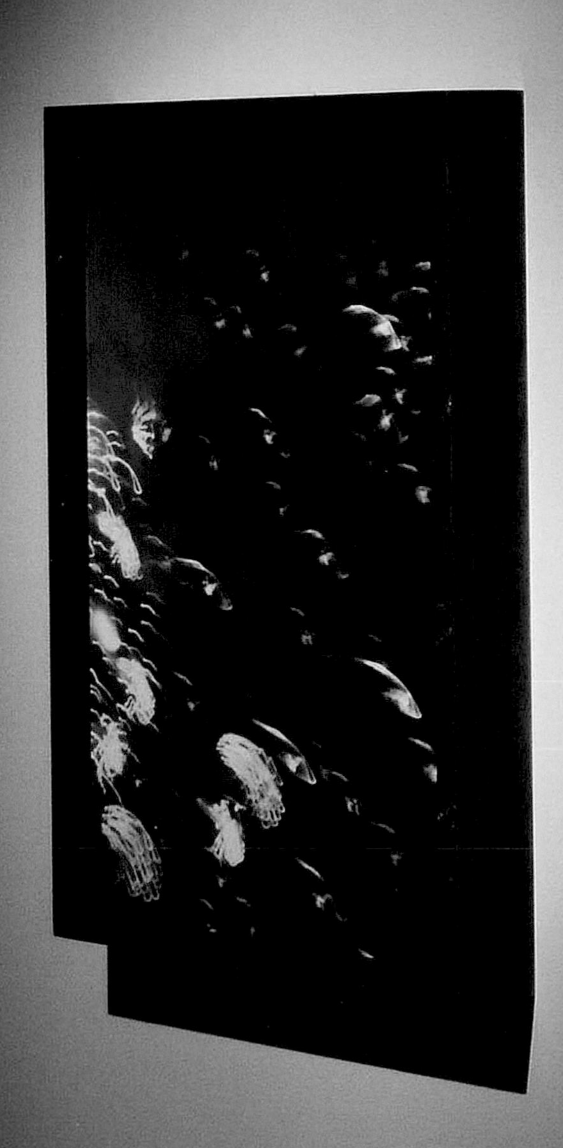

6 Réaliser de meilleurs tirages

Il n'est certes pas très original de constater la prédominance du numérique sur notre monde, mais je suis stupéfait de voir la place de plus en plus grande qu'ont prise dans notre vie quotidienne, familiale et professionnelle, les appareils photo et les imprimantes numériques. Les fabricants de films et de papier photographique en subissent même les conséquences. Certains ferment, d'autres s'adaptent.

Il y a pourtant des choses immuables en photographie : le tirage papier en est une. Bien sûr, nous envoyons des photos numériques et des captures d'écran partout dans le monde, par e-mail, en fichier joint. Mais rien n'est comparable à un tirage papier. Nous pouvons le tenir entre nos mains, l'accrocher au mur. Il constitue un lien visuel et tactile avec certains moments de notre passé. Une épreuve papier a le pouvoir de faire resurgir en nous le souvenir d'une personne, d'un lieu, d'un instant. C'est un enregistrement physique de nos vies, qui ne court aucun risque de se perdre dans une pile de CD ou sur un disque dur endommagé.

De nombreux pros ont commencé leur carrière dans les chambres noires des journaux, les mains plongées dans les bains chimiques Kodak pour réaliser les tirages de leurs photos. En général, ces tirages étaient livrés à l'éditeur au dernier moment. De temps à autre, nous abandonnions le format standard 20 x 25 pour tirer nos images noir et blanc préférées en 40 x 50. Quelle satisfaction alors de pouvoir les accrocher au mur, et quel plaisir, pour moi, de disposer de vraies archives de mes 20 premières années de photographie professionnelle. À l'époque, pour les tirages couleur, le procédé dépassant souvent nos capacités, nous avions recours au labo photo.

En 1984, quand le Macintosh et les imprimantes à jet d'encre de Hewlett Packard sont arrivés sur le marché, je me suis rendu compte de tout ce que pouvait apporter le numérique à la photographie. Mais le vrai point de départ de mon voyage dans l'impression numérique remonte à 1992, lorsque j'ai acheté une imprimante Displaymaker 36 pouces fabriquée par une société du Minnesota. Je pouvais numériser une diapositive et la tirer au format de mon choix, sans produit chimique, et tout ça chez

moi. Une vraie révolution, même avec la résolution maximale qui n'était alors que de 300 dpi (*dots per inch,* « points par pouce »). Bien sûr, certains photographes ne jurent toujours que par la chambre noire, mais leur nombre a considérablement diminué.

Les épreuves en noir et blanc restent nettes parfois plus longtemps que les épreuves couleur.

On ne peut pas parler d'infériorité ou de supériorité du numérique par rapport à la chambre noire, bien que les défenseurs des deux camps se déchaînent à ce propos. C'est simplement un nouvel outil d'expression créative. À vous de choisir. Mais, si vous penchez pour un voyage dans le futur, attachez votre ceinture.

La première étape dans le choix d'une imprimante est de bien définir l'utilisation que vous en ferez. Si votre intention est de garder des souvenirs de famille, de vacances et d'amis, optez pour un modèle qui requiert le moins d'opérations possibles entre la numérisation ou l'appareil photo et votre tirage 10 x 15 cm sur papier glacé. Ici, il est important de privilégier la simplicité et de vérifier la présence de quelques options d'archivage pour ne pas voir disparaître vos trésors familiaux.

Mais si vous désirez sortir de votre routine, soit pour faire un agrandissement du magnolia de votre jardin, soit pour singulariser sérieusement votre travail, vous avez besoin d'un tout autre type d'imprimante.

La plupart des imprimantes à jet d'encre actuelles offrent une impression de qualité. Le choix n'est pas aisé : afin d'en circonscrire les données, attachons-nous à décrire les spécificités des différents modèles, ce qui rend l'un plus approprié que l'autre.

Rappelez-vous une règle simple : c'est avant tout le format de sortie qui différencie la plupart des imprimantes. Mais il existe bien d'autres facteurs à prendre en compte, comme le type et le nombre de cartouches d'encre, les papiers compatibles et la connexion à votre appareil photo. Examinons ces points en détail.

Les imprimantes photo 10 x 15 cm ne nécessitent plus d'ordinateur.

CONSEIL :

Cinq étapes jusqu'à l'impression :

- Déterminez le résultat désiré : une simple photo, une photo d'art, ou un peu des deux.
- Étudiez les fonctions nécessaires.
- Choisissez le papier adapté.
- Faites concorder les réglages de l'ordinateur et ceux de l'imprimante.
- Faites votre tirage papier.

Vous pouvez aussi confier le travail à un labo.

CHOISIR UNE IMPRIMANTE

Les fabricants ont su être à l'écoute des adeptes des boutiques de développement photo en 1 heure, qui avaient envie de faire la même chose chez eux avec une imprimante simple d'usage. Ainsi, un grand nombre d'imprimantes express ont vu le jour, simplement dotées d'une prise USB ou d'une fente pour carte mémoire et d'un format d'impression unique : le plus souvent 10 x 15 cm. Elles sont conçues spécialement pour imprimer des photos et être bon marché. Leur autre avantage est leur compacité et leur portabilité. Certaines fonctionnent sur piles, si bien que, si vous avez photographié votre fils avec sa bande de copains, vous pouvez distribuer des souvenirs à tout le monde depuis le siège avant de votre voiture.

CONSEIL :

Analyse des modèles d'imprimante

- Impression à jet d'encre ou à sublimation thermique.
- Connectique de l'imprimante.
- Capacité du bac à papier, vitesse d'impression, circuit du papier et épaisseur autorisée.
- Colorants ou encres pigmentées.
- Fonctions spéciales.
- Coût d'impression.

Imprimantes photo à jet d'encre

Permettant l'impression depuis votre ordinateur et tirant à de plus grands formats, ces imprimantes coûtent plus cher. Elles ont davantage d'options de cartouches et prennent plus de place sur votre bureau.

Au début, elles n'utilisaient que quatre couleurs. En lançant des imprimantes à six, sept, voire huit couleurs, les fabricants visaient amateurs et professionnels à la recherche d'une vraie « qualité photographique ». Les ingénieurs avaient découvert que, plutôt que d'augmenter la résolution par point, ils obtenaient une palette plus large et une gradation quasi continue en augmentant le nombre d'encres. Dans la plupart des cas, le résultat était bien

Les imprimantes de bureau à jet d'encre sont rapides et faciles à utiliser.

CONSEIL :

PictBridge est une technologie qui vous permet d'imprimer directement depuis la carte mémoire d'un appareil photo, quelle que soit sa marque, sans passer par l'ordinateur.

meilleur. Les imprimantes photo sont aujourd'hui très performantes, et le prix des modèles haut de gamme, du format bureau aux 44 pouces, ne cesse de baisser.

Imprimantes à sublimation thermique

Si vous souhaitez la qualité labo à domicile, pourquoi ne pas envisager une imprimante à sublimation thermique ? Dans ce cas, l'impression s'appuie sur la vaporisation du colorant contenu dans une fine feuille de plastique, sous l'effet d'une pointe chauffée. Les colorants transfèrent l'image sur la surface brillante en ton continu, contrairement aux imprimantes à jet d'encre qui les déposent par séries de points. L'image obtenue présente une gradation plus subtile des pixels et se rapproche du tirage photo. Certains modèles sont portables et impriment des photos 10 x 15 cm avec un vernis protecteur. Vous pouvez évaluer le prix par photo en vous référant au prix des cartouches de remplacement. Sachant qu'une boîte de 24 feuilles contient le papier et les cartouches pour exactement 24 impressions, il suffit de faire la division. Recherchez sur des sites Internet spécialisés les différents modèles commercialisés et lisez les avis donnés sur chacun. Cette technologie est très intéressante.

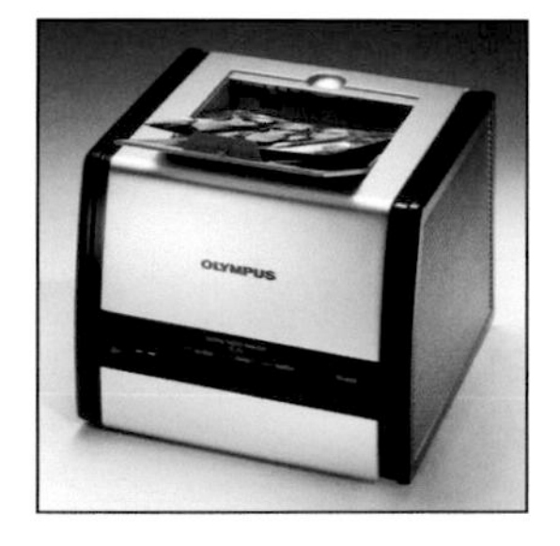

Les imprimantes à sublimation thermique remportent un joli succès.

Imprimantes multifonction

Elles offrent, sur une même unité, les fonctions imprimante, scanneur, photocopie et télécopie. Destinées aux micro-sociétés, ces imprimantes ont proliféré, tant en jet d'encre qu'en laser. Leurs prix et leurs fonctions varient considérablement d'un modèle à l'autre. Pour la télécopie, elles peuvent avoir besoin du modem de votre ordinateur. Si vous envoyez plus d'une ou deux télécopies par semaine, il vaut peut-être mieux disposer d'un télécopieur indépendant.

CONNECTIQUE

Finie la corvée du branchement des câbles entre les imprimantes et les ordinateurs, finis l'extinction et le redémarrage de l'ordinateur pour changer d'imprimante. Les derniers modèles se connectent presque instantanément grâce au câble USB et au FireWire. Vous passez d'une imprimante à l'autre par une simple sélection dans le logiciel.

Il est aussi utile de savoir comment passer au Wi-Fi chez vous. Le Wi-Fi est un système ondulaire qui connecte les ordinateurs, les imprimantes et autres périphériques, y compris Internet, en un réseau commun sans câble. Une imprimante compatible Wi-Fi peut être connectée à plusieurs ordinateurs qui se trouvent à sa portée. Ce type d'imprimante n'est déjà plus une nouveauté.

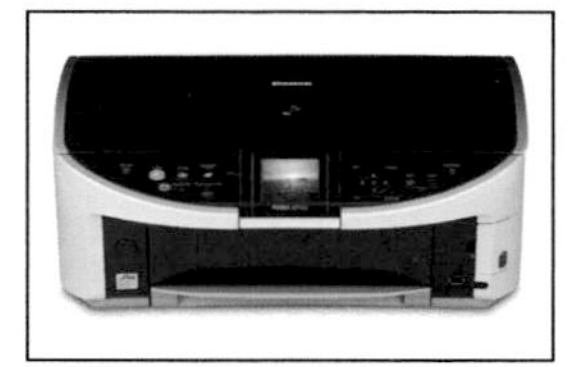

L'imprimante multifonction prend peu de place sur un bureau.

GESTION DU PAPIER

Autre point à prendre en considération : le format d'impression. Si vous ne souhaitez que des tirages 10 x 15, il existe des imprimantes dédiées à ce format. Tous les modèles ne permettent pas forcément de format plus grand. Vérifiez aussi, si vous imprimez parfois votre courrier pendant la pause déjeuner, que votre imprimante peut contenir la quantité de papier nécessaire et offre une qualité d'impression impeccable.

Assurez-vous qu'elle accepte le type de papier que vous souhaitez : glacé, perle, lisse, beaux-arts, aquarelle, mat... De nombreux papiers sont sans acide et parfaits pour l'archivage. Mais leur qualité et leur traitement de surface peuvent considérablement modifier l'aspect de votre photo. Calculez bien le rapport encre/papier avant de dépenser une fortune dans une imprimante qui sera limitée dans un domaine ou un autre.

Testez plusieurs types de papier avant d'arrêter votre choix.

COLORANT OU PIGMENT

Peut-être pensez-vous que cette discussion sur les encres est futile, mais repensez aux albums photo de vos parents ou de vos grands-parents. Ne trouvez-vous pas incroyable de voir à quel point les tirages en noir et blanc sont, pour la plupart, en bon état, tandis que les couleurs des photos des années 1960 se sont affadies ? La même chose peut arriver à vos photos. Les tirages des premières imprimantes à jet d'encre sont maintenant définitivement décolorés, et cela en seulement deux ans.

Pourtant, n'est-il pas de notre devoir de transmettre aux générations futures un peu de notre vie, comme l'ont fait nos parents, sans que les couleurs pâlissent au fil des ans ? Je sais, vous allez dire : « Ce sont des fichiers numériques, et le numérique ne vieillit pas. Nous n'aurons qu'à les réimprimer. » Oui mais voilà : qui aura, dans 100 ans, ou seulement dans 20 ans,

En archivant correctement vos photos, vous éviterez qu'elles perdent leurs couleurs.

le lecteur DVD capable de lire vos images ? Pour moi, le tirage papier reste le meilleur moyen de conserver ses souvenirs.

Dernièrement, de nombreux fabricants d'imprimantes se sont intéressés à ce problème. Ils ont choisi pour leurs imprimantes photo des encres pigmentées, prouvées plus stables que les encres à colorant. Voici quelques mesures simples à prendre pour obtenir sans trop d'efforts des tirages de qualité durables.

- Déterminez le type d'encre utilisé par votre imprimante : colorant ou pigment.
- Vous pouvez vous rendre sur le site *www.wilhelm-research.com* et *www.zdnet.fr* pour lire le banc d'essai relatif à votre imprimante, notamment les commentaires sur la consommation d'encre.

- Choisissez votre encre en fonction de vos objectifs à court et à long terme. En général, les encres pigmentées sont beaucoup plus stables.
- N'oubliez pas que le type de papier, le rangement, les conditions de lumière et le verre utilisé pour l'encadrement jouent un rôle important.

Sachez par ailleurs qu'avec nombre d'encres modernes et de bonnes conditions d'archivage, vos photos peuvent durer plus d'un siècle.

FONCTIONS SPÉCIALES

Tout le monde n'a pas besoin d'une imprimante aux multiples fonctions, mais il est prudent de connaître les plus intéressantes.

- La portabilité : nous en avons déjà parlé, mais définissez vos besoins, comme si vous prépariez un voyage. Souhaitez-vous imprimer vos photos de vacances depuis votre hôtel ou depuis le siège de votre voiture ?
- Êtes-vous intéressé par une impression directement depuis votre appareil photo ? Un grand nombre d'imprimantes permettent de se passer d'un ordinateur.
- Souhaitez-vous personnaliser vos CD ou vos DVD ? Certaines imprimantes vous permettent de créer de superbes pochettes de CD avant de les offrir ou de les archiver.
- Quelques-unes savent imprimer en mode recto-verso. Pratique pour réaliser des bulletins d'informations et des cartes de correspondance. Ces modèles sont plus chers, mais si vous en avez assez de retourner les feuilles avant chaque impression, c'est peut-être ce qu'il vous faut.
- La gestion du papier : beaucoup d'imprimantes ne peuvent contenir que 30 ou 40 feuilles à la fois. Si vous ne voulez pas être obligé d'alimenter constamment votre imprimante, prenez un modèle à grand bac.
- L'impression grand format : si vous avez déjà regardé fonctionner une imprimante de 24 ou 44 pouces, comme une Epson grand format, vous savez que c'est un vrai spectacle. N'oubliez pas, vous pouvez toujours confier votre image numérique à un laboratoire, qui sera capable de la tirer en grand format.

COÛTS D'IMPRESSION

Au début, beaucoup d'imprimantes disposaient d'une cartouche pour l'encre noire et d'une autre pour les encres cyan, magenta et jaune. Si vous tombiez à cours de jaune, vous deviez jeter toute la cartouche, même s'il vous restait du cyan et du magenta. Aujourd'hui, la plupart des plus gros modèles disposent de cartouches séparées pour chaque couleur : il suffit désormais de remplacer uniquement la cartouche vide : une vraie économie.

Ne soyez pas surpris au moment de faire l'addition du prix du papier et de l'encre : ce n'est pas bon marché. Il peut être utile de consulter les sites Internet qui comparent les coûts par page. De toute façon, avant d'acheter une imprimante couleur, mieux vaut vérifier le prix des cartouches d'encre et celui du papier que vous avez choisi. Mais rappelez-vous qu'il n'y a pas si longtemps, aucun de nous n'était capable de tirer ses photos couleur préférées sur de grandes feuilles de papier d'art : tout cela a un coût.

RÉUSSIR LE PARFAIT TIRAGE

Chassons l'idée de la photo parfaite : elle n'existe pas. La perfection est une notion arbitraire, propre à chacun. Ce que nous recherchons, c'est une photo dont les couleurs, le contraste et la qualité sont fidèles à ce que nous avons imaginé. Personne ne voudrait passer des heures à travailler sur une photo pour obtenir un résultat médiocre qui fait soupirer : « Ce n'est pas vraiment ce que je voulais, mais bon… ». Non, une photo réussie doit vous faire plaisir, à vous comme à tous ceux qui la regardent !

J'ai tiré des épreuves pendant plus de 30 ans et, aujourd'hui encore, j'ai du mal à me résigner à déchirer un tirage raté et à recommencer. Je dois me rappeler toujours que je peux mieux faire. Personne ne réussit de superbes photos sans pratique ni erreurs. Dans mon cas, assimiler les réglages d'imprimante, travailler dans Photoshop et choisir le papier et l'encre ne s'est pas fait tout seul. Je vous conseille donc de prendre le temps de vous documenter sur l'impression de photos, et bientôt vous réussirez des tirages dont vous serez fier.

ÉTALONNER VOTRE ÉCRAN

Comme nous le verrons au chapitre 8, de nombreux paramètres et réglages entrent en compte pour la numérisation, l'impression et

la réalisation d'une belle image. Il est important d'étalonner votre écran (les modèles bon marché ne le permettent pas tous), pour que le contraste, la luminosité et les couleurs soient équilibrés. Si votre écran n'affiche pas correctement le contraste et les couleurs, comment pourrez-vous, vous-même, ajuster vos tirages ? Sans outil de référence, vous ne trouverez pas de solution.

Adobe® Photoshop® et Photoshop Elements® sont dotés d'un assistant d'étalonnage. Les Mac ont un astucieux utilitaire

Les imprimantes couleur modernes peuvent utiliser 6, 8, 10 ou 12 encres colorées, d'où leur vaste palette de couleurs en sortie.

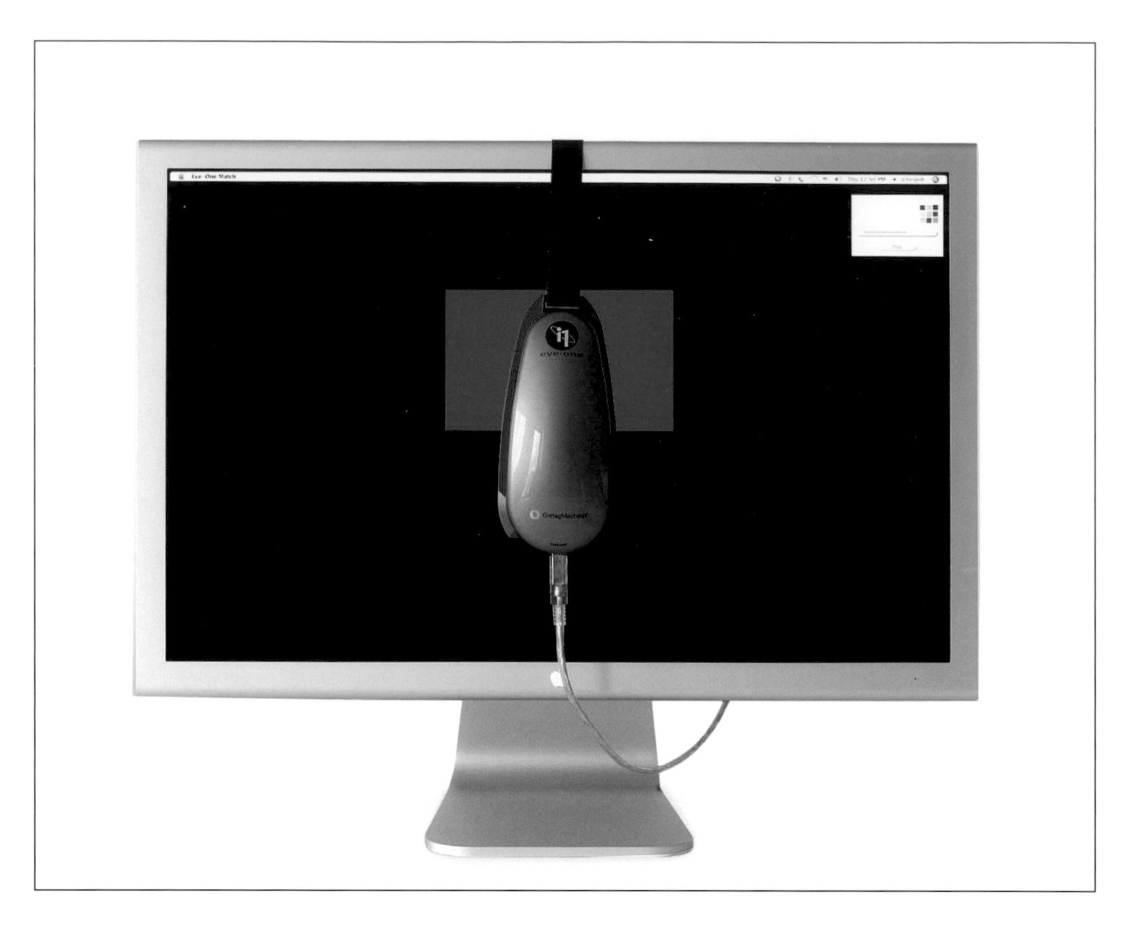

L'étalonnage de votre écran est peut-être la clé de la réussite de vos impressions.

d'étalonnage d'écran intégré dans les Préférences système, qui vous guidera tout au long de la manœuvre. Sous Windows, vous trouverez dans Photoshop®, section Écran de contrôle, le nom Adobe Gamma. Il existe aussi des calibreurs assez bon marché qui vous assureront un bon étalonnage d'écran. Voyez page 329, chapitre 8 sur la numérisation, la partie sur l'étalonnage.

PILOTE D'IMPRIMANTE ET PROFIL ICC

Bon nombre de problèmes colorimétriques viennent du fait que les réglages de papier, de résolution et de gestion des couleurs ne sont pas paramétrés pour l'imprimante utilisée.

Le pilote d'imprimante est le logiciel qui définit dans votre ordinateur les paramètres de votre imprimante. Lors de la première connexion d'une imprimante, il est souvent demandé de charger le CD livré avec, afin que l'ordinateur puisse récupérer le pilote dans son système. Et, au

CONSEIL :

POINTS IMPORTANTS

- Dois-je étalonner mon écran ?
- Que sont le pilote d'imprimante et le profil ICC ?
- Sélectionner le bon papier.
- Choisir la bonne résolution de sortie.
- Pourquoi ne pas confier ce travail à un labo ?

moment d'imprimer, une fenêtre de dialogue vous demande d'entrer les réglages spécifiques d'imprimante et de papier :

- Dimensions du papier : votre imprimante sera limitée par ses dimensions maximales.
- Type de papier : papier profilé et recommandé par le fabricant. D'autres profils peuvent être ajoutés. Voir les profils ICC ci-dessous.
- Niveaux d'encre (sur certains modèles).
- Utilitaires, comme alignement ou nettoyage des buses.
- Options de personnalisation des couleurs.

QU'EST-CE QU'UN PROFIL ICC ?

Beaucoup d'entre vous n'iront guère plus loin dans les profils de papier que cette courte explication. Un profil ICC est un fichier informatique qui corrige les informations de couleurs et de niveaux de gris dans une image au fur et à mesure qu'elle circule sur la chaîne graphique, entre le scanner, l'appareil photo, l'écran et l'imprimante numérique. L'objectif est de fournir des couleurs constantes dans un langage commun, tout au long du processus numérique.

De nombreux fabricants de papier fournissent le profil de leurs papiers en fonction des imprimantes. Ils sont indiqués sur les sites du fabricant ou sur le CD du pilote d'impression livré avec votre imprimante. Beaucoup de ces profils sont téléchargés lors de l'installation. C'est là l'intérêt d'utiliser l'imprimante avec le papier d'un même fournisseur : ils sont compatibles et s'affichent automatiquement sur la fenêtre d'impression.

Résolution de l'imprimante

Il est essentiel de bien comprendre les réglages de résolution d'imprimante. Au début, quand vous numérisiez vos négatifs, vous choisissiez les hautes résolutions pour doper la numérisation et vous permettre d'utiliser plus tard vos images en différents formats. Rappelez-vous que ppi (*pixels per inch*, « pixels par pouce ») est la mesure utilisée pour la numérisation et la résolution d'image sur l'ordinateur, et que dpi (*dots per inch*, « points par pouce ») est utilisé pour l'imprimante.

Quand vous cliquez sur Imprimer, une fenêtre de dialogue s'ouvre, il est alors important de sélectionner le réglage dpi

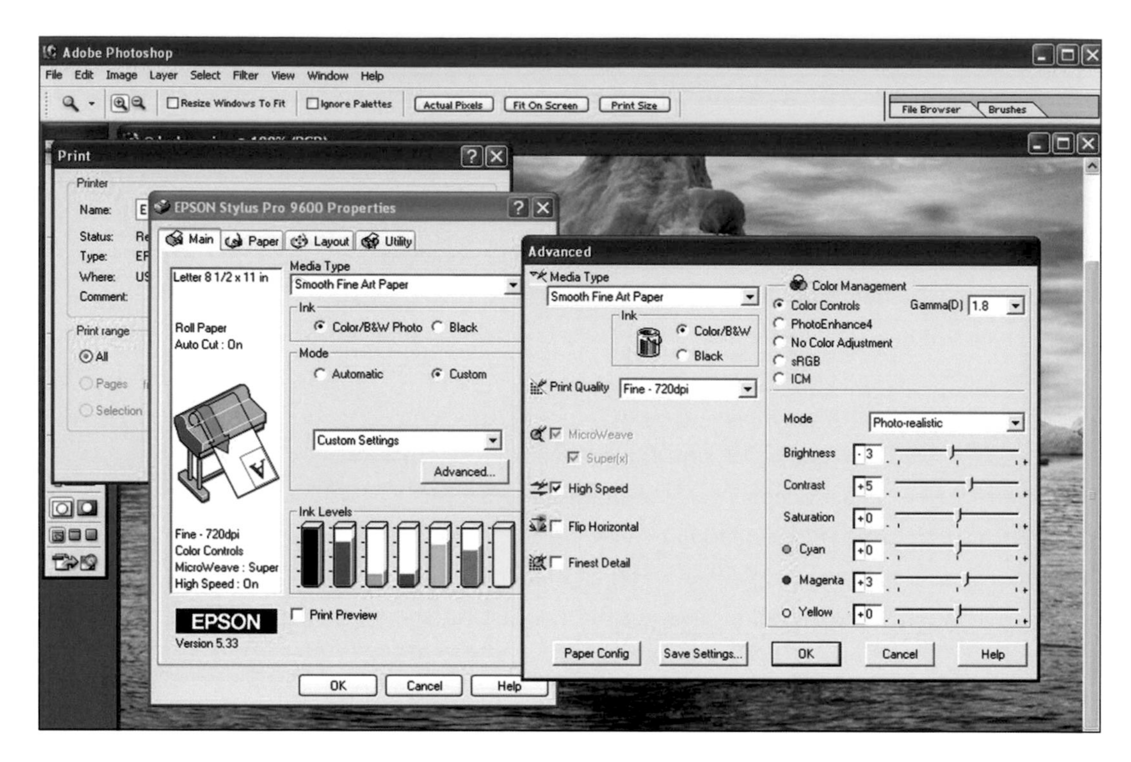

Au moment de paramétrer l'impression, essayez les différentes options de la fenêtre Imprimer. Prenez des notes et faites des essais avec les différents réglages.

de l'imprimante correspondant à votre papier. Une résolution d'imprimante à 720 dpi convient à la plupart des papiers photo de qualité, mais mieux vaut prendre du 1 440 dpi pour le papier glacé ou beaux-arts. Un tirage 10 x 15 rendra bien à 720 dpi, mais il faudra au moins du 1 440 dpi pour une photo en 75 x 100.

N'oubliez cependant pas que le réglage maximal n'est pas forcément le meilleur. S'il n'est pas nécessaire, il ne vous fera que perdre de l'encre, sans rien apporter à l'image. L'œil humain peut percevoir tant de détails que le mieux est d'essayer plusieurs réglages avec votre papier et de voir ce que vous obtenez : votre œil sera le meilleur juge. Un papier de qualité joue aussi un rôle essentiel sur le résultat.

Essayez plusieurs réglages et différents papiers sur votre imprimante, en prenant des notes. Vous mettrez ainsi au point un système qui réduira le temps passé à l'aspect technique. Après tout, le but est de s'amuser.

Nous avons beaucoup traité des questions techniques pour vous aider à réussir de bons tirages. Mais, plus que tout, j'espère vous avoir incité à vous lancer dans ce travail, avec pour but d'accrocher au mur une belle image de votre composition. Le désir de montrer votre travail vous aidera à dépasser la plupart des problèmes que vous rencontrerez. Essayez, imprimez, prenez des notes, puis imprimez de nouveau. À la fin, vous photographierez et imprimerez au mieux de votre talent.

> **CONSEIL :**
> À l'impression, il ne coûte rien de noter au dos des tirages les réglages que vous avez choisis dans la fenêtre de dialogue Imprimer. Vous pourrez ainsi répéter vos succès et apprendre de vos erreurs.

CONFIER L'IMPRESSION AU LABO

J'ai laissé volontairement ce sujet pour la fin. Si, à un certain moment, vous préférez ne pas vous occuper vous-même de cette partie (ce qui peut parfaitement se concevoir), vous trouverez sans problème nombre de relais qui imprimeront vos photos. Des sites Internet vous proposent de télécharger vos images depuis votre ordinateur, de choisir le format, d'ajouter des notes et d'indiquer l'adresse du destinataire des tirages. Vous pouvez aussi graver un CD et l'apporter à une boutique qui dispose d'une machine effectuant des tirages. Dans tous les cas, la fête d'anniversaire de votre bébé arrivera en quelques clics sur la porte du réfrigérateur de ses grands-parents.

Il existe de nombreux utilitaires informatiques, comme iPhoto d'Apple, qui vous aide à classer, afficher et imprimer vos images. Vous pourrez même réaliser un album que vous aurez la possibilité de faire relier et imprimer à l'extérieur. Les choix sont étonnants, mais tous demandent de passer du temps à classer (quoique certains plus que d'autres). Je ne pense pas que nous soyons près de voir la fin de l'innovation en termes d'impression et de partage des photos. Et c'est tant mieux ! Quant à savoir dans combien de temps nous pourrons couramment afficher nos photos non pas au mur, mais sur l'écran haute définition du salon ? En fait, c'est déjà possible.

Quoi qu'il en soit, ne reléguez pas vos photos sur un disque dur où les malheureuses risquent peut-être de rester oubliées pendant des mois ou des années... Pour ma part, j'aime garder un dossier avec copies des photos que je souhaite imprimer ; et quand j'en ai le temps et l'envie, je peux alors le faire sans avoir besoin d'aller fouiller dans des centaines de photos.

Amateurs ou professionnels, les photographes aiment aussi s'échanger leurs œuvres : beaucoup des plus magnifiques trouvent une place d'honneur sur un mur, ou dans le cadre en fond d'écran. Au fil des ans, vous aussi pourrez monter une collection de vos photos préférées.

POUR CONSERVER SES IMAGES, MIEUX VAUT LES IMPRIMER

Randy Olson aime le numérique. Dans son bureau, l'imprimante Epson 7800 trône au-dessus de sa vieille imprimante Iris 3042. L'armoire est remplie de serveurs très puissants. Il conserve ses images en format brut et enregistre les retouches, sous forme de calques de réglage dans d'autres fichiers.

Même s'il reste à la pointe de la technologie, Olson n'en oublie pas pour autant le conseil de son gourou en photographie, Henry Wilhelm, à propos de l'archivage : « Même si tu enregistres des images avec des 0 et des 1, il te faudra toujours bien les lire sur quelque chose. » Après avoir stocké sa thèse d'université sur une disquette devenue obsolète, il en est arrivé à la conclusion que rien ne valait une bonne épreuve papier.

Randy Olson utilise des tirages papier pour la retouche d'image. « On voit mieux sur papier que sur écran, car la lumière que dégage le fond d'écran peut duper notre perception des couleurs. » Il lui arrive de faire jusqu'à 100 essais avant de publier un article pour le *National Geographic*.

Grâce à son sens du détail et au profond respect avec lequel il traite ses sujets, Randy Olson est le premier – et l'unique – photographe à avoir remporté à la fois le prix du Photojournaliste de l'année (1992) et celui du Photoreporter de l'année (2004), attribués par l'université du Missouri.

Il a réalisé des reportages dans de nombreux pays, dont le Soudan, la Turquie, la Thaïlande, l'Arctique sibérien, l'Australie, le Congo. Le prestigieux prix Robert F Kennedy du documentaire social a récompensé son travail sur le programme d'aide au logement « Section 8 ». Il a aussi été membre de plusieurs équipes de photographes qui ont permis de créer la collection de livres *Day in the Life*.

Quand leur heure sonnera, Olson sera fin prêt à passer aux disques Blu-Ray de 200 giga-octets. Ce qui ne l'empêche pas de rester fasciné par les vieilles plaques de photogravure réalisées par Edward Curtis à l'aube du siècle précédent : « On continue de les tirer... », commente-t-il, songeur.

Retrouvez son travail sur *www.olsonfarlow.com* (en anglais).

Ci-dessus : Dans une ville turque proche de la mer Noire, les familles se réunissent au parc le dimanche.

À droite : Sans regarder dans son viseur, Randy Olson a saisi ces garçons soudanais aux cheveux couverts d'argile séchée.

Chapitre 7

La photographie argentique

7 *La photographie argentique*

BREF HISTORIQUE

Nous aimons le soleil pour sa chaleur lorsqu'il nous dore sur la plage. Nous l'aimons parce qu'il est source de vie. C'est aussi la source principale en photographie. Et pourtant, l'ironie dans l'invention de la photographie est que le soleil crée l'obscurité, et non la lumière. N'est-ce pas d'ailleurs la raison pour laquelle Johann Heinrich Schulze, le savant qui a constaté le noircissement du papier sensibilisé sous l'effet du soleil, l'a appelé « source d'obscurité » en 1725 ?

Johann Heinrich Schulze enseignait l'anatomie près de Nuremberg. Il remarqua qu'après avoir mélangé plusieurs produits chimiques, dont le phosphore, la mixture obtenue noircissait si on l'exposait à la lumière. Il put noter aussi que plus l'exposition au soleil était longue, plus l'objet devenait sombre. Il prépara une nouvelle solution, décidé à trouver lequel des produits chimiques était à l'origine du phénomène. Par élimination, il en arriva au nitrate d'argent, résultat qu'il transmit à l'Académie impériale de Nuremberg.

Mais Schulze ne fit pas le lien entre cette découverte et la photographie. Personne, d'ailleurs, n'eut l'idée, au XVIIIe siècle, d'appliquer les propriétés de noircissement du nitrate d'argent aux images obtenues dans la *camera obscura* (« chambre noire », en latin) où les savants et les artistes reproduisaient la nature. La *camera obscura* était une boîte en bois étanche à la lumière, dotée d'une lentille qui projetait la scène sur un verre dépoli par l'intermédiaire d'un miroir, ce qui permettait de la dessiner sur une mince feuille de papier. Scientifiques et artistes se servaient de la *camera obscura* comme d'une aide visuelle, un instrument d'optique, pour dessiner la nature.

La famille Wedgwood, en Angleterre, s'approcha de la découverte au début des années 1800. Ces fabricants de porcelaine de Chine utilisaient des sels d'argent pour conserver les images qu'ils projetaient sur leurs créations. Les artisans peignaient ensuite les motifs sur la porcelaine et les fixaient au four. Thomas Wedgwood essaya de fixer l'image sur du papier et sur du cuir sensibilisé avec une solution de nitrate d'argent, mais elle finissait toujours par noircir à la lumière, jusqu'à disparaître totalement.

Au début du XIX*e siècle, la* camera obscura *permettait à l'artiste de reproduire l'image projetée sur le papier.*

En 1816, le Français Joseph Nicéphore Niepce connut un succès limité dans la stabilisation de l'image, grâce à l'héliographie. En 1827, il obtint une photo pâle de son jardin en utilisant une plaque d'étain recouverte de bitume de Judée. Toujours existante, elle est considérée comme la première photographie. Le temps de pose fut de huit heures.

Niepce s'associa en 1829 à Louis Jacques Mandé Daguerre pour développer la photographie. Daguerre était un homme haut en couleurs. Il avait peint les décors de l'opéra de Paris et

Joseph Nicéphore Niepce réalisa la première photographie, « Point de vue du Gras », vers 1826.

co-inventé le diorama, un spectacle qui étonnait les Parisiens. Dans l'obscurité du théâtre, des lumières changeantes donnaient au décor peint une impression de mouvement, comme au futur cinéma. Daguerre sentit qu'il attirerait encore plus de public qu'avec ses dioramas en montrant des images du monde prises avec l'objectif d'un appareil photo.

Daguerre appliqua d'abord une solution d'iode d'argent sur une plaque de cuivre argenté et poli. Il projeta l'image d'un objet sur cette surface à travers une lentille. La partie photosensible de la plaque stabilisa une image pâle.

On raconte que Daguerre découvrit ce procédé en retirant de son armoire une plaque de cuivre exposée dont l'image était bien plus foncée et beaucoup plus belle. Pour trouver ce qui avait provoqué l'heureux résultat, il remit une plaque similaire dans l'armoire et retira, un par un, les produits chimiques des étagères. Finalement, il comprit que tout venait de la vapeur de mercure dégagée par un thermomètre cassé.

Plutôt que de rester propriétaire de son daguerréotype, Daguerre préféra le mettre sous licence, avec la bénédiction du fils de Niepce, Isidore, qui prit la suite de son père décédé. Ils rencontrèrent François Arago, ministre du gouvernement, qui convainquit l'État d'acheter le procédé et d'accorder à Daguerre une pension annuelle à vie.

PHOTOGRAPHIE SANS APPAREIL PHOTO

Essayez l'une des premières méthodes

Avant Nikon et Canon, avant les appareils photo, les objectifs, les scanners, les films, il y avait la photographie sans appareil photo. Grâce à des papiers photosensibles, les photographes arrivaient à stabiliser des images en plaçant un objet directement sur le papier, puis en l'exposant à la lumière. Au début, ce fut à la lumière du soleil, ensuite à la lumière de l'agrandisseur dans la chambre noire. À la fin, l'image de l'objet se trouvait imprimée sur le papier en divers tons de noir et blanc. Les photographes développaient le papier comme ils ont développé le film. William Henry Fox Talbot appela ses œuvres, faites au calotype, des « dessins photogéniques ». Anna Atkins utilisa le cyanotype et publia pour la première fois ses images en 1843 dans un livre intitulé *British Algae : Cyanotype Impressions.*

D'autres photographes ont eux simplement adapté le nom de la technique à leurs méthodes.

Man Ray, qui se servait de papier au chlorure d'argent et d'une ampoule comme source lumineuse, appelait ses images d'objets trouvés des « rayographies ».

Laszlo Moholy-Nagy appelait ses images de passoires, grilles et bobines des « photogrammes ».

Aujourd'hui, des artistes comme Susan Derges ou encore Adam Fuss se servent de cette méthode pour transformer le banal – une feuille, une robe d'enfant, un tournesol – de manière extraordinaire.

Tout papier photographique fait l'affaire. Vous pouvez même utiliser du papier thermique et l'exposer au soleil : variez l'intensité de la source et l'angle d'éclairage pour trouver des effets intéressants.

Le photogramme d'un tournesol d'Adam Fuss.

Ce daguerréotype d'Andrew Jackson a été pris lors de sa présidence, dans les années 1830.

Le 19 août 1839, Daguerre présenta sa méthode à l'Académie des sciences et l'Académie des beaux-arts de Paris, devant une foule immense. Les journaux retranscrivirent mot pour mot son discours. À la nouvelle, les magasins durent faire face à une ruée sur les appareils photo, les objectifs et les produits chimiques. Savants et amateurs fortunés sortirent installer dans la rue leurs trépieds surmontés d'une grosse boîte en bois, et photographièrent monuments et immeubles. Le daguerréotype était, en lui-même, un bel objet. Chacun était une pièce unique qui restituait une foule de détails.

Pendant ce temps, William Henry Fox Talbot, en Angleterre, faisait des expériences avec des feuilles de papier sensibilisé aux sels d'argent pour arriver au premier négatif fonctionnel. En 1833, ce savant qui était aussi membre du Parlement de Londres avait utilisé une *camera lucida* (« chambre claire », en latin) pendant des vacances familiales près du lac de Côme, en Italie. La *camera lucida* permettait de capturer des scènes de nature en reproduisant l'image réfléchie par deux miroirs sur le papier placé à l'intérieur. Peu satisfait de cette méthode, il chercha un autre moyen de fixer l'image sur le papier.

Il y parvint un an plus tard en recouvrant le papier d'une solution de nitrate d'argent. L'image était un tirage contact de l'objet placé sur le papier sensibilisé et imprimé grâce à la lumière du soleil. Mais elle était trop faible pour être utilisable, d'autant qu'elle continuait de noircir à la lumière. Il découvrit enfin qu'en ajoutant des acides galliques au cours du développement, elle devenait utilisable. Il arriva à la « fixer », au moins partiellement, avec une solution d'eau fortement salée : le sodium thiosulfate devint plus tard le « fixateur » officiel. La première image stable mesurait par contre environ 2,50 cm de hauteur, par rapport aux 15 x 20 cm du daguerréotype.

Talbot et Daguerre étaient arrivés, chacun de leur côté, mais en même temps, à l'invention de la photographie. L'image à reflet argenté du daguerréotype était de bien meilleure qualité et beaucoup plus belle que le Talbotype ou le calotype (du grec *kallos*, « beauté »), comme Talbot l'appelait. Mais lui pouvait faire des copies de ses photographies :

CONSEIL :

Utilisez du film négatif couleur en cas de mauvais éclairage ou de lumière changeante. Son émulsion est beaucoup plus tolérante, elle autorise jusqu'à trois diaphragmes en surexposition et un à deux en sous-exposition au labo. Cette latitude signifie que vous pourrez obtenir de bons tirages, même avec une mauvaise exposition.

il avait développé avec son image sur papier le premier négatif.

Sir John Herschel, astronome et savant également intéressé par la linguistique, nomma ce procédé « photographie », c'est-à-dire « dessin par la lumière », du grec *phôs*, « lumière », et *graphein*, « tracer ». Il donna aussi les noms de « négatif » à l'image créée dans l'appareil photo et de « positif » à l'image inversée sur le papier. L'année où Daguerre présentait le daguerréotype, Herschel découvrit que l'hyposulfite de soude dissolvait les sels d'argent, si bien qu'ils ne réagissaient plus à la lumière. Grâce à cette technique, il réussit à stabiliser les calotypes.

Le support du négatif était le problème suivant à résoudre : les chercheurs se rendirent compte que le verre était préférable pour fixer la photographie. Sa surface lisse permettait une image plus nette que le papier qui, en raison de ses fibres, laissait une texture indésirable sur la photographie.

À la fin des années 1840, Claude Felix Abel Niepce de Saint-Victor, neveu de Nicéphore, découvrit que le blanc d'œuf faisait adhérer l'émulsion photographique au verre, d'où le nom du procédé, « albumen ». Ce fut un grand pas, mais les temps de

David Octavius Hill et Robert Adamson ont rendu le calotype célèbre avec une série de portraits, dans les années 1840.

Ce quartier incendié de Richmond, en Virginie, a été photographié en 1865, pendant la guerre de Sécession. Les photographes voyageaient avec leur kit de collodion humide dans des chariots bâchés où ils préparaient les négatifs sur verre.

pose dépassaient souvent trois heures. Il n'était donc pas question de faire des portraits dans ces conditions.

En 1850, Louis-Désiré Blanquart-Evrard appliqua le procédé albumen au papier. L'exposition des négatifs sur le papier n'était pas aussi longue quand elle se faisait à l'intérieur de l'appareil photo. Ces images étaient d'une extrême beauté et bien supérieures aux photos sur papier salé qu'on utilisait alors pour le tirage des négatifs. Un autre photographe français, Gustave Le Gray, perfectionna le procédé en 1852, en teintant les photos albuminées au chlorure d'or, ce qui leur donnait plus de richesse et bien plus de stabilité.

Jusqu'en 1890, le papier albuminé resta la technique favorite. Un fabricant londonien de ce papier utilisait 500 000 œufs par an.

Les États-Unis, à eux seuls, ont utilisé jusqu'à 300 millions d'œufs par an au plus fort de la popularité de la méthode. Ces belles photos à dominante marron sont aujourd'hui très recherchées par les collectionneurs.

Enfin, en 1851, un procédé négatif autorisa des temps de pose plus pratiques. Frederick Scott Archer, un sculpteur anglais, découvrit que le collodion provenant du fulmicoton, une forme de poudre, durcissait lorsque son composant principal, la nitrocellulose, était dissoute dans l'alcool. Cette substance solide allait être la solution parfaite pour stabiliser le nitrate d'argent et l'iode de potassium sur le verre. Une fois fixée au verre, il était impossible de l'en détacher. Malheureusement, les plaques de verre devaient être exposées et traitées encore humides. Si l'émulsion séchait, elle ne permettait alors plus le développement de l'image. Ce procédé est devenu célèbre sous le nom de collodion humide.

Le système des plaques humides n'était guère pratique pour la photographie de paysage et d'exploration, car le photographe devait littéralement traîner sa chambre noire avec lui et l'installer avant de commencer. Une fois qu'il avait trouvé la scène, il devait appliquer l'émulsion sur le verre avant de prendre la vue, puis il devait emporter délicatement la plaque exposée sous un abri étanche à la lumière, pour la développer et la fixer.

Les entreprises européennes et américaines de photographie offraient toutes un prix à qui trouverait une méthode sèche. En 1871, un Anglais, Richard Maddox, découvrit que la gélatine contenait des composants chimiques photosensibles, utiles en photographie. Il découvrit aussi qu'il pouvait exposer et développer la plaque à sec, puisque la gélatine n'arrêtait pas le procédé et restait en place.

Pendant ce temps, les appareils photo et les objectifs n'évoluaient guère. Mais deux hommes travaillaient à l'établissement d'une norme pour les vitesses d'obturation en fonction de la sensibilité du film : Vero Charles Driffield, savant britannique passionné de photo, et Ferdinand Hurter cherchaient à améliorer la qualité du négatif. Ils utilisèrent une bougie pour exposer les films à une lumière croissante et trouver les temps de pose nécessaires à chacun.

En seulement 40 ans, tous les éléments étaient réunis : boîte étanche à la lumière, objectif, produits chimiques photosensibles, méthodes de tirage et fixateur.

*Ce kit de voyage pour la préparation des négatifs sur verre au collodion humide appartenait à Lewis Carroll, l'auteur d'*Alice au pays des merveilles*.*

CARTES STÉRÉO ET AUTRES FORMES DE DIVERTISSEMENT

L'une des premières formes de divertissement visuel fut la lanterne magique. On achetait des diapositives en verre représentant les sites célèbres du monde et on les projetait en grand sur le mur : ces plaques de verre étaient, cependant, chères et fragiles.

Il existait aussi le stéréogramme, deux images qui fusionnaient dans une visionneuse pour donner un effet tridimensionnel. Les bourgeois et les aristocrates de l'époque appréciaient, pour se divertir à la maison, cette excellente alternative à la conversation, à la lecture et aux jeux. Avant la révolution industrielle, il n'y

Ce stéréogramme montre une danseuse en mouvement.

avait guère de temps pour les loisirs. On découvrit alors, grâce aux visionneuses stéréo, qu'on pouvait, sans bouger de chez soi, s'envoler vers les endroits les plus étonnants du monde.

Ces images étaient réalisées à l'aide d'un appareil photo spécial, doté de deux objectifs côte à côte qui prenaient la scène sous deux angles légèrement différents pour créer un effet tridimensionnel dans la visionneuse. Ces cartes étaient bien plus abordables que les diapositives des lanternes magiques.

Dans les années 1880, un fabricant, Underwood & Underwood, produisait 25 000 cartes stéréo par jour et vendait 300 000 visionneuses par an.

GEORGE EASTMAN ET L'ENTREPRISE EASTMAN KODAK

« Vous pressez le bouton, nous faisons le reste », fut le premier slogan du premier appareil photo élaboré et vendu par Eastman Kodak, le Kodak n° 1. L'appareil coûtait 25 $ et pouvait prendre 100 photos par rouleau, mais le slogan visait la post-production des images. George Eastman, fondateur de l'entreprise, savait qu'il fallait offrir un moyen facile de traiter le film. Les consommateurs envoyaient donc leur film et recevaient en guise de tirage, des vues rondes de 6 cm montées sur du papier cartonné.

Le Brownie fut encore plus populaire. Lancé en 1900 pour 1 $, il devait son nom à un livre de bandes dessinées pour enfants très célèbre à l'époque, car Eastman Kodak visait les enfants. Il était simple à utiliser, avec une pellicule qui coûtait 15 cents par rouleau. Bien avant Henry Ford, George Eastman était pour la fabrication de produits en grand nombre sur des lignes d'assemblage, ce qui lui permettait de les proposer à bas prix et d'en vendre des milliers. Il fit aussi beaucoup de publicité à l'échelle nationale et internationale. Il voulait que Kodak soit connu de tous. Le succès du Brownie fut colossal.

Grâce à cet appareil très simple, les familles se mirent à photographier avec bonheur leurs moments marquants et à créer leurs albums personnels. On appelait alors les photographies des instantanés, du fait de la rapidité de la prise de vue. Elles offraient un sentiment de vérité que les dessins ou les peintures ne pouvaient plus satisfaire.

L'ampoule électrique joua aussi un rôle dans le succès de cette nouvelle passion. Les anciens papiers de développement exigeaient de longues expositions au soleil pour imprimer un négatif. Mais un fabricant de plaques photographiques anglais créa un papier à émulsion gélatine, qui ne demandait qu'une courte exposition à une ampoule électrique. Désormais, il était possible de tirer presque 150 000 épreuves par jour.

CONSEIL :

Les films négatifs couleur rapides ont un grain très fin. Prenez un film négatif couleur 400 ISO en standard. Si vous avez l'habitude de resserrer le cadrage sur le sujet avec un zoom, choisissez du 800 ISO. Ces films autorisent aussi des vitesses d'obturation plus courtes en faible lumière, sans trop de flou.

LE NÉGATIF AU SERVICE D'AUTRES PRATIQUES ARTISTIQUES

De plus en plus familiers avec leur équipement, les photographes se mirent à expérimenter les potentialités de ce nouvel art. Gustave Le Gray, qui croyait en la suprématie de la nature sur l'homme, réalisa de superbes marines. Comme le ciel était beaucoup plus lumineux que la mer et comme le négatif était particulièrement sensible à sa lumière bleue, il faisait deux négatifs, l'un pour le ciel, l'autre pour la mer, puis il les tirait ensemble pour obtenir une épreuve riche en détails, à la fois dans le ciel et dans la mer.

Henry Peach Robinson et Oscar Rejlander utilisèrent la photographie pour fixer le quotidien à l'époque victorienne. Ces photographes copiaient souvent la peinture académique, où prédominaient les paysages sentimentaux et les scènes de genre. Pour eux, la photographie ne se bornait pas à ce qu'il y avait devant l'objectif. Cela, c'était pour eux du journalisme, des sciences ou de la topographie. Rejlander fit, en 1847, son plus célèbre montage, « *The Two Ways of Life* ». Cette photographie d'environ 90 x 60 cm montre un père et ses deux fils, dont l'un regarde à droite un tableau de religion et de travail et l'autre regarde à gauche un tableau d'oisiveté et de péché. Rejlander réalisa cette photo en prenant séparément toute une série de personnages et en associant 30 négatifs différents sur un seul tirage. La réalisation prit six semaines.

Julia Margaret Cameron expérimenta la mise au point sélective dans ses portraits, très prisés aujourd'hui sur le marché de l'art (voir page suivante). Grâce à son talent, elle captait de ses modèles non seulement l'aspect extérieur, mais aussi la puissance intérieure. Elle parvenait à tirer d'eux des scènes dignes de la littérature, de la Bible. Avec leur éclairage sculptural et leurs expressions si révélatrices, ses photographies sont des créations uniques. Dans le monde entier, des musées exposent ses œuvres originales.

L'appareil photo Kodak Brownie connut un grand succès populaire aux États-Unis.

NAISSANCE DU PHOTOJOURNALISME

Quasiment dès le début de la photographie, les appareils photo ont témoigné de grands événements. Pendant la guerre américano-mexicaine, en 1847, un photographe saisit les troupes américaines à cheval. En 1848, des daguerréotypes montraient une rue de Paris avant et après une escarmouche. En 1853, George N. Barnard fit un daguerréotype d'une usine en feu à Oswego, dans l'État de New York. Les images n'étaient cependant montrées que dans les expositions, pas encore dans les journaux.

Julia Margaret Cameron est toujours considérée comme l'une des grandes portraitistes du XXe siècle.

Pendant la guerre de Crimée, le gouvernement britannique envoya le photographe Roger Fenton prouver le bon état des troupes britanniques sur la péninsule de Crimée, en mer Noire. Il fit plus de 400 images d'hommes en uniforme dans leurs tentes, d'escadrons prêts à la bataille et de portraits. Sa plus célèbre photo, un paysage recouvert d'obus de canon, illustre l'impossibilité de saisir des actions de combat. (Les temps de pose nécessaires avec le collodion humide étaient trop courts pour geler l'action.) Fenton exposa ses photos à Londres où leur réalisme, par rapport aux dessins et peintures habituels, provoqua une vive réaction du public.

C'est lors de la guerre de Sécession que la photographie changea pour la première fois la perception de la guerre dans l'opinion américaine. Des portraitistes – Matthew Brady, George N. Barnard, Alexander Gardner, Timothy O'Sullivan – quittèrent leurs studios pour aller photographier la guerre. Des graveurs sur bois employés dans les magazines en vogue de l'époque, comme *Leslie's Illustrated Weekly, Harper's Weekly* ou *Scribner*, reproduisirent les photographies qui n'étaient pas encore imprimables directement.

Une image d'Alexander Gardner, qui montrait des cadavres de soldats encore au sol deux jours après la bataille d'Antietam qui fit 26 000 morts, choqua les lecteurs par son réalisme. Le détail était tel que l'on arrivait à identifier les corps.

Un an après la guerre, Alexander Gardner publia un album de 100 photos originales, intitulé *Photographic Sketch Book of the War*, et George Barnard en publia un de 61 images, intitulé *Photographic Views of Sherman's Campaign*. Ces albums sont considérés comme les deux plus importants documents sur la guerre.

DEMI-TEINTE

En 1889, lorsque le photographe et travailleur social Jacob Riis prit ses célèbres photos des bas-fonds de Lower East Side, à New York, un graveur devait les recopier au trait pour permettre leur publication dans des revues.

Moins de dix ans plus tard, des inventeurs conçurent un écran à placer entre le négatif et une plaque métallique photosensible qui divisait l'image photographique en une grille de lignes ou de points. Les points serrés simulaient les zones noires d'un tirage noir et blanc, tandis que les points épars recréaient les hautes lumières et les tons plus pâles. Ces plaques pouvaient être ensuite facilement encrées et imprimées à la demande.

CONSEIL :

Utilisez un film noir et blanc chromogénique. Le négatif peut être obtenu avec des colorants plutôt qu'avec l'argent métallique standard du traitement noir et blanc. Le laboratoire qui vous fait des tirages couleur peut développer ce film noir et blanc en utilisant les mêmes produits chimiques que pour le négatif couleur, nul besoin donc de passer par un laboratoire noir et blanc classique.

Ceci est un tirage sur papier salé d'une photographie prise par Roger Fenton pendant la guerre de Crimée, en 1855.

Le *New York Daily Graphic* publia la première photo en demi-teinte en mars 1880. C'était une photo des bidonvilles, tristement célèbres, de Central Park. Cette image n'était pas unique, elle faisait partie d'un groupe de 14 illustrations qui décrivait les procédés graphiques utilisés par les journaux.

Certains journaux consacrèrent, plus tard, des sections entières à la photographie grâce à la rotogravure, procédé qui donnait des images incroyablement riches et tactiles. Les plaques à imprimer étaient gravées à l'eau-forte, créant des réservoirs pour contenir plus d'encre dans les ombres et moins dans les zones de hautes lumières qui restaient lisses. Véritables produits d'appel pour les abonnés, ces photos illustraient les événements de la semaine. La photographie ayant désormais acquis sa place, le photojournalisme put désormais prendre son envol.

Sentant l'aubaine publicitaire, Eastman Kodak envoya une chambre noire portable à Cuba où le magazine *Colliers* avait dépêché le photographe Jimmy Hare couvrir la guerre hispano-américaine. Hare traitait ses films avant de les expédier par bateau à New York. Ces photographies attiraient les annonceurs vers les journaux et les magazines qui se trouvaient en grande concurrence.

PICTORIALISME ET SÉCESSIONNISTES DE LA PHOTO

En Europe, au début du siècle dernier, certains photographes adoptèrent les règles et les tendances de la peinture pour établir une nouvelle manière de photographier. Se nommant eux-mêmes pictorialistes, ils considéraient la photographie comme un moyen de montrer les situations et les objets courants sous un jour nouveau. Le tirage de l'image, notamment, devait être un acte créatif. George Davison, Robert Demachy, F. Holland Day, Alvin Langdon Coburn et le baron Adolphe de Meyer faisaient partie de ce mouvement. Ils furent rejoints par un Américain, Alfred Stieglitz.

Peter Henry Emerson fut l'un des premiers pictorialistes en Angleterre. Il photographia la vie dans les marais d'East Anglia, une région principalement habitée par des fermiers, des pêcheurs et des fabricants de paniers. Ses images capturaient la vie rurale dans toute sa beauté, à l'ère de l'industrialisation des villes. Dans « *Gathering Waterlilies* », en 1868, il montre un homme dans une barque avec une femme cueillant un nénuphar à la surface de l'eau. Son style devint célèbre sous le nom de « naturalisme ».

En 1902, Alfred Stieglitz déclara qu'il fallait faire reconnaître la photographie comme un art en tant que tel. Il forma le groupe Photo Secession, se séparant ainsi du groupe principal des pictorialistes, qui abordaient souvent la photographie comme une peinture ou un dessin. Edward Steichen, Gertrude Kasebier, F. Holland Day et Clarence White le rejoignirent. Ils croyaient en la valeur artistique des objets et des scènes du quotidien.

Pour faire avancer la cause du groupe, Stieglitz ouvrit une galerie d'art, appelée 291, et créa un magazine, *Camera Work*. La galerie, située en bas de la 5e Avenue, à New York, fut la première à exposer des photographies. Le magazine présentait un mélange somptueux de papier de haute qualité, de photos avant-gardistes imprimées en rotogravure et d'essais sur l'art, écrits directement par les artistes et les écrivains les plus réputés de l'époque : 50 numéros parurent entre 1903 et 1917.

Son image favorite devint le symbole des efforts du pictorialisme. « *The Steerage*, 1907 » montre les immigrants européens qui retournent chez eux, sur les ponts inférieurs du *Kaiser Wilhelm II*. Stieglitz les regardait depuis un pont supérieur lorsqu'il

L'APPAREIL LE PLUS SIMPLE PEUT ÊTRE TRÈS CRÉATIF !

Vous ne le croirez peut-être pas, mais les canettes de soda sont des appareils photo à sténopé. Wes Pope les a conçues pour une classe d'enfants de 11 ans. Sa mère, institutrice, lui avait demandé de parler de la photographie à ses élèves, et Pope a pensé que le sténopé serait le plus intéressant. Il a fabriqué 30 de ces canettes avec les enfants qui s'en sont servis ensuite pour prendre des photos de classe. Plus tard, il a utilisé ces appareils photo à sténopé lors de son voyage sur la Route 66, de Los Angeles à Chicago.

« Vous apprenez la base même de la création d'une image », explique Pope. Il se sert de la valeur affichée sur un posemètre pour ajuster l'exposition. Par exemple, si le posemètre lui indique qu'en plein soleil, avec un film 100 ISO, il devrait photographier au 1/250 seconde à f/8, il sait que l'exposition doit être de 8 secondes. Avec un film 400 ISO dans l'appareil, l'exposition devra être de 2 secondes.

La conception même de l'appareil photo exige toute une série de calculs. Avec une lame Exacto, il a découpé le haut de deux canettes, puis il a fendu l'une d'elles pour pouvoir la glisser sur l'autre et créer un cylindre étanche à la lumière. (Certains préfèrent la forme carrée, mais Pope aime la courbure créée par le cylindre.) Ensuite, il a découpé un trou sur le côté de la canette avec la pointe de sa lame Exacto et a collé dessus un petit carré de papier alu, lui-même percé d'un tout petit trou.

« Tout le secret de la photographie au sténopé repose dans l'arrondi du trou », déclare Pope, qui a fait 60 à 80 carrés en aluminium avant d'en sélectionner 30, après une inspection minutieuse sur une table lumineuse. Il perfore le trou dans l'aluminium avec une aiguille à coudre et enfonce la pointe dans un morceau de carton placé derrière. Il fait ensuite tourner le carton pour créer une force centrifuge au bord du trou qui lui permet d'obtenir un trou parfaitement lisse.

Enfin, il crée des languettes de papier dont il se sert comme obturateurs en les faisant glisser de haut en bas. Avec le temps, il a créé son propre format de film, en coupant 2,5 cm d'un film négatif 10 x 12 cm pour obtenir un négatif de 7,5 x 12 cm adapté à ses appareils. D'où la forme un peu allongée de ses photos. Pope utilise maintenant ses appareils entre deux missions pour le *Chicago Tribune*, auquel il collabore.

Wes Pope a parcouru toute la Route 66 avec ces canettes à sténopé. En chemin, il a rencontré les premières Las Vegas girls.

Dans les cours de photographie, à l'université, on utilisait couramment une boîte de porridge pour apprendre la technique du sténopé, mais tout cylindre ou boîte peut faire l'affaire. Il suffit que le récipient soit étanche à la lumière et s'ouvre facilement dans le noir pour permettre de charger le film.

Certains photographes ont même pensé à se servir d'un reflex numérique : ils ont perforé un trou de 0,3 cm dans un bouchon d'objectif et se servent tout simplement de ruban adhésif en guise d'obturateur.

Pour en savoir plus sur Wes Pope, consultez le site Internet éponyme *www.wespope.com* (en anglais).

remarqua des formes abstraites, comme le rond du canotier d'un homme, la cheminée inclinée, le pont basculant qui séparait les classes sociales et le croisillon des bretelles d'un autre homme. Ces formes stigmatisaient, selon lui, les classes sociales. Il alla chercher son appareil photo et immortalisa la scène.

AUTOCHROME ET INVENTION DE LA COULEUR

Louis et Auguste Lumière brevetèrent le premier procédé de photographie couleur en 1904. Ils déposèrent sur une plaque de verre un vernis recouvert d'une couche transparente de grains microscopiques de fécule de pommes de terre. Ces grains étaient teintés en violet, orange et vert avant que soit appliquée la dernière couche de bromure de gélatine photosensible. La plaque de verre était alors placée dans l'appareil photo, le verre face à l'objectif. Les grains colorés filtraient la lumière avant que l'émulsion enregistre l'image. Il fallait faire un tirage-contact positif et le contacter de nouveau avec le négatif. L'exposition d'un autochrome pouvait prendre quarante fois plus de temps qu'un film noir et blanc. Aussi, malgré la beauté du résultat, le procédé ne trouva guère de clients.

SPEED GRAPHIC

L'appareil photo Speed Graphic, lancé en 1912, était indispensable au reporter. Le simple fait de transporter une Speed Graphic équivalait à montrer sa carte de presse (parce que son poids de 4 kilos la réservait plutôt aux professionnels). Aujourd'hui encore, cet appareil est un objet de convoitise pour les photographes. On voyait la scène sur un verre de visée, exactement comme l'objectif, ou on pouvait installer un viseur dessus pour capturer rapidement l'action. Un pied était inutile.

La Speed Graphic utilisait des plan-films 4" x 5", des flashes torche en cas de lumière insuffisante et différents objectifs. Bien que le film fût de bonne qualité, l'utiliser était laborieux, car le photographe devait l'enlever après chaque vue et remettre un nouveau châssis. Le flash fut per-

CONSEIL :

Apprenez à décaler l'exposition indiquée ou sélectionnée par l'appareil photo. Il suffit d'ajuster le contrôle de correction d'exposition auto ou d'adapter la sensibilité du film par rapport à celle indiquée.

Avec les **films négatifs couleur,** surexposer peut réduire le grain et améliorer les détails dans les ombres sans nuire aux hautes lumières.

Avec le **film diapo,** sous-exposer, soit avec une correction d'exposition négative, soit en augmentant la sensibilité, peut augmenter la richesse des couleurs et éviter la perte des détails dans les hautes lumières.

Dans l'un ou l'autre cas, des changements de l'ordre de 1/3, 1/2 ou 2/3 valeurs produiront des effets visibles.

Auguste Lumière fit cet autochrome de sa nièce à La Ciotat, en 1912.

fectionné dans les années 1930. Auparavant, le photographe faisait exploser de la poudre de magnésium sur un support plat, procédé dangereux à l'origine de nombreux accidents. William Randolph Hearst interdit la poudre de flash après avoir vu un photographe perdre un doigt en voulant déclencher le flash.

Les photographes américains continuèrent longtemps à utiliser la Speed Graphic, avant de passer aux appareils photo 35 mm lancés en Europe dans les années 1920. Certains pensaient qu'ils n'arriveraient pas à faire de bonnes photos à partir de négatifs si petits. Cela tenait beaucoup à la manière dont ils travaillaient à l'époque, puisque la pratique courante était de prendre les scènes en grand et de les recadrer ensuite. Ce n'est que plus tard que, à l'instar d'Henri Cartier-Bresson, ils insistèrent sur la valeur du cadrage dès la prise de vue.

APPAREIL PHOTO 24 X 36

Il fallut presque 30 ans aux appareils photo plus petits, à pellicule 35 mm, pour devenir populaires. En 1889, Thomas Edison fut le premier à mettre de la pellicule cinématographique dans un appareil photo pour prendre des plans fixes des décors de ses films.

TECHNIQUES ANCIENNES POUR PHOTOS MODERNES

« J'essayais de trouver un moyen différent de photographier », explique David Burnett, qui devait envoyer un reportage sur George Bush, Dick Cheney et Donald Rumsfeld à plusieurs magazines. On ne trouvait plus dans les conférences de presse que des appareils photo numériques, avec les mêmes objectifs, des zooms 17-35 mm ou 70-200 mm. « Les images se ressemblaient toutes. »

Burnett a dépoussiéré une vieille Speed Graphic qu'il avait achetée 200 $ au *Salt Lake Tribune*. Il a trouvé l'objectif WWII sur eBay. Il s'est aperçu que le poids de l'appareil, 7 kg avec le pied, et l'effort manuel nécessaire pour le chargement du film lui demandaient une créativité différente du numérique. « C'était une redécouverte de ce que j'aimais, déclare-t-il, saisir cet instant qui raconte une histoire. »

Burnett décida d'emporter l'appareil photo avec lui pour couvrir la campagne de Kerry en 2004. Il gardait un Rolleiflex et un Holga à l'épaule, au cas où il aurait eu besoin d'une prise de vue rapide. Le reste du temps, il trouvait patiemment ses positions, mettait en place l'appareil photo et attendait le moment crucial. Pour vérifier l'exposition, il disposait aussi d'un appareil Polaroid avec quelques films. Quand il envoyait par e-mail une numérisation basse résolution d'une photo, elle était en général achetée.

Burnett a eu tout autant de succès avec son appareil photo Holga, un moyen format plastique qui lui avait coûté 15 $, avec une seule vitesse d'obturation, 1/100 seconde, et une seule ouverture, f/8. Utilisé intelligemment, le Holga peut faire des images d'ambiance avec une mise au point sélective qui rend les sujets plus intéressants. C'est grâce à lui que Burnett a fait une des images les plus marquantes de Valerie Plame, l'agent secret grillé de la CIA, et qu'il a remporté un prix pour un portrait d'Al Gore. À la demande du comité olympique de Salt Lake, il a couvert, avec cinq autres photographes, les JO de 2002. Burnett a aussi utilisé le Holga de manière originale pour cette mission.

Pour ceux qui sont impatients d'essayer les vieilles techniques, voici le conseil de David Burnett : « Ne vous énervez pas au début si vos images ne sont pas terribles », prévient-il. Burnett s'est

Ci-dessus, le photo-journaliste David Burnett a utilisé une chambre Speed Graphic pour couvrir la campagne de John Kerry. Ci-contre, aux JO de Salt Lake, en 2002, il a utilisé un Holga.

entraîné avec l'appareil photo lorsqu'il n'était pas en mission pour réussir à mieux le sentir. Combien de fois a-t-il obturé avec du ruban adhésif les petits trous dans le soufflet (typiques de ces modèles) qui laissaient passer la lumière… « C'est vous qui devez vous adapter à l'appareil photo, et non le contraire », insiste-t-il.

Pour en savoir plus sur David Burnett, et sa carrière très récompensée allez sur : *www.davidburnett.com* (en anglais).

Au début du XXe siècle, alors que d'autres photographes expérimentaient différents procédés de couleurs, Sergei Mikhailovich Prokudin-Gorskii utilisa ses propres méthodes pour créer des images couleur.

Vingt-cinq ans plus tard, l'allemand Oscar Barnack introduisit du film 35 mm dans un petit appareil qu'il concevait pour la société Leitz Optical. La fabrication dut attendre la fin de la Première Guerre mondiale. Leitz appela son nouvel appareil le Leica. En 1927, Zeiss Ikon lança l'appareil photo l'Ermanox dont l'objectif à ouverture étonnamment grande permettait aux journalistes européens de photographier en intérieur, sans flash.

Rapidement, les appareils photo 35 mm connurent de petits perfectionnements. Leica intégra un télémètre pour améliorer la mise au point et lança sept objectifs interchangeables en 1932. L'un des premiers films noir et blanc d'Ilford fut le 32 ASA (ancien système de mesure de la sensibilité des films). En 1933, Kodak et d'autres sortirent un film 100 ASA.

Le 35 mm permit aux photographes d'améliorer le cadrage. Des photojournalistes comme Carl Mydans, Alfred Eisenstaedt et Robert Capa s'en servirent pendant la Seconde Guerre mondiale.

FILM COULEUR

Kodachrome, lancé par Kodak en 1936, fut le premier vrai film transparent couleur fonctionnel. Il nécessitait un procédé de développement unique dans lequel les techniciens labo diffusaient des colorants dans les couches noir et blanc sensibilisées au rouge, au vert et au bleu du film pour correspondre aux couleurs enregistrées. Ces colorants firent du Kodachrome le film couleur le plus réaliste jamais conçu.

Le premier film négatif couleur, Kodacolor, fut lancé en 1942. Kodak l'avait inventé pour permettre à l'armée de faire de meilleures photos aériennes. L'Ektachrome qui suivit en 1946 fut le premier film couleur que les photographes pouvaient traiter eux-mêmes.

Le Kodachrome et l'Ektachrome étant des films inversibles, les familles achetaient des projecteurs de diapos et, comme au temps des stéréogrammes et des lanternes magiques, s'installaient pour des séances de projection. Les albums de photo restèrent, cependant, l'option la plus prisée pour présenter et classer les images.

PHOTOGRAPHIE DOCUMENTAIRE ET FSA

« La contemplation des choses, telles qu'elles sont, sans substitution ni imposture, sans erreur ni confusion, est en elle-même plus noble qu'une moisson d'inventions. »
Dorothea Lange a accroché cette citation de l'artiste Francis Bacon sur la porte de sa chambre noire.

Pendant la grande récession des années 1930, Roy Stryker de la Farm Security Administration (FSA) embaucha quelques-uns des photographes documentaires les plus talentueux, parmi lesquels Arthur Rothstein, Ben Shahn, Walker Evans, Dorothea Lange, Carl Mydans, Russell Lee, Marion Post Wolcott, John Vachon et Jack Delano. Son but était de montrer l'impact de l'aide fédérale sur les fermiers chassés par la sécheresse et sur les familles à la recherche d'emploi. La FSA mettait ces photographies à libre disposition de la presse dans l'espoir de les voir publier. Lors des trois premières années, la plupart d'entre elles se focalisaient sur la souffrance des plus infortunés. Les trois années suivantes, elles devinrent plus positives en se concentrant sur les projets d'aide. Durant ses huit années d'existence, la FSA a accumulé plus de 160 000 images, qui sont maintenant archivées à la bibliothèque du Congrès. Vous pouvez les consulter sur le site Internet *www.loc.gov* (en anglais).

Les images symboliques sont les plus marquantes ; la photo « *Migrant Mother* » de Dorothea Lange montre une femme assise à l'entrée de sa tente, dans un camp de réinsertion, un bébé dans les bras et deux enfants contre ses épaules. Le visage de la femme exprime à la fois les rudes épreuves que les gens avaient à subir et une vraie détermination à survivre. Arthur Rothstein a photographié un père et ses fils traversant un paysage aride et ravagé pendant une tempête de sable dans l'Oklahoma, en 1936. Gordon Parks fit le digne portrait d'une femme de ménage devant le drapeau américain.

Mais Roy Stryker encourageait également la créativité. Par exemple, Russel Lee se servit d'un flash pour pénétrer dans les sombres intérieurs dont il n'aurait pu sinon garder trace. Il utilisait parfois même un viseur à redressement pour ne pas se faire remarquer de son sujet. Walker Evans reprit le style documentariste d'Eugène Atget, à Paris. Il utilisait une chambre 20 x 25, ses images étaient directes, sans sentimentalité ni théâtralité. Une simple photographie d'une cuisine rustique en Alabama en disait bien plus long sur ses utilisateurs même s'ils n'étaient pas sur la vue. Ben Shahn, peintre autant que photographe, donnait à ses photos un style plus personnel. Enfin, Margaret Bourke-White faisait poser des gens afin de réaliser des compositions plus dramatiques.

PENDANT LA SECONDE GUERRE MONDIALE ET LE MAGAZINE *LIFE*

Les photographes ont suivi les troupes des deux camps sur les fronts de la Seconde Guerre mondiale. Le magazine *Life* a publié, en Europe et aux États-Unis, de nombreux reportages sur les batailles. Quelques-uns des plus grands noms de la photographie du XXe siècle y travaillaient : Margaret Bourke-White, Carl Mydans, Gordon Parks et Alfred Eisenstaedt. Fondé en 1936, le magazine *Life* fut pendant ses presque quarante ans d'existence le reflet de la vie américaine. Les photographes qui suivaient les troupes portaient

CONSEIL :

Ne mégotez pas sur le film : en photographie, c'est ce qu'il y a de moins cher et c'est en prenant beaucoup d'images que vous vous perfectionnerez. Si vous ne voulez pas payer de photos inutiles, demandez à votre laboratoire un « développement seul ». De cette manière, vous pourrez économiser en ne tirant que les photos que vous choisirez.

le même uniforme que les soldats. Ils étaient parfois accompagnés d'un assistant qui voyageait avec eux juste pour prendre des notes et rédiger les informations nécessaires aux légendes des photos.

L'archétype du photographe de guerre, modèle pour beaucoup, fut Robert Capa. Né André Friedmann en Hongrie, il prit

La photo « Migrant Mother *» de Dorothea Lange, prise en 1936, est devenue une véritable icône.*

À droite :
Elliott Erwitt fait un amusant auto-portrait en photographe.

le nom de Capa, qui signifie « requin » en hongrois, pendant la guerre civile espagnole. Il était célèbre pour les risques qu'il prenait et pour ce conseil : « Si tes photos ne sont pas assez bonnes, c'est que tu n'étais pas assez près. » Ce sont les photos du Jour J dont on se souvient le plus. Il prit alors quatre rouleaux de film avec son Contax 35 mm. Le bureau de Londres de *Life* les reçut et les traita sur place. L'histoire raconte que le chef de bureau John Morris, pressé d'envoyer les films à New York, demanda au technicien de la chambre noire, Dennis Banks, de les sécher et d'en faire une planche-contact aussi vite que possible. Banks ferma les aérations de l'armoire de séchage pour accélérer le processus et, lorsqu'il ouvrit la porte, il découvrit que trois des quatre rouleaux s'étaient abîmés. Parmi les onze vues rescapées, certaines sont parmi les images de guerre les plus marquantes.

Parmi les autres photographes qui se firent un nom pendant la guerre, figurent W. Eugene Smith, David Douglas Duncan, George Rodger et Joe Rosenthal.

Après la guerre, *Life* publia des essais photographiques en noir et blanc inoubliables : « *The Country Doctor* » de W. Eugene Smith en 1948, les déboires d'une jeune femme cherchant à faire carrière à New York par Leonard Mc Combe, un documentaire de Bill Eppridge sur la toxicomanie à New York, en 1965.

Malgré l'existence du film couleur, les photographes préféraient le noir et blanc pour sa simplicité et sa capacité à capturer les images en faible lumière. Une brillante exception, toutefois, signe du futur : le choix du photographe Larry Burrows de photographier en partie la guerre du Vietnam en couleur. Le vert de

Voici l'une des 11 vues rescapées de la couverture du Jour J, en 1944, par Robert Capa.

la jungle, l'orangé des explosions et le rouge du sang répandu rendirent la guerre plus visuelle. La télévision couleur permit aussi aux magazines des années 1970 d'utiliser davantage de photos couleur.

MAGNUM PHOTOS

Robert Capa, furieux de la manière dont les rédacteurs traitaient les photographes, réunit ses collègues dans le restaurant du musée des Arts modernes de New York en 1947. Le groupe dont faisaient partie George Rodger, David Seymour, Henri Cartier-Bresson et William Vandivert décida de créer une agence de photographes en coopérative, Magnum Photos.

Ses principaux objectifs étaient de soutenir ses membres dans leurs revendications financières et dans l'obtention de droits d'auteur pour leurs images. Chaque photographe disposait d'un pouvoir égal dans les affaires de l'agence, y compris pour l'embauche du personnel. Il était difficile d'y entrer, il fallait avoir fait preuve d'un travail exemplaire, parfois de plusieurs années.

L'agence a survécu, surmontant les succès, les échecs et les bouleversements du monde photographique. Son fondateur, Robert Capa, mourut pendant la première guerre d'Indochine, en 1954. David Seymour fut tué au Moyen-Orient alors qu'il couvrait le conflit arabo-israélien. Werner Bischof disparut dans un tragique accident de voiture en Afrique du Sud. Malgré ces pertes, Magnum continua avec de jeunes photographes, comme Sebastião Salgado qui révéla les luttes des individus sur terre dans son célèbre livre *La Main de l'homme*. Josef Koudelka montra la vie des gitans. Et une nouvelle génération de photographes nous édifie sur l'Irak, l'Afghanistan, la Chine et l'Iran à travers des reportages à couper le souffle, plus lyriques ou dramatiques les uns que les autres. Le message de l'agence paraît bien vivant.

CONSEIL :

Prenez soin de vos films. Même si les émulsions actuelles sont plutôt solides, gardez-les au frais si vous ne les utilisez pas et laissez-les se réchauffer une heure avant de les charger. Si vous emportez des films, exposés ou non, en avion, ne les mettez jamais en soute à cause des puissants rayons X qui peuvent les endommager. Prenez-les en bagage à main.

FILM POLAROID

Edwin Land, physicien et inventeur, fit ses études à Harvard dans les années 1930. Il étudia la lumière polarisée et inventa un polarisant, filtre qui élimine les images parasites en optique. Les

RUSSELL KAYE

Accroché à ses boîtes de Polaroid 55

Le photographe Russell Kaye a commencé à trimbaler sa chambre 4''x5'', un Linhof Technica 3, en mission en 1987. Avant l'affichage numérique, le film Polaroid était le seul moyen pour les photographes de se faire une idée de ce que rendraient leurs photos. Leur sac photo était jonché des positifs d'essai Polaroid roulés en boule. En général, Kaye conservait les négatifs de son Polaroid 55, à commencer par ceux en noir et blanc.

En 1992, il décida de photographier, uniquement avec du film noir et blanc Polaroid 55, la fête juive de Pourim à Brooklyn. Il aima, tout comme les rédacteurs photo, l'atmosphère de ces images. Il eut de plus en plus recours à cette technique lors de ses missions pour des magazines comme *Men's Journal*, *Budget Travel* et *National Geographic Adventure*. Lorsqu'il couvrit la campagne Clinton-Gore en 1992, les services chargés de la protection du président faillirent le renvoyer chez lui, car ils se demandaient à quoi pouvaient servir ces négatifs qui baignaient dans une solution de sulfate de sodium, dans un seau étanche, à l'intérieur de son sac. « C'est inflammable ? C'est toxique ? » demandèrent-ils à Kaye. « Certainement », répliqua Kaye. Plus tard, il se servit de l'astuce que lui avait donnée Ansel Adams, un autre passionné du Polaroid. Désormais, il ne se sert plus du sulfate de sodium ; ce composé se cristallise sur les bords des réservoirs, laissant l'eau suinter et détériorer le coffre d'une voiture de location ou le tapis du salon de votre sujet. À la place, il dépose quelques gouttes d'alun de potassium dans de l'eau. Résultat, plus de dégâts.

En 1998, il découvrit la résistance des négatifs lors d'une mission à bord d'un bateau viking près du Groenland pour le catalogue *Land's End*. À la fin d'une journée de travail, Kaye avait épinglé ses négatifs sur une corde à linge pour les faire sécher. « Vous avez perdu quelque chose », lui cria un élève de l'école navale un peu plus tard. Kaye vit alors cette photographie qui flottait obstinément sur une mer gelée.

Vous pouvez voir le travail de Russell Kaye sur son site (en anglais) : *www.russellkaye.com.*

Russell Kaye a sauvé cette photo des eaux du Groenland lors d'une expédition sur un bateau viking.

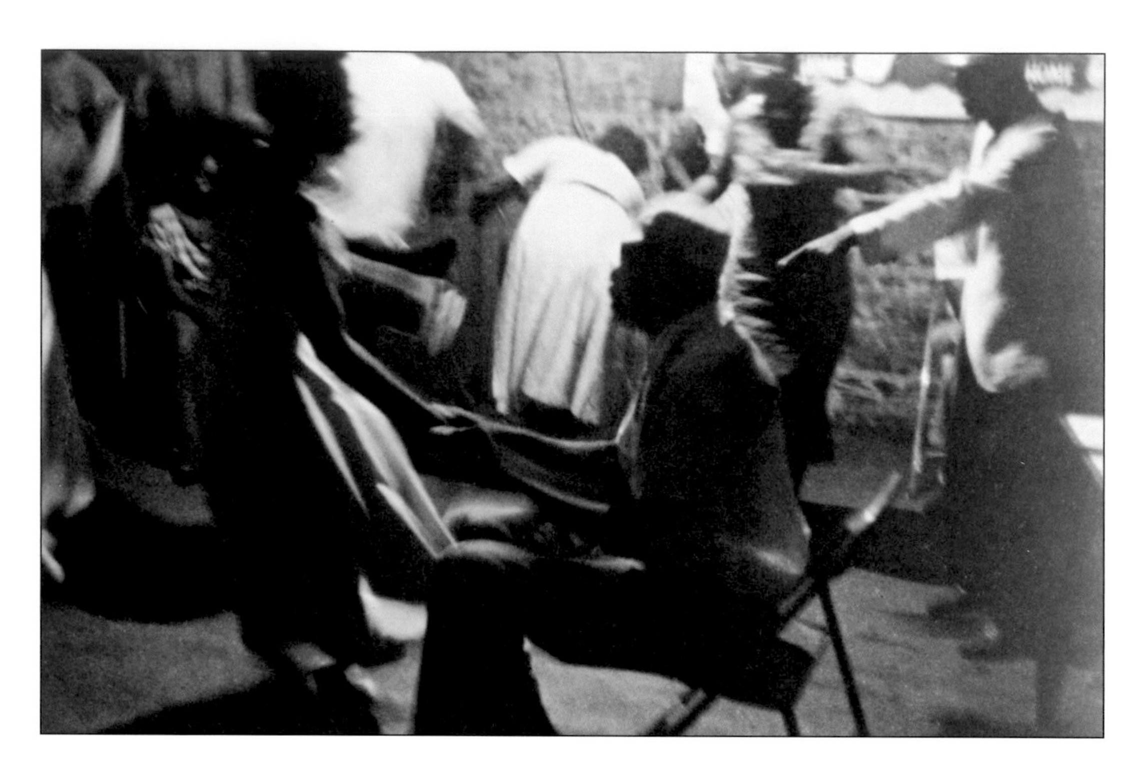

Le noir et blanc était un passage obligé pour les documentaires photographiques des années 1950.

photographes s'en servent pour contrôler les reflets sur l'eau et assombrir les ciels en photo couleur. Land quitta Harvard pour poursuivre ses propres expériences dans son labo.

En 1948, il présenta le Polaroid Land Camera 95, le premier appareil photo à faire des instantanés. Il avait un soufflet (sorte d'accordéon entre le boîtier et l'objectif permettant la mise au point) et un rouleau de film noir et blanc. Une fois la photo prise, on tirait le film à travers des rouleaux métalliques pour étaler les produits chimiques sur le papier photosensible. Une minute plus tard, la photo pouvait être décollée et nettoyée avec un produit de fixation.

Le Polaroid fut un succès immédiat. En 1965, Land sortit une version améliorée, cette fois sans soufflet : le Polaroid Automatic 100 Land Camera, qui conquit immédiatement les amateurs en raison de sa simplicité d'utilisation. Il acceptait aussi le film couleur.

En 1972, Land inventa le SX-70, un reflex qui utilisait un film instantané « intégral ». Il suffisait d'insérer la cartouche contenant aussi la pile d'alimentation de l'appareil photo, sans avoir besoin de s'assurer que le film était correctement chargé comme sur les anciens modèles. Replié, il était aussi plat qu'un livre de poche. Si le SX-70 connut un vif succès au début, son film était cher, ce qui lui fit perdre sa popularité. L'arrivée des compacts et des laboratoires photo express accéléra sa disparition.

ROBERT FRANK ET LA PHOTOGRAPHIE D'ART DANS LES ANNÉES 1950

Né en Suisse, Robert Frank partit pour New York en 1947, l'année où fut créée Magnum Photos. Alexey Brodovitch, le légendaire directeur artistique du *Harper's Bazaar*, lui confia des missions.

En 1955, lassé par son travail, Frank reçut une subvention de la fondation Guggenheim grâce à son ami photographe Walker Evans. Il traversa les États-Unis et ses photographies devinrent légendaires. Pendant ces années de guerre froide, il sentit l'Amérique entrer dans une période de crise familiale et identitaire. Partout, il voyait des routes désolées, des voitures, des jukeboxes, des drapeaux américains et la lueur de la télévision qui venait de faire son entrée dans le paysage américain.

Le livre qui suivit, *Les Américains*, ne fut pas un succès immédiat. L'apparente incohérence du cadrage de Frank était radicale et inacceptable d'après les canons de la composition. Il n'exprimait pas seulement ce qu'il voyait, mais aussi ce qu'il ressentait. Surtout, il croyait que la vie n'était pas faite d'une série d'instants décisifs, mais plutôt du temps qui s'écoule entre eux. Au début, seule une poignée de photographes assez perspicaces comprit ce qui se passait.

Ce ne fut qu'à la fin des années 1960 que les étudiants en photographie prirent conscience de ce que Robert Frank avait vu. Et les photographes se mirent à réaliser qu'ils n'avaient pas à cadrer comme en peinture.

L'INSTAMATIC KODAK

En 1963, Kodak simplifia la photographie amateur en créant la cartouche de film. Il suffisait de glisser la cartouche au dos du nouvel Instamatic 126, de fermer et le film avançait automatiquement jusqu'à la première vue. Il s'agissait d'un film 35 mm dans une cartouche avec ses propres bobines pour avancer. Il n'y avait qu'à cadrer et à déclencher, l'appareil disposait même d'un contact flash où l'on pouvait mettre une petite ampoule flash jetable.

Kodak en vendit 50 millions, ce qui signifie que presque un Américain sur quatre en possédait un. Plus tard, Kodak vendit 25 millions d'Instamatic 110, une version encore plus petite.

Bill Gates, fondateur de Microsoft, en 1985. Des années plus tard, il créera l'agence de photos Corbis.

LE REFLEX 24 X 36

Tandis que les amateurs adoptaient l'Instamatic, les photographes plus avertis se dotaient de reflex fabriqués par des entreprises comme Nikon, Canon, Minolta, Olympus, Konica et Yashica. Ces appareils photo permettaient la mise au point à travers l'objectif, disposaient de posemètres intégrés et d'un grand choix d'objectifs, dont les très prisés zooms et téléobjectifs.

LES MICRO-ORDINATEURS

En 1980, la société IBM (International Business Machines) passa un contrat avec Bill Gates, Steve Allen et Steve Ballmer pour qu'ils développent un système d'exploitation pour son PC : ordinateur personnel *(personnal computer)*. Ce fut la naissance de Microsoft. En août 1981, IBM sortit l'IBM PC. Doté d'une mémoire de 256 Ko, il pouvait utiliser des disquettes de 160 Ko. La fréquence d'horloge était légèrement inférieure à 5 Mhz alors qu'elle peut dépasser aujourd'hui 2 Ghz. Pour utiliser les ordinateurs IBM, on devait apprendre le langage d'exploitation DOS. À l'heure actuelle, près de 80 % du parc d'ordinateurs mondial utilisent le système d'exploitation

Pages précédentes : Les militaires doivent composer avec les tempêtes de sable entre l'Afghanistan et le Pakistan, 2003.

Microsoft. Le magazine *Time* a d'ailleurs élu l'ordinateur la « machine de l'année » en 1982. Puis, début 1984, Steve Jobs et Steve Wozniak lancèrent l'ordinateur Apple, doté d'une mémoire de 128 Ko et d'une fréquence d'horloge de 8 Mhz. Les ordinateurs Apple sont restés depuis lors les ordinateurs préférés des photographes et des concepteurs.

L'Internet a fait la couverture du magazine Time *le 25 juillet 1994.*

L'INTERNET

Dans les années 1960, une agence gouvernementale américaine, la Advanced Research Projects Agency (ARPA), s'intéressa aux réseaux de données informatiques. Elle engagea Leonard Kleinrock, de l'université de Californie à Los Angeles (UCLA), et Douglas Engelbart, de l'institut de recherche de l'université de Stanford, pour l'aider à créer un système qui pourrait relier les ordinateurs. L'université de Californie à Santa Barbara et l'université de l'Utah se joignirent au projet.

Le gouvernement céda l'Internet au domaine public dans les années 1990. Personne ne le possède, ne le contrôle, ni ne peut le couper. Tout le monde peut s'en servir pour envoyer des messages, partager des sites Internet, envoyer des fichiers JPEG et archiver en ligne. Les professionnels l'utilisent désormais aussi pour envoyer leurs photos.

LA PHOTOGRAPHIE NUMÉRIQUE

Tous les appareils photo, argentiques ou numériques, font la même chose : ils prennent ce qu'ils ont devant eux. Avec le film, cependant, on devait attendre le tirage des photos pour savoir ce qu'on avait pris, sauf évidemment avec un Polaroid. Les numériques, eux, permettent de voir l'image immédiatement, sans passer par des produits chimiques. Le facteur vitesse a révolutionné à lui seul la manière de faire et de voir les images.

La photographie numérique est née dans les années 1950, en même temps que la télévision. Les magnétoscopes enregistraient les images des caméras de télévision, les convertissaient en format analogique et stockaient les données sur bande magnétique. La NASA fit avancer la technique dans les années 1960 lorsqu'elle utilisa des appareils photo numériques pour cartographier la Lune. En 1972, Texas Instruments breveta un appareil

Les techniques de chambre noire numérique permettent aux photographes de créer de véritables tableaux.

photo électronique sans film. En 1988, Sony fut le premier à commercialiser un appareil photo électronique, le Mavica. Ses images ne pouvaient être vues que sur un téléviseur.

Kodak et Apple s'y mirent sérieusement aussi. Kodak fabriqua, en 1986, le premier capteur capable de contenir 1,4 million de pixels d'informations pour une image de 10 x 17 cm de bonne qualité. Cinq ans plus tard, l'entreprise s'associa à Nikon pour équiper le Nikon F3 d'un capteur de 1 mégapixel. Ce fut le premier système destiné aux professionnels : la taille de l'image (ou fichier) était de 1,3 mégapixel. Pour le grand public, ils créèrent le Logitech Fotoman. Apple lança le numérique Quicktake 100, livré avec un câble série pour télécharger les images sur ordinateur. La résolution VGA était de 640 x 480 pixels.

Les professionnels appréciaient le fait de pouvoir regarder leurs images avant de les mettre en vente. Les amateurs aussi étaient séduits par la nouvelle technologie. Les laboratoires photo évoluèrent pour répondre à la demande croissante de tirages numériques. Hewlett-Packard et Epson conçurent des imprimantes photo familiales.

Pendant ce temps, les frères Kroll, originaires du Michigan, développaient le moyen de travailler les images sur le nouvel ordinateur Macintosh Plus. Thomas écrivit un programme afin de créer une échelle de gris pour ses photos. Il le développa sous le nom d'Imagepro, et son frère John le rapporta en Californie où il travaillait pour Industrial Light & Magic. L'entreprise Barneyscan, qui fabriquait des scanners de diapositives, livra 200 copies du programme avec ses produits en 1988. Adobe® exploita bientôt la licence et Photoshop® 1.0 fut lancé en 1990. Aujourd'hui, c'est le logiciel d'imagerie de référence tant pour les professionnels que pour les amateurs.

Les scanners occupent une place prépondérante depuis l'arrivée de la photo numérique. Ils convertissent les négatifs, tirages et diapos en données numériques pour tout le monde.

Avec une telle masse de données numériques, il fallait une plus grande capacité de stockage ou une meilleure compression des données. Un comité d'experts, le Joint Photographic Experts Group, se réunit en 1986 et créa une méthode permettant de supprimer les données redondantes pour diminuer l'image jusqu'à 1/10 de sa taille d'origine. Ainsi, si l'image contient une gamme de couleurs similaires, comme le ciel, ces pixels sont regroupés au lieu d'être sauvegardés individuellement et sont restitués dès que le fichier est ouvert. Le système a pris comme nom l'acronyme du groupe : JPEG.

Tandis que les photojournalistes et le grand public sont passés résolument au numérique, certains photographes redécouvrent les anciens procédés. Sally Mann s'est replongée dans le procédé au collodion humide pour son travail « *Deep South* ». Chuck Close a photographié des mannequins comme Kate Moss en daguerréotype. Adam Fuss a vendu de grands photogrammes en couleur à la galerie Fraenkel, à San Francisco. Abelardo Morell est revenu à la bonne vieille *camera obscura*.

CD et DVD sont les moyens modernes de sauvegarder les images.

Une inquiétude subsiste concernant la longévité du stockage sur CD ou DVD. Nos images numériques survivront-elles à nos enfants ? Il ne faut pas oublier que la technologie change et, avec elle, les logiciels. Il est essentiel de s'assurer que les nouveaux programmes pourront lire nos anciens fichiers, notamment en format RAW. Les formats JPEG et TIFF sont, à ce jour, le moyen universel de stocker les images, mais certains photographes tiennent encore et toujours le bon vieux tirage papier pour le seul archivage fiable. À leurs yeux, rien n'empêche qu'un jour prochain, on réalise que le numérique n'était qu'un phénomène de mode, un simple épisode de plus dans la grande histoire de la photographie... Seul l'avenir nous le dira.

ON NE FAIT PAS DU BON TRAVAIL DANS L'INDIFFÉRENCE.

C'est ce que dit Bill Allard à ses élèves pendant ses cours de photographie. Plus important, c'est la devise qu'il s'applique à lui-même et qui lui a donné cette force pendant plus de quarante ans en tant que photographe, écrivain et mentor. Ses préférences vont à la musique, à l'ouest des États-Unis et, lorsqu'il utilisait du film dans ses appareils photo, au Kodachrome.

La première mission d'Allard pour *National Geographic* fut un article sur les Amish de Pennsylvanie, qui parut dans le magazine en août 1965. Il a couvert des sujets aussi variés que la vie des Acadiens, la ligue junior de base-ball, Bollywood et Chypre. Il s'est tout de suite fait une réputation pour son aptitude à capturer l'essentiel de ses sujets. Il arrive à les voir comme ils se voient eux-mêmes. Il est également reconnu comme un maître de la photographie couleur, qui sait saisir une image éloquente sans laisser les couleurs entraver ce qu'il veut montrer.

« J'avais horreur de me déplacer avec différentes émulsions », dit-il. Cela peut provoquer des erreurs. Allard apprit donc à utiliser le Kodachrome dans tous les endroits possibles : dehors en plein soleil, ou en intérieur sous la lumière ambiante avec un petit flash de temps en temps sur la griffe-flash.

Lorsque Kodak annonça l'arrêt du Kodachrome 25, quelqu'un au *National Geographic* en acheta un millier de rouleaux. Lorsque Kodak persista en arrêtant le Kodachrome 200 quelques années plus tard, les professionnels protestèrent avec véhémence. Le développement de film subit les conséquences de la montée fulgurante de la photographie numérique.

En 2005, Allard photographia son premier reportage avec un appareil photo numérique. Il revisita les Hutterites, une communauté du Montana de l'ouest. L'expérience fit resurgir son amour pour l'Ouest américain. Et elle suscita un tout nouvel intérêt pour le numérique. « Avec les films transparents, il y a un moment où il n'y plus d'exposition possible, explique-t-il. Cet appareil photo peut voir dans le noir. » Ainsi pour la première fois, Allard sélectionna le 800 ISO, une sensibilité qu'il n'avait jamais utilisée en argentique pour aucun de ses travaux auparavant.

De jeunes Parisiens dînant dans le Marais, à Paris, 2003.

Si vous voulez en savoir plus sur le travail d'Allard, vous pouvez aller sur le site : *www.nationalgeographic.com.* Ou ouvrir l'un de ses livres : *Portraits of America ; Vanishing Breed : Photographs of the Cowboy and the West ; A Time We Knew : Images of Yesterday in the Basque Homeland ; The Photographic Essay ;* ou *Time at the Lake : A Minnesota Album.*

Deux danseuses, Diann et Scandalicious, se préparent dans un bus pour un spectacle avec le musicien de blues Bobby Rush à Greenville, Mississippi, 1997.

Des cow-boys du ranch Padlock marquent des veaux, Wyoming, États-Unis, 1972

Un poteau téléphonique coupe un champ labouré à Winifred, Montana, États-Unis, 1996.

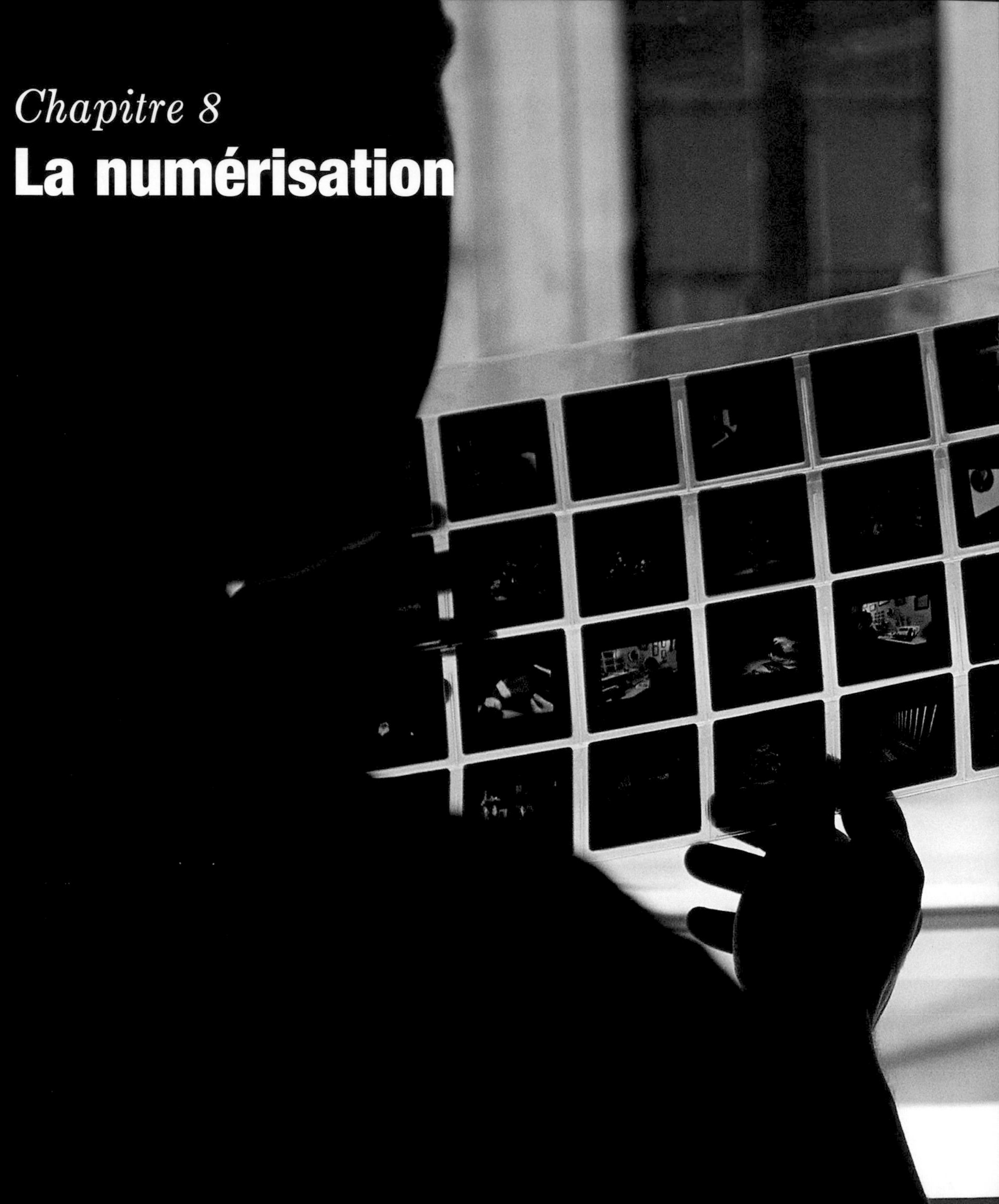

Chapitre 8

La numérisation

8 La numérisation

Le passage de l'argentique au numérique, dans cette dernière décennie, a relancé l'intérêt pour la photographie et poussé des millions de photographes à se lancer dans la numérisation et l'impression de leur propre travail. Hier encore, je rêvais de faire mes propres tirages couleur. Jamais je n'aurais imaginé qu'un jour, je verrais mes images sur mon propre site depuis ma chambre d'hôtel à l'autre bout du monde.

Si la photographie numérique a ouvert, pour beaucoup d'entre nous, les portes d'un monde fascinant, elle déroute aussi par ses câbles, ses mises à jour logicielles, ses procédures de numérisation et la complexité des réglages d'impression. Le but de ce chapitre est d'ôter tout mystère en expliquant la numérisation en termes clairs et simples.

Un des principaux intérêts de la numérisation, outre les besoins en photographie professionnelle, est qu'elle permet de gérer les piles de diapositives, d'épreuves papier et de négatifs accumulées au fil des ans. Pour y arriver, l'archiviste de la famille doit se plonger sérieusement dans l'apprentissage de la numérisation.

Mais la numérisation ne consiste pas uniquement à sauver de vieilles diapos ou photos. Beaucoup de belles images sur vos diapositives ou négatifs méritent d'être imprimées sur les nouvelles imprimantes à jet d'encre. Certains de mes meilleurs tirages viennent de photos numérisées et non pas d'un appareil photo numérique. Une fois que vous aurez appris à bien maîtriser votre scanner, vous verrez le champ des possibilités s'ouvrir à l'infini.

QU'EST-CE QU'UN SCANNER ?

Un scanner est un appareil photo logé dans une boîte, qui copie numériquement les transparents (film) ou supports réfléchissants (papier) qui sont placés dessus ou dedans. Il déplace un rang de capteurs CCD le long de la surface de l'image, ou de sa projection, pour la traduire en un schéma de charges électriques, qui sont à leur tour converties en données numériques lisibles par l'ordinateur. L'image (fichier) s'affiche alors sur l'ordinateur pour y être traitée ou stockée. Le scanner de film ne numérise que

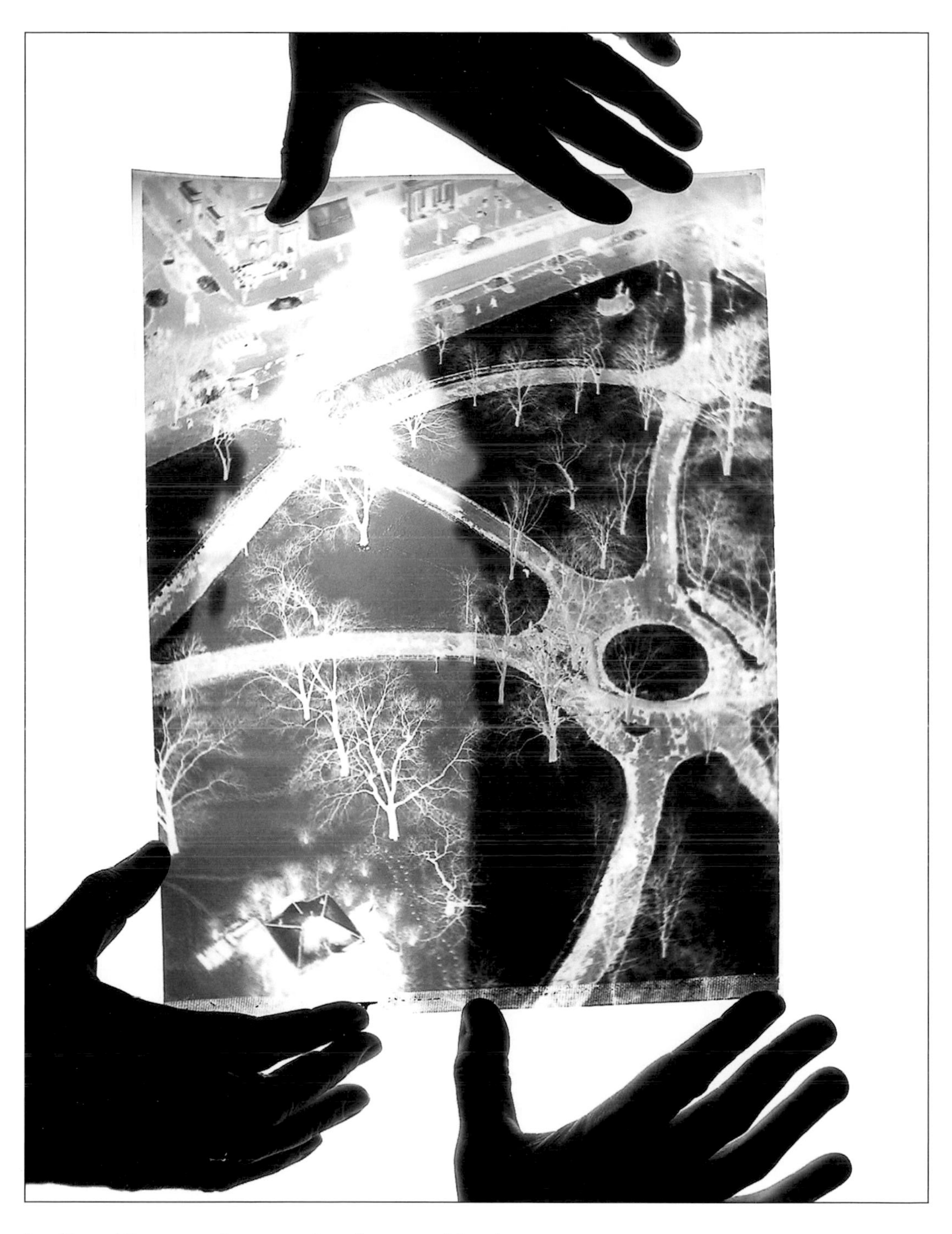

les films (diapos couleur ou négatifs noir et blanc). Le scanner à plat ressemble à un photocopieur. Il dispose d'une vitre par laquelle passe la source lumineuse qui éclaire l'objet à reproduire. La connexion, pour l'un et l'autre, se fait par câble USB ou FireWire.

Des archivistes ont numérisé les négatifs de célèbres photographes, comme le pictorialiste Alvin Langdon Coburn.

Un grand scanner à plat est capable de numériser de nombreuses photos à la fois.

QUE PUIS-JE FAIRE AVEC UN SCANNER ?

Pour les photographes, l'un des principaux attraits du scanner tient à la possibilité qu'il offre de numériser toutes leurs collections de diapositives. Personnellement, j'ai ainsi pu numériser au cours des dernières années des milliers de diapos que j'avais prises pour le magazine *National Geographic*. De deux choses l'une : soit je les gardais dans un grand nombre de boîtes, soit je les exposais sur mon site Internet. Le choix a été vite fait.

Mais il n'y a pas que les photographies des pros. Des millions de diapos et photos de famille perdent leurs couleurs dans leur boîte ou leur cadre. Nous remarquons tous la décoloration des photos et des premières diapos Ektachrome prises dans les années 1970. Les photos couleur prises ces quinze dernières années et accrochées au mur ont commencé à se décolorer. J'ai ainsi sauvé de nombreuses diapos et photos d'une mort lente en les numérisant, les réimprimant et les archivant.

Une autre raison d'utiliser le scanner est le passage au tout-numérique du monde de l'impression et de l'édition. Auparavant, il était toujours risqué de confier ses précieuses images à une publication : elles pouvaient être endommagées ou perdues. Aujourd'hui, grâce à la qualité de la numérisation, les photographes et les graphistes peuvent transmettre leurs œuvres en numérique, sans risque de perdre ou d'endommager l'original. La numérisation a ainsi simplifié la vie à tout le monde.

Une image peut désormais être envoyée à l'autre bout du monde juste après avoir été prise ou numérisée. La numérisation permet aussi de protéger de précieux documents, des pages de livre ou des articles. Vous pouvez même numériser des bijoux, des fleurs…, tout ce qui peut se mettre à plat sur votre scanner, et vous serez étonné de la qualité tridimensionnelle du résultat. L'inconvénient est qu'une fois sous forme numérique, n'importe qui peut posséder une reproduction parfaite de votre original. Il est donc primordial de protéger vos images contre le vol et l'utilisation illicite, notamment si vous êtes photographe professionnel.

Enfin, il existe des logiciels de reconnaissance de caractères qui peuvent numériser des pages de texte et les interpréter en phrases que vous pouvez retravailler ensuite dans votre traitement de texte. Chacun doit respecter les droits de reproduction et comprendre qu'il existe des règles strictes concernant la « juste utilisation ». La violation de ces droits, notamment dans l'édition ou sur Internet, peut coûter très cher : la plupart des auteurs d'œuvres créatives défendent énergiquement leur travail.

COMMENT CHOISIR LE BON SCANNER ?

Après avoir investi dans un appareil photo numérique, un ordinateur, un logiciel, une imprimante, de nombreux photographes ont envie de numériser leurs collections de diapos et de photos. À noter que ce n'est pas parce que vous possédez un appareil photo numérique que vous ferez de meilleures images. J'ai obtenu certains de mes meilleurs agrandissements en numérisant des négatifs pris quelques années plus tôt. Une bonne numérisation de négatif peut égaler, voire dépasser, la qualité obtenue par des appareils photo numériques haut de gamme.

Avant de choisir un scanner, établissez la liste des utilisations que vous souhaitez en faire, ainsi que celle des formats de films ou de photos que vous avez l'intention de numériser. Définissez votre utilisation finale : familiale ou commerciale ? Un scanner peut coûter de 75 à plus de 15 000 euros. Cherchez sur Internet les caractéristiques des uns et des autres, étudiez les comparatifs et choisissez l'appareil qui correspond le mieux à vos besoins.

Les photographes professionnels ont souvent un scanner 35 mm et un scanner grand format dans leurs studios.

En principe, « le prix est à l'image du produit ». Certes, il m'est arrivé d'obtenir de meilleurs résultats avec mon scanner 35 mm à 1 000 euros qu'avec mon scanner à « tambour virtuel » à 11 000 euros, mais je vous conseille de commencer par regarder les modèles haut de gamme de Nikon, Canon ou Epson. La liste qui suit devrait vous aider à comparer les modèles et les prix.

TERMES ET VALEURS DU SCANNER

Résolution

Dans le monde du numérique, la résolution est un paramètre important, qui définit le format maximal auquel vous pourrez agrandir une image, tout en maintenant une bonne qualité. Plus votre scanner de film peut enregistrer de pixels par pouce (ppi, voir ci-dessous), plus vous pourrez agrandir vos tirages. La plupart des scanners de film acceptent maintenant une résolution optimale de 4 000 ppi. Avec un scanner à plat, la résolution n'est pas aussi importante. Une résolution de 300 ppi est généralement suffisante, sauf si vous avez l'intention d'agrandir la photo d'origine. Cependant, la plupart des modèles offrent maintenant des résolutions beaucoup plus élevées, ce qui permet d'obtenir, avec l'adaptateur intégré pour transparent, de bons résultats, même à partir de négatifs 24 x 36.

DPI ou PPI ?

Dpi (points par pouce) et ppi (pixels par pouce) sont sans doute les deux termes qui apportent le plus de confusion, d'autant que de nombreux logiciels et matériels les emploient incorrectement. Les fabricants de scanners utilisent dpi pour décrire la résolution de scanner, alors qu'ils devraient utiliser ppi. En résumé : dpi devrait être utilisé pour décrire la résolution d'impression des images sur papier et ppi pour définir la résolution des numérisations ou des images à l'écran.

N'oubliez pas qu'une image numérique n'est autre qu'un ensemble de pixels, qui ont chacun une valeur de couleur (profondeur de bit). La taille d'une numérisation se définit donc par son nombre de pixels. La taille du fichier de l'image numérisée devrait vous donner une assez bonne idée du nombre de pixels qu'elle contient.

Souvenez-vous aussi que dpi est la densité, ou le nombre de points d'encre projetés par l'imprimante (pour les modèles à jet d'encre). Une photo à 700 dpi dispose de 700 points d'encre projetés par pouce (2,52 cm).

Profondeur de bit

La profondeur de bit est la valeur numérique qui définit la plage de couleurs enregistrable par un pixel. Comprendre combien d'informations couleur vous disposez dans une photo est important : un pixel d'une image noir et blanc correspond à 1 ou à 0, c'est-à-dire à noir ou blanc. C'est une couleur sur 1 bit. La couleur sur 8 bits peut représenter jusqu'à 256 couleurs. Et, avec une couleur sur 24 bits, vous appliquez 256 valeurs différentes de couleur à chaque canal de rouge, vert et bleu, ce qui vous permet de travailler en millions de couleurs.

Étendre la plage dynamique dans Photoshop® éclaircit l'image en augmentant les niveaux des hautes lumières. Cette image numérisée en 8 bits présente des pertes tonales dans l'histogramme, ce qui peut créer un ton inégal dans le ciel. La numérisation en 16 bits devrait éviter ce problème.

Plage dynamique

Ce terme, régulièrement employé dans les descriptifs et comparatifs de ce type d'appareil, définit la capacité des scanners à détecter et à enregistrer les valeurs les plus sombres et les plus lumineuses de la lumière passant par la diapo ou réfléchie par la photo. Leur plage dynamique s'étend généralement de 0 à 4, voire plus ; certains modèles peuvent ainsi atteindre une plage dynamique de 4,8. Il faut savoir que plus la valeur est élevée, plus le scanner est capable d'interpréter les zones les plus claires comme les plus foncées.

Histogramme

L'histogramme est un graphique que les appareils photo et les scanners affichent pour montrer les niveaux de luminosité de l'image capturée, du plus foncé au plus lumineux. Ces valeurs apparaissent en bas du graphique, de gauche (plus foncé) à droite (plus lumineux). L'axe vertical montre l'importance de chaque niveau de luminosité. Les histogrammes peuvent être

L'histogramme de l'image montre que la numérisation n'a pas été correctement paramétrée. Les hautes lumières sont faibles dans la zone des demi-tons, d'où une image plutôt terne et sans vie.

ajustés avant la numérisation ou plus tard, dans Photoshop®. Il est cependant conseillé de régler à la source plutôt qu'après. Ce serait comme dire à un chanteur : « Pas la peine de chanter fort, on rectifiera plus tard en studio. » Bien sûr, c'est un peu vrai, mais la meilleure démarche est de faire de son mieux dès le début.

Le but d'une bonne numérisation est d'empêcher au maximum, sinon complètement, les données de se « solidariser » aux extrémités (foncé et blanc) de l'histogramme. Tout ce qui est en dehors de l'histogramme sera perdu à jamais. Ce seront des parties de l'image qui seront toutes noires, ou toutes blanches. Les problèmes d'exposition extrême du négatif d'origine seront ensuite difficiles à surmonter, quoi que vous fassiez.

LES TYPES DE SCANNERS

Scanners de film

Il existe plusieurs modèles, selon la taille du négatif. Les scanners de diapos 35 mm sont les plus couramment utilisés. Les scanners de film ont une source lumineuse d'un côté du film et un capteur CCD de l'autre côté. Dans la plupart de ces scanners, le CCD se déplace lentement le long de l'image. C'est ce qui donne la résolution, la densité du CCD et le pas d'avance de la lumière pour traverser le négatif. Si vous avez des négatifs de format peu courant, sachez que la plupart des scanners n'acceptent que les formats de film pour lesquels ils ont été conçus. Dans ce cas, il faudra utiliser un scanner à plat. Vérifiez donc les limites de format de négatif.

Pour numériser des négatifs, les scanners de film grand public sont en général plus performants que les scanners à plat, même si certains disposent d'adaptateurs pour film. Si vous avez l'intention de travailler avec des négatifs ou des diapos, l'optique, le chemin de numérisation et le logiciel d'un scanner de film vous donneront de meilleurs résultats.

La numérisation de diapos 35 mm et de négatifs peut être un véritable défi, car beaucoup sont écornés et ne se mettent pas parfaitement à plat sur le porte-film. Le scanner Imacon présente une méthode originale : il maintient le négatif ou le transparent dans un cadre magnétique, puis le numérise sur une piste incurvée afin de créer une parfaite tension en flexion et garder ainsi la même focalisation sur tout le plan. L'Imacon dépasse généralement le budget de l'amateur, mais c'est incontestablement le meilleur scanner de bureau.

Scanners à plat

Les scanners à plat sont plus polyvalents puisqu'ils permettent souvent de numériser photos et négatifs. L'idéal serait d'avoir un scanner de film pour les négatifs et un scanner à plat pour les tirages papier. Mais, si votre espace et votre budget ne le permettent pas, un scanner à plat multifonction est une bonne solution, d'autant qu'il peut aussi servir de photocopieuse.

Si vous ne numérisez que des photos et des documents, les scanners à plat offrent une plage dynamique supérieure à celle de la photo même. Un bon exemple est qu'un négatif peut avoir une plage tonale de 500 : 1, contre environ 50 : 1 pour une photo. Par conséquent, la qualité de votre numérisation sera aussi bonne que celle de votre photo, mais n'égalera jamais celle du négatif d'origine. Si vous avez l'intention d'acheter un scanner à plat, mais que vous souhaitez aussi numériser des films, assurez-vous

Le lecteur optique permet de numériser des pages de texte.

que votre modèle dispose bien des supports pour vos formats de film. Veillez à ce que la plage dynamique (voir définition, page 326) ne soit pas inférieure à 3,6.

Fonctions supplémentaires

Vous avez peut-être des centaines de diapos en phase de décoloration, mais vous ne voulez pas passer des heures devant votre scanner : les scanners haut de gamme, comme le Nikon Coolscan, vous permettent de travailler par lots. Vous pouvez charger jusqu'à 50 diapos à la fois, et si vous avez travaillé vos images dans des situations de contraste et d'éclairage similaires, vous pouvez leur appliquer les mêmes réglages. Mais gardez un œil pendant l'opération, il peut y avoir des problèmes avec des diapos déformées.

DOIS-JE ÉTALONNER MON ÉCRAN ?

Les variables sont nombreuses en photographie et, de ce point de vue, rien n'a changé avec le numérique. Votre but est de créer de bonnes numérisations, fidèles à l'original. La première chose à faire est donc d'étalonner votre écran pour qu'il soit standard en termes de contraste, de luminosité et de couleur. Il est surprenant de voir la différence d'un écran à l'autre. Comment voulez-vous ajuster les couleurs de votre scanner si votre écran n'est pas lui-même bien réglé ? Adobe Photoshop® et Photoshop Elements® ont un assistant d'étalonnage. Les Mac ont aussi un utilitaire astucieux dans les Préférences système qui vous guidera.

LCD contre CRT

Les écrans à cristaux liquides (LCD) ont quelques centimètres d'épaisseur ; les écrans cathodiques (CRT) ressemblent à un téléviseur et prennent de la place sur votre bureau. Tous permettent les réglages d'étalonnage. N'abandonnez pas précipitamment vos vieux écrans. La plupart des bons écrans cathodiques ont une plage tonale plus étendue que les LCD d'entrée de gamme et sont meilleurs pour le traitement de l'image. Des fabricants comme LaCie, Sony et Apple ont cependant lancé des écrans LCD qui peuvent égaler le contraste et la gamme de couleurs des écrans cathodiques du bon vieux temps.

Sous Windows, allez dans : Écran de contrôle > Affichage > Réglages et assurez-vous que votre écran est réglé sur la profondeur de couleur maximale (24 bits). Ensuite, dans Écran de contrôle, ouvrez Adobe Gamma® (si vous utilisez un logiciel de traitement de l'image) qui vous aidera à ajuster votre écran. Vos réglages seront enregistrés dans un profil que vous pourrez sélectionner comme profil par défaut.

Voici les étapes simplifiées sous Windows :

- Ouvrez Écran de contrôle.
- Ouvrez Écran, puis choisissez l'onglet Réglages (Écran de contrôle > Affichage > Réglages).
- Choisissez la profondeur de couleur maximale autorisée par votre écran et votre carte graphique (millions de couleurs 24 bits).
- Fermez et revenez à Écran de contrôle > Adobe Gamma® (si vous avez installé Photoshop Elements® ou Photoshop®) et suivez l'assistant.
- Ouvrez de nouveau Écran de contrôle > Affichage > Réglages > Avancés > Gestion des couleurs.
- Choisissez ou ajoutez le profil que vous avez créé dans Adobe Gamma® et sélectionnez-le comme profil par défaut.
- Appliquez le réglage.

Si vous voulez faire encore mieux, vous pouvez acheter un étalonneur d'écran qui soit simple à utiliser. Les prix des étalonneurs ayant considérablement chuté, rien ne vous empêche de le faire. Une petite recherche sur Internet vous apportera une mine d'informations sur ce qui existe et par où commencer.

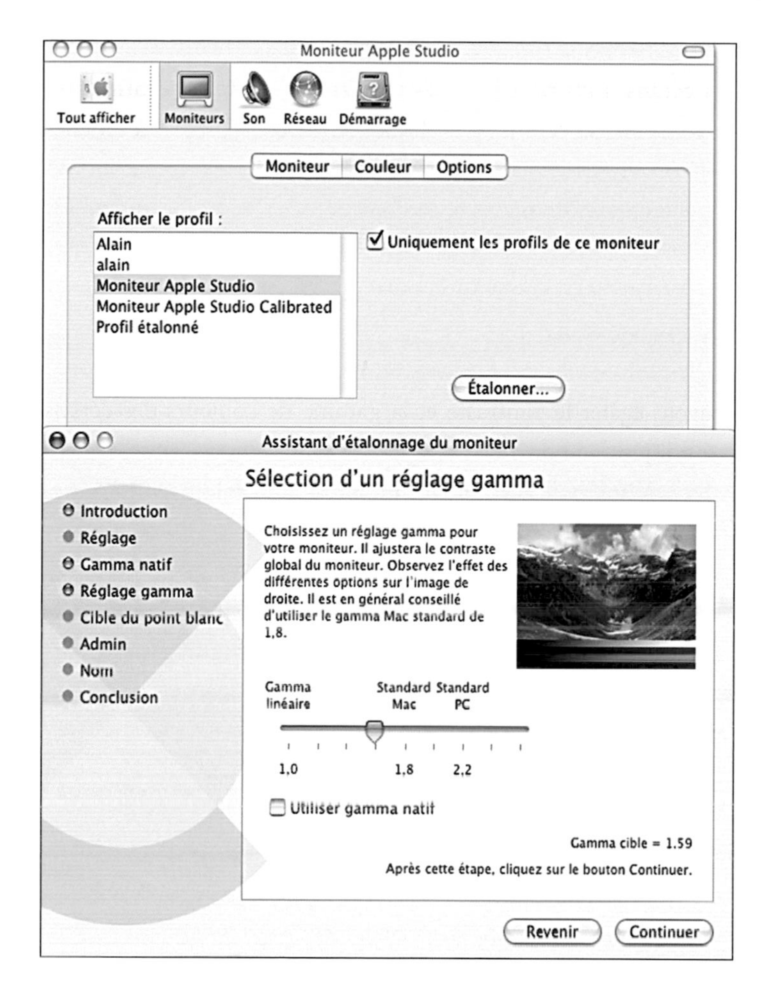

Étalonnez votre écran pour obtenir de meilleures numérisations.

COMMENT OBTENIR UNE NUMÉRISATION PARFAITE ?

D'abord, les règles de base. Règle n° 1 : propreté et soin. Règle n° 2 : soin et propreté. À mon avis, trop de gens font des numérisations rapides et sales, sans se préoccuper des réglages et sans essayer de corriger les colorations. Résultat, ils envoient sans complexe des photos délavées ou bizarrement colorées de la fête d'anniversaire de leur enfant. Il suffit de prendre un peu de temps pour ajuster les couleurs et les niveaux des tons avant de commencer à numériser.

Les étapes à suivre :

- Faites de la place autour de votre ordinateur pour pouvoir travailler dans un environnement propre et organisé. Connectez le scanner par le port USB ou FireWire.

- Mettez votre négatif ou bande de négatif nettoyé dans le scanner ou sur le porte-film de votre scanner à plat.
- Lancez le logiciel livré avec votre scanner, ou un logiciel de numérisation tierce, comme SilverFast, relativement bon marché pour les débutants et doté de versions professionnelles.
- Utilisez le bouton Aperçu pour prévisualiser votre photo ou négatif et servez-vous de l'outil de recadrage pour définir la zone à numériser.
- Sélectionnez les dimensions de sortie, la résolution et la profondeur de bit les plus élevées possible ; vous pourrez toujours réduire les images plus tard. Il est déconseillé de redimensionner une image au-dessus de sa taille de numérisation d'origine.
- Avant la numérisation, ajustez les courbes d'aperçu dans l'histogramme pour séparer les hautes lumières des ombres ou utilisez les réglages automatiques de couleur, contraste et gestion de la poussière. C'est aussi simple qu'efficace. Testez aussi les contrôles manuels, vous ne risquez rien à essayer, vous pourrez annuler ensuite.
- Donnez à votre numérisation un nom de fichier en respectant une certaine logique. Des dossiers bien organisés vous permettront de localiser facilement vos images plus tard dans Photoshop®.
- Ajustez et dimensionnez votre image dans Photoshop® pour l'impression ou le partage sur Internet.
- Éteignez votre scanner pour préserver ses lampes, si ce n'est par souci de votre consommation d'électricité.

Avant toute chose, nettoyez votre négatif. Cela peut paraître évident, mais beaucoup oublient de le faire et perdent ensuite du temps dans Photoshop® à retirer les saletés. Utilisez une bombe à air comprimé ou une brosse en poil de chameau. Tenez la bombe droite et pressez dans le vide pour éliminer le gaz propulseur du tube. Agissez par petites pressions. Si vous utilisez une brosse, ne la prenez pas par les poils, la sueur de vos mains risque de la rendre inutilisable. D'autre part, il est préférable de libérer le maximum de mémoire sur l'ordinateur.

Insérez le négatif en suivant les instructions du scanner. Les supports de film peuvent être fragiles, soyez attentif, car leur remplacement peut faire perdre du temps et de l'argent.

Le secret d'une bonne numérisation repose sur la mise au point : il faut donc que le négatif soit maintenu aussi plat que possible, ce qui peut être difficile s'il a commencé à s'enrouler. L'installation du négatif peut être une opération délicate, prenez soin surtout de ne pas rayer l'émulsion et de ne pas y laisser de marques de doigts. Des gants en coton blanc vous faciliteront la manipulation.

Pour numériser une photo, alignez-la sur le bon angle de la vitre, le recto vers la lampe du scanner. Assurez-vous que le verre est propre. Pour numériser un film sur un scanner à plat, le manuel d'utilisation vous indiquera comment allumer la lumière qui se trouve dans le capot. Normalement, le logiciel de numérisation s'en charge. Une fois le capot fermé, la lumière traverse le négatif pour éclairer le capteur CCD. Les scanners à plat ne gèrent pas tous les négatifs de la même manière : lisez attentivement le manuel fourni à cet effet.

Démarrez ensuite votre logiciel ou, si vous travaillez dans Photoshop®, allez dans Fichier > Importer pour vous connecter au scanner. Le but ici est de prévisualiser votre image avant de la numériser. Le scanner analysera rapidement la photo ou le négatif sur lequel seront effectués les corrections tonales et le recadrage. Je vous conseille de recadrer légèrement au-delà de l'image souhaitée afin de ne pas couper de zones essentielles. Vous pourrez ensuite recadrer précisément l'image dans Photoshop®. Votre logiciel de numérisation dispose souvent de préréglages pour les types de film. Vous devez également définir la profondeur de bit ou sélectionner l'option Niveaux de gris (photos en noir et blanc) ou Trait (textes imprimés ou dessins).

Le bouton Réglages auto du logiciel peut aussi simplifier les choses, mais attention de ne pas abuser des fonctions d'accentuation auto ou de dépoussiérage, vous risquez de perdre en netteté. De nombreux scanners sont livrés avec un programme de dépoussiérage, comme Digital ICE, qui retire les défauts de surface et la poussière pendant la numérisation, ce qui permet de gagner du temps. Dans Photoshop®, il est souvent préférable de sélectionner les zones à dépoussiérer. Tous les logiciels de traitement de l'image permettent de modifier rapidement l'ensemble de l'image, mais les effets peuvent

Le nettoyage des négatifs avant la numérisation garantit un fichier de meilleure qualité.

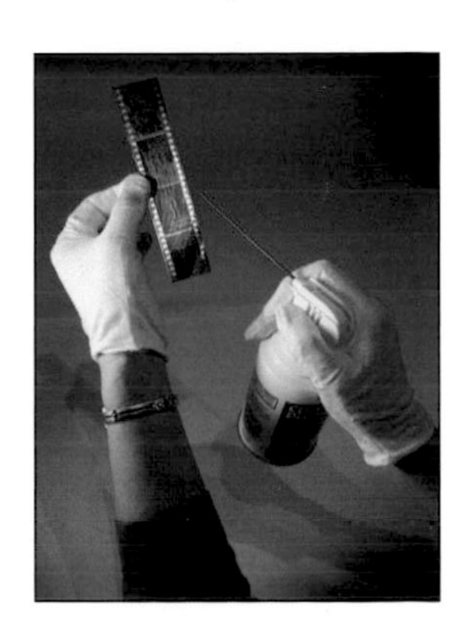

Les deux gros plans ci-dessus montrent la même image numérisée à 300 ppi (à gauche) et à 72 ppi (à droite).

s'avérer négatifs sur certaines zones. Lisez le chapitre sur Photoshop® (voir page 220) pour savoir comment peaufiner certaines parties de vos images.

Ensuite vient la sélection du format de sortie. Si l'image est uniquement destinée à un envoi par e-mail et à un affichage à l'écran, sélectionnez 72 ppi. Vous aurez ainsi des dimensions en pixels correctes et un gain de place sur votre disque. La bonne dimension devrait être 400 pixels de large quelle que soit la profondeur à 72 ppi. Pour l'impression ou l'archivage de diapos importantes, sélectionnez l'option maximale de votre scanner, sans dépasser ses limites optiques (voir ci-dessus, page 325, la distinction entre dpi et ppi).

L'avantage d'une numérisation de négatif avec une profondeur de bit importante est la possibilité de mieux corriger le contraste et les couleurs ultérieurement dans Photoshop®. Ces fichiers sont aussi suffisamment importants pour vous permettre de réaliser de superbes agrandissements. Seuls inconvénients : il faut plus de temps pour numériser et enregistrer ces fichiers (cela dépend aussi de votre ordinateur) et aussi plus de capacité de stockage, surtout si vous scannez un très grand nombre de photos.

CONSEIL :

Dès que vous avez réussi une numérisation, notez les différentes étapes que vous avez suivies. Vous serez surpris de voir, quelques semaines plus tard, que vous avez oublié comment vous avez fait. Vos antisèches devraient accélérer votre apprentissage.

Si vous regardez l'histogramme dans Photoshop® après avoir effectué des corrections en 8 bits et si vous les comparez à celles faites en 16 bits ou 24 bits, vous verrez les lignes blanches caractéristiques d'un manque d'information tonale en 8 bits. Certains soutiendront que votre imprimante ne montrera jamais ces variations. Mais je pense qu'il est toujours préférable de numériser ses travaux importants avec la profondeur de bit la plus élevée. D'autant qu'ainsi, vous récolterez par la même occasion d'excellentes copies de sauvegarde de vos images originales, ce qui ne gâte rien.

CONFIER LA NUMÉRISATION À UN SERVICE EXTÉRIEUR

Vous pouvez aussi demander à votre magasin photo ou à des services en ligne de se charger de la numérisation pour vous. Mais vous courrez le risque de voir vos précieuses images perdues ou endommagées. Il m'est arrivé de perdre 20 images importantes avec un service de coursiers pourtant très réputé. Alors, réfléchissez. Un accident peut toujours arriver. Personnellement, j'aime numériser mon travail moi-même pour lui donner cette petite touche qui se voit toujours dans le résultat final.

COMMENT FAIRE DE L'ART AVEC DES OBJETS DE RÉCUPÉRATION ET DE VIEILLES PHOTOS ?

À première vue, les images de Maggie Taylor offrent une certaine uniformité. Elles sont carrées et de même format : 38 x 38 cm. Leur palette de couleurs est identique : bleu céruléen, rose pâle, vert enterré. Elles dégagent quelque chose d'onirique.

Mais interrogez Maggie sur son secret et vous découvrirez des couches, parfois 40 à 60, créées dans Photoshop® CS et soigneusement assemblées pour créer l'image finale qui s'offre à vos yeux. « C'est un moyen vraiment pratique pour moi, explique-t-elle au magazine *Focus on Imaging* à propos des couches. Je suis toujours interrompue, ou parfois je n'ai qu'une heure ou deux pour travailler, alors je peux sauvegarder l'image et y revenir un autre jour. »

Maggie a commencé sa carrière après avoir obtenu un diplôme en philosophie à l'université de Yale en 1983 et une maîtrise d'arts plastiques à l'université de Floride en 1987. Ses premières images étaient en noir et blanc, des paysages de banlieue pour la plupart.

Elle s'est rapprochée de son œuvre narrative actuelle lorsqu'elle a commencé une série de natures mortes d'objets trouvés, en studio, avec une chambre 4'' x 5''. En 1995, elle a découvert qu'elle pouvait placer les objets directement sur un scanner et s'épargner les frais et le traitement du film. « Mon scanner donnait des images de meilleure qualité qu'aucun des appareils photo numériques que j'aurais pu m'acheter à l'époque », explique-t-elle. L'équivalent numérique de sa chambre 4'' x 5'' coûtait alors 7 500 €, contre 225 € pour son scanner à plat Epson.

Aujourd'hui, son outil de travail est un petit compact numérique de 4 mégapixels qu'elle a toujours sur elle. « Je peux photographier les nuages de mon hublot en avion. » La richesse du détail n'est pas si importante pour Taylor, car elle travaille sur ses images en couches. Elle parcourt aussi les marchés aux puces et eBay, à la recherche d'objets à numériser. Les poissons, les ailes de papillon, les ferrotypes, les oiseaux et les jouets sont des sujets récurrents. Pour « *Woman Who Loves Fish* », Maggie a sorti un poisson rouge de son bocal et l'a posé directement sur son scanner, en laissant le couvercle ouvert dans l'obscurité de la pièce pour que l'arrière-plan soit noir.

Fille en robe d'abeille, *2004*

Cette photo se compose d'objets trouvés : des abeilles mortes, une fleur, une photo d'Irlande, la texture d'une vieille photo craquelée, un ferrotype (taille : 1 pouce) d'une jeune fille et une photo numérique du propre corps de la photographe.

Souvent, elle donne à son travail une texture ancienne en numérisant les coins craquelés de vieilles photos.

Une fois satisfaite d'une image, elle l'imprime avec une imprimante à jet d'encre sur du papier aquarelle mat légèrement texturé pour obtenir un rendu spécifique.

« Mon travail a évolué avec la technologie, déclare Maggie. Maintenant, avec Photoshop® CS3 1, je peux déformer le poisson pour qu'il regarde par-dessus l'épaule de quelqu'un. »

Pour en savoir plus sur son travail et sur sa participation à des livres et des expositions, visitez *www.maggietaylor.com* (en anglais).

Chapitre 9

L'archivage

9 *L'archivage*

NE PERDEZ PAS CES IMAGES !

Bienvenue dans ce chapitre sur l'archivage, sans doute celui que vous pensez le moins intéressant. Même si la perspective d'avoir à classer vos photos ne vous réjouit guère, vos photos, elles, aimeraient bien être en sécurité et accessibles, leur raison d'être étant quand même d'être admirées. Et, après tout, c'est aussi pour cette raison que vous les avez créées.

Évidemment, vous savez qu'il faut archiver. Et, évidemment, vous ne le faites pas. Réfléchissez. Vite. Votre disque dur est-il le seul endroit où sont stockées vos photos numériques bien-aimées ? Si oui, s'il vous plaît, reposez ce livre et courez acheter une pile de CD enregistrables. Gravez toutes vos photos sur ces CD et ne revenez que lorsque vous aurez terminé.

Pourquoi est-il si important de sauvegarder vos photos qu'il vous faut poser ce livre fascinant ? Parce que les disques durs crashent et sont la proie des virus dévoreurs de JPEG. S'ils sont parfaits pour abriter les images sur lesquelles vous travaillez, ils ne sont pas fiables pour un stockage à long terme.

L'archivage a pour but de sauvegarder vos images pour les protéger. Mais cela peut aller plus loin. Si vous êtes le documentaliste de la famille, c'est souvent à vous qu'il revient de créer les diaporamas de mariage, le livre de souvenir d'une réunion familiale ou d'envoyer les photos aux tantes et aux cousins. Quel soulagement de pouvoir enfin s'acquitter de ces tâches rapidement et avec plaisir, sans avoir à maugréer parce que vous avez dû passer trois samedis de suite à fouiller dans votre stock de photos.

Cela peut être amusant aussi. En triant vos images, vous tomberez certainement sur des photos depuis longtemps oubliées, qui seront sources de nouvelles inspirations, de nouvelles idées, qui pourront même vous apprendre des choses sur vous en tant que photographe. Elles vous montreront, par exemple, votre tendance à sous-exposer ou vous inciteront à utiliser un trépied (mais vous le saviez déjà, non ?). L'archivage ne doit pas prendre un temps fou. Parcourez ce chapitre, picorez des idées, approfondissez celles qui vous intéressent, mais, bon sang, sauvegardez vos images !

Graver vos images sur CD est la première mesure à prendre pour assurer leur longévité.

Évaluer sa collection

Avant de penser à la manière dont vous allez archiver, réfléchissez à ce que vous souhaitez conserver et comment vous allez l'utiliser. À quand remonte votre collection ? Si vos images sont déjà numériques, vous avez de la chance, tout va être plus facile. S'il s'agit de négatifs, de diapositives et de tirages papier, là, il vous faut réfléchir davantage et vous aurez plus de travail.

Les photos peuvent se détériorer, protégez-les bien.

Vous pouvez essayer de numériser tous vos négatifs et diapositives en haute résolution, puis de tout archiver. Mais, soit vous devenez fou, soit vous vous dévouez entièrement à la photographie. Le mot-clé est « trier ». Vous n'avez pas besoin de tout conserver : prenez le temps de faire le tour de ce que vous avez et gardez ce qui est bon ou significatif ; mettez le reste dans des boîtes marquées : « Photos pas terribles dont je ne peux pas me séparer. »

Réfléchir à l'utilisation de son archivage

Pour évaluer le type d'archivage nécessaire, réfléchissez à l'utilisation que vous souhaitez faire de vos photos. Quels sont vos besoins ? Si vous prenez beaucoup d'images RAW en haute résolution avec lesquelles vous travaillez souvent, il vous faudra certainement un système sophistiqué comprenant une bonne base de données, de nombreux disques durs externes et un graveur de DVD. Si vous avez surtout besoin d'un classement chronologique et thématique, un logiciel simple et bon marché ainsi qu'une pile de CD feront l'affaire.

Planifier son temps judicieusement

Certains aiment tout classer : leurs bocaux de pâtes sont parfaitement alignés par ordre alphabétique, de fusilli à linguini, dans leurs placards de cuisine, leurs chaussettes sont triées hiérarchiquement par matière, couleur et événement, leur filmothèque est rangée par genre et date de sortie. Si vous vous reconnaissez dans cette description, vous allez adorer. Les possibilités de thématique, de dénomination et de classement sont infinies. Si, en revanche, vous faites plutôt partie de ceux pour qui le rangement consiste à faire

Certains archivistes aiment classer leur travail en albums facilement accessibles.

des piles et à bourrer des tiroirs, il vous reste un espoir. Les fichiers images sont bien plus faciles à ranger que des objets grâce aux informations qu'ils contiennent (données EXIF, voir page 355).

La question la plus importante à vous poser en commençant à archiver est : combien de temps puis-je y consacrer ? Soyez honnête avec vous-même et commencez modestement. Vous pourrez toujours faire plus. Regardez les idées exposées dans ce chapitre et prenez celles qui vous semblent vraiment amusantes. Et, si rien ne vous tente, rendez-vous directement au paragraphe suivant sur l'approche minimaliste. Vous y trouverez des conseils pour ne pas perdre ces images que vous aimez.

Pour ceux qui détestent archiver : une approche minimaliste

Vous détestez tout cela ? Vous êtes bien trop occupé à prendre des photos pour penser à ajouter des mots clés et à classer par lieu de prise de vue ? Alors, vous êtes l'archiviste minimaliste type. Commençons par étudier le minimum d'archivage à faire avant que la police numérique ne se lance à votre recherche. Avec cette

Si vous êtes du genre minimaliste, choisissez une méthode et n'en démordez pas.

méthode, vous passerez peut-être plus de temps à rechercher les images souhaitées, mais il ne dépassera sans doute pas le temps que votre manque d'organisation vous fait perdre. Vous vivrez aussi un peu dangereusement, mais au moins vous ne perdrez pas ce qui vous importe le plus. Note pour les non-minimalistes : ce chapitre contient des principes de base qui peuvent vous intéresser, aussi sophistiqué que puisse être votre système.

Organiser ses fichiers dès le départ

Les ordinateurs PC et Mac possèdent un dossier dédié aux images. Profitez de ce pré-étiquetage. Et chaque fois que vous copiez vos images d'une carte mémoire sur votre ordinateur, créez de nouveaux dossiers à l'intérieur de ce dossier Images en leur donnant un nom en rapport avec ce que vous avez pris. Ces noms seront votre seul indice du contenu de votre dossier. Aussi, au lieu d'écrire « Fleurs printanières », appelez le dossier « jardin_magnolia_floraison ». Abrégez si nécessaire, mais donnez le maximum d'informations. Pas de poésie ; soyez concis.

Pour vous faciliter la tâche, videz vos cartes mémoire le plus tôt et le plus souvent possible ; dans l'idéal, après chaque séance de prise de vue. Il vous sera alors plus facile de vous rappeler ce que vous avez pris et de mettre vos images dans les bons dossiers que si vous gardez tout sur vos cartes, des matches de foot aux paysages enneigés.

Utiliser la puissance du système

Vous, les minimalistes, vous le savez déjà : votre ordinateur dispose de méthodes pour faire défiler vos images sans avoir besoin d'un autre logiciel. Les utilisateurs de PC ont la possibilité de naviguer dans les dossiers d'images sur une bande film qui leur permet de faire défiler, avec les touches Flèches, des aperçus de leurs images sans les ouvrir. Les utilisateurs de Mac peuvent sélectionner un lot d'images et les ouvrir dans Aperçu pour les faire défiler.

Graver les meilleures photos sur un CD

Si vous voulez prendre le risque de laisser vos photos sur votre disque dur, sauvegardez-en au moins quelques-unes. Pour vous y mettre, sauvegardez-les la première fois que vous les regardez. Vous avez déjà donné à votre dossier d'images un nom descriptif, créez maintenant un autre dossier sur votre bureau, qui portera le

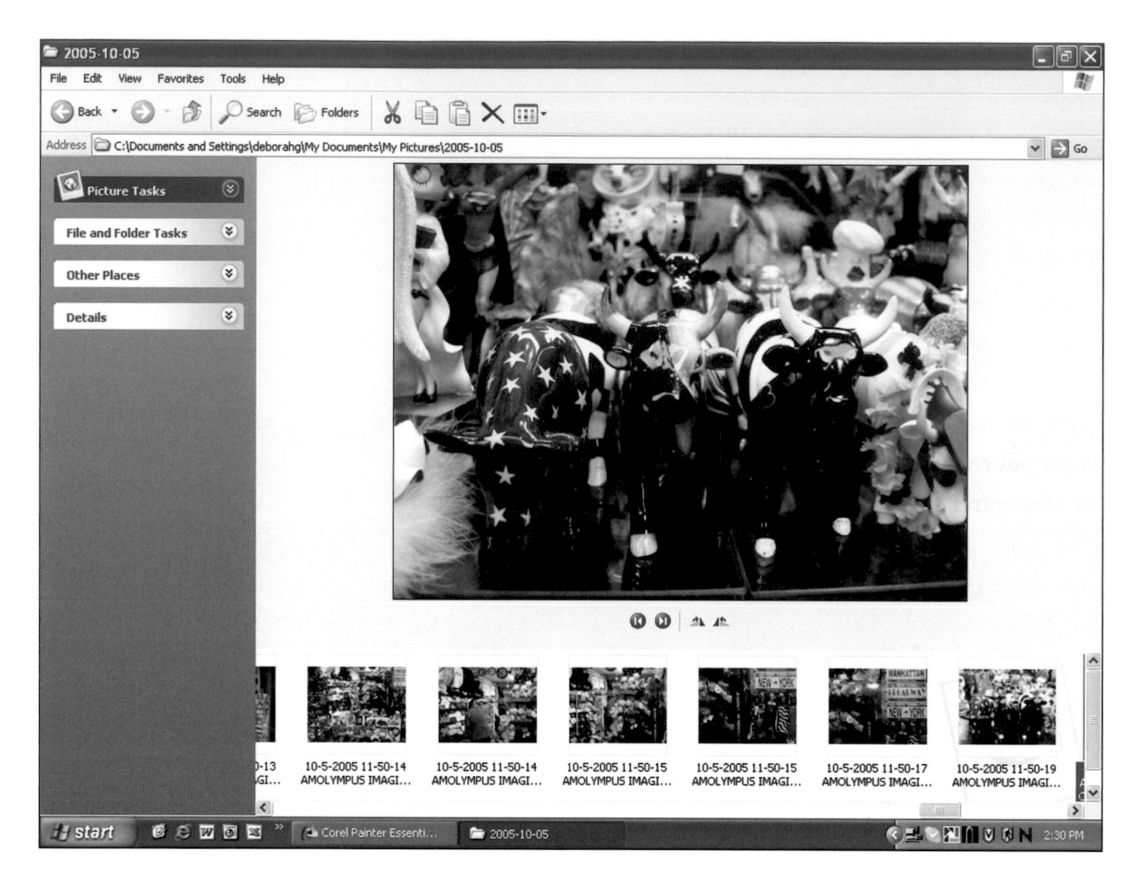

Utilisateurs de PC : profitez de l'affichage par bande film pour choisir et organiser en même temps.

même nom auquel vous ajouterez quelque chose comme « favoris » (ce qui donnera : jardin_magnolia_floraison_favoris), puis faites glisser des copies de vos photos préférées dans ce dossier. Une fois que vous avez terminé, insérez un CD et gravez le dossier. Marquez-le du nom du dossier et rangez-le sur une étagère.

Mieux vaut avoir confiance

Avec l'approche minimaliste, il faut un peu de foi et d'espoir. Certes, vous disposez maintenant d'un système et vous ne perdrez pas vos meilleures images en cas de problème sur votre disque dur, mais certaines ne sont pas protégées : mieux vaut alors avoir foi dans vos premières décisions. En tout cas, c'est mieux que rien.

ARCHIVAGE POUR LE PHOTOGRAPHE AMATEUR

Si vous photographiez principalement en JPEG et si vos vieux films sont assez bien organisés, votre archivage ne sera pas trop compliqué. Mais si vous photographiez beaucoup et voulez pouvoir retrouver rapidement vos images, il vous faudra une aide logicielle.

Choisir un bon programme

La première chose à faire est de regarder si vous possédez déjà un programme de gestion des fichiers. Les nouveaux Mac disposent de iPhoto®. Sur PC, si vous avez Adobe Photoshop Element® version 3 ou plus, vous disposez aussi d'un organiseur. (Pour les autres logiciels, reportez-vous à l'encadré, page 348.) La plupart vous proposent de télécharger gratuitement une version d'essai, ce qui vous permet de choisir celui qui vous convient le mieux. Vous en trouverez de très bons qui se chargeront de tout organiser pour vous. C'est un bon choix lorsqu'on cherche surtout à se concentrer sur la prise de vue.

Se décharger au maximum du travail

Le moyen le plus facile de gagner du temps et de rester organisé est de vous occuper de votre classement au moment où vous copiez vos images sur votre ordinateur. Paramétrez votre logiciel pour qu'il s'ouvre dès l'insertion d'une carte mémoire ou de la connexion avec votre appareil photo (généralement, c'est sous Préférences ou Options, mais des applications comme les organiseurs de Element ou Microsoft s'en chargent automatiquement).

Nombre de photographes téléchargent directement leurs images de l'appareil photo dans des dossiers sur leurs ordinateurs.

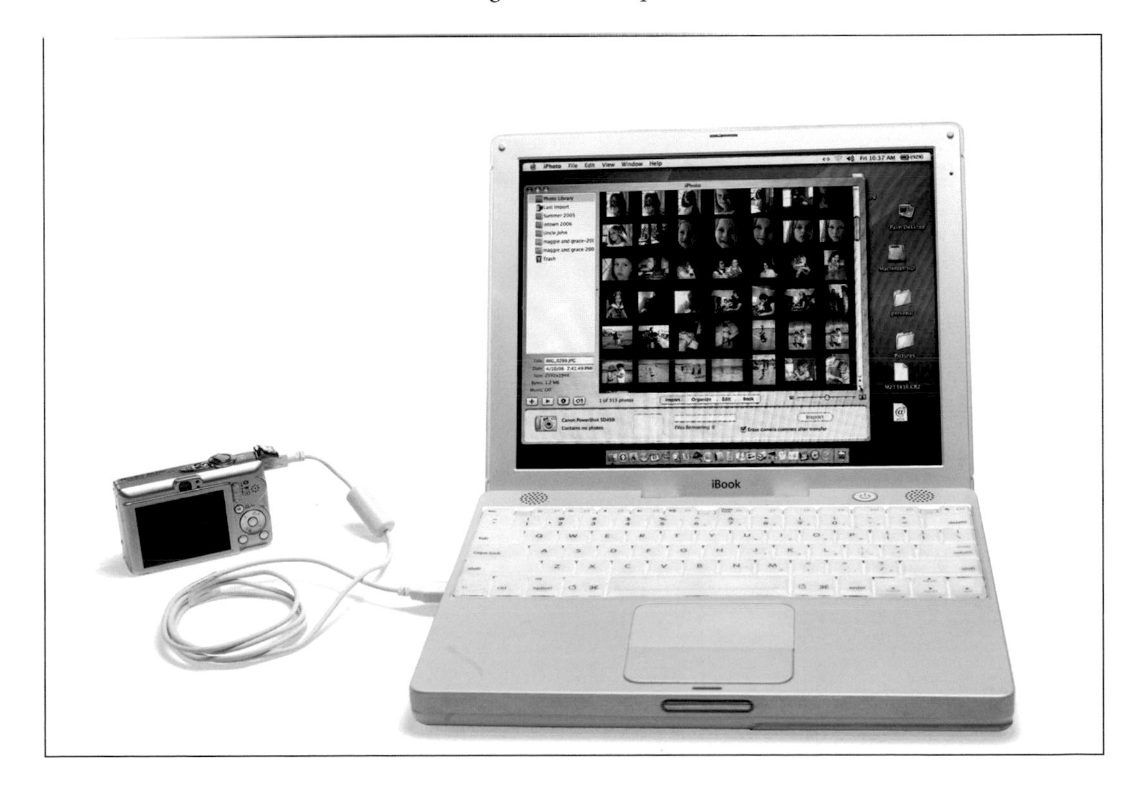

CONSEIL :

Logiciels de gestion de photos

Gestionnaire de photo ACDSee™

Connu pour sa rapidité, ACDSee est un organiseur existant depuis la naissance du numérique. Version d'essai gratuite sur *www.acdsee.com.*

Corel® Photo Album™

Cousin du logiciel de traitement d'image Paint Shop Pro de Corel, cet album de bon rapport qualité/prix ne vous laissera pas tant que vous n'aurez pas sauvegardé. Un très bon point. Essayez-le sur *www.corel.com.*

iPhoto® (gratuit !)

Si vous travaillez sur Mac, vous avez déjà iPhoto. Il est un peu lent, mais moins cher.

Picasa™ (gratuit !)

Pas envie de dépenser de l'argent pour un gestionnaire d'images ? Sous PC, vous avez Picasa, un éditeur/organiseur de base avec des outils de sauvegarde, à télécharger librement sur *www.picasa.google.fr.*

Adobe Photoshop® Elements pour Windows

La meilleure fonction de ce gestionnaire fourni avec ce logiciel de traitement d'image est son affichage calendaire. Si vous avez pris des photos un jour donné, la série apparaîtra sur le calendrier dans sa chronologie. Essai gratuit sur *www.adobe.com.*

Adobe Photoshop® Express

Il ne supporte que les fichiers JPEG, mais permet le stockage, l'édition et le partage d'images en toute simplicité.
À consulter sur *www.photoshop.com/express*

Vérifiez que l'option Renommer est toujours cochée. Ajoutez un mot descriptif ou une phrase au nom de fichier qui vous permettra de retrouver l'image plus tard. À chaque importation, créez un nouveau dossier et donnez-lui un nom logique. De cette façon, vous pourrez retrouver vos images sans passer par la base de données.

Évaluer ses images d'un regard

Une fois vos images copiées sur votre ordinateur, vous vous empresserez probablement de les regarder. Votre but étant d'avoir un bon archivage et de gagner du temps, profitez de cette occasion pour faire quelques opérations. Affichez vos images en plein écran (la plupart des programmes le permettent), faites-les défiler et notez-les en utilisant des astérisques ou un système de 1 à 5. Ainsi, vous pourrez accéder rapidement à vos meilleures photos, les imprimer, les envoyer ou créer des diaporamas, sans perdre de temps à les chercher.

Pendant que vous avez encore vos photos à l'esprit, revenez à l'affichage par mini-vues et attribuez-leur des mots clés. Sélectionnez un lot d'images et entrez des mots clés courants dessus. Vous pouvez aussi opérer image par image, mais si vous en avez déjà importé deux, n'hésitez pas à faire court et à trier par date.

Supprimer les photos sans intérêt

Les disques durs se remplissent vite, et comme le numérique nous pousse à essayer jusqu'à ce que nous ayons réussi, nous finissons souvent avec une masse d'images qui sont plus des exercices que des photos. Supprimez-les ! Il est bon de ne pas supprimer trop rapidement les clichés qui vous semblent à première vue ratés. Vous manquez souvent de recul juste après la prise de vue : attendez deux semaines, un mois, le temps qu'il vous faut, et ouvrez de nouveau les images auxquelles vous avez donné de mauvaises notes.

Si vous êtes passé à côté d'un trésor, attribuez-lui une meilleure note, mais si votre première impression était la bonne, si votre photo est vraiment horrible, n'hésitez pas, jetez-la à la poubelle.

Sauvegarder régulièrement sur CD ou DVD

Vous connaissez ces petits rappels qui vous suggèrent d'insérer un CD et de sauvegarder vos photos ? Ne les ignorez pas, ce sont vos amis. Si vous n'avez à retenir qu'une seule chose de ce chapitre, c'est : sauvegardez ! Des catastrophes peuvent toujours arriver. Demandez autour de vous, il est certain que vous entendrez parler d'au moins une catastrophe. N'apprenez pas à vos dépens. Paramétrez votre logiciel pour qu'il vous prévienne qu'il est temps de sauvegarder. Et faites-le, cela en vaut la peine.

SOLUTION POUR LE PHOTOGRAPHE UTILISATEUR DU REFLEX NUMÉRIQUE

À quoi pourrait bien ressembler un système d'archivage et de base de données idéal ? Il y aurait probablement un ordinateur dédié à la gestion d'une base de données, connecté à une série de disques durs externes *in situ* et à un imposant stockage en ligne. Tout serait sauvegardé sur CD, et tout le travail en argentique serait numérisé, avec des fichiers de référence gardés sur le disque dur. Chaque image serait annotée de mots clés se référant au contenu,

Les photographes professionnels doivent être très organisés pour gérer leurs nombreux fichiers numériques, leurs disques durs externes et leurs bases de données très détaillées.

CONSEIL :

Aperture™, gestionnaire de photos pro
Un redoutable outil de traitement de l'image et de postproduction pour Mac : il s'agit plus d'une application complète pour professionnel que d'un simple organiseur. *www.apple.com.*

Adobe® Bridge
Si vous possédez Adobe Photoshop® CS3, vous avez déjà entre les mains un superbe navigateur. C'est l'outil parfait pour les adeptes de l'approche minimaliste. *www.adobe.com.*

Adobe Photoshop®Lightroom
La réponse d'Adobe au logiciel Aperture d'Apple. Cette application est très riche en fonctionnalités : nombreux outils de retouche et d'édition, aussi précis que simples d'emploi, pour optimiser vos images. *www.adobe.com.*

Camera Bits® PhotoMechanic™
Pour l'utilisateur dont la priorité est la transportabilité et la flexibilité d'importation, ce programme, développé par des photographes de presse professionnels, exploite à merveille toutes les données EXIF et IPTC. *www.camerabits.com.*

IView® MediaPro™
Super organiseur pour presque tous les types de fichiers, cette base de données, rapide et simple, est idéale pour le photographe zélé qui aime noter, entrer des mots clés et étiqueter par couleur. *www.iview-multimedia.com.*

Portfolio Extensis™
Cette base de données est prisée par les professionnels qui ont besoin d'accéder facilement à leurs images et de les remettre à jour constamment. Ce logiciel sérieux est aussi adapté au photographe prolifique.

des émotions et des thèmes couleurs. La mise à jour serait continuelle. Et, naturellement, vous seriez à la tête d'une équipe chargée de faire ce travail pour vous. Mais il faut bien être réaliste, il est impossible de maintenir ce type d'archivage sans embaucher du personnel ou arrêter de photographier. Vous pouvez, cependant, mettre en place un système utile en vous fixant des objectifs raisonnables.

Choisir son logiciel

Pour faire figure de photographe confirmé, il est de bon ton d'utiliser un logiciel de classement des images pour retrouver le fameux document. Pour bien choisir votre logiciel, lisez l'encadré sur les différentes options disponibles et la section intitulée « Mes mots clés judicieusement ajoutés pourront-ils être lus par d'autres logiciels ? », page 355. Il faudra choisir entre un système qui utilise des métadonnées, lisibles sur PC ou Mac et intégrées au fichier, et une base de données pointue qui comprend de nombreuses fonctions de recherche, mais qui exige plus de maintenance. Dans l'un ou l'autre cas, faites le maximum de travail au moment de l'importation des fichiers. Rangez-les toujours dans des dossiers portant un nom logique et renommez-les en fonction de leur contenu. Utilisez le système de notation du programme la première fois que vous affichez vos images pour ne pas risquer de perdre vos premières impressions.

Travail avec des fichiers RAW

Si vous photographiez beaucoup en RAW, vous savez combien pèsent ces fichiers. Pour alléger, choisissez RAW + JPEG, une option de format qui sauvegarde l'image en fichiers distincts JPEG et RAW. (La plupart des reflex numériques la proposent.) Déchargez d'abord les JPEG de la carte. Pointez les ratés et ne déchargez ensuite que les images RAW correctes. Assurez-vous que les

fichiers sont bien à deux endroits différents avant d'effacer la carte mémoire. Si vous avez de la place, gardez vos JPEG préférés sur le disque dur en guise de référence, sauf si votre logiciel est capable de conserver des mini-vues des images sauvegardées.

L'ancienne méthode de rangement par tiroirs reste une excellente option de stockage pour les photographes.

Solutions de stockage

Quoi que vous fassiez, vous ne pourrez pas garder tous vos fichiers images sur votre disque dur. Il existe plusieurs solutions de stockage, selon le besoin d'accessibilité. Si vos fichiers peuvent rester sur une étagère, les CD sont le moyen le plus sûr, bien qu'ils soient de moindre capacité. Si les DVD peuvent contenir plus d'images, ils offrent une moins bonne stabilité dans le temps (voir page 354).

Si vous souhaitez disposer à tout instant de vos images en haute résolution, deux ou trois options s'offrent à vous. Les disques durs externes en sont une. Ils sont juste à côté de vous, ils sont compacts et coûtent de moins en moins cher. Connectez-les à votre ordinateur par câble USB 2.0, FireWire ou, plus rapide encore, FireWire 800. Malheureusement, ils peuvent « griller ». Pour éviter cela, éteignez-les dès que vous ne vous en servez plus et enveloppez-les bien si vous les transportez avec vous. Évidemment, assurez-vous que vous avez bien tout sauvegardé sur CD, DVD ou ailleurs. Une autre option est le stockage en ligne, proposé par différents fournisseurs de services. Entre autres avantages : les fichiers ne prennent aucune place chez vous, les bons fournisseurs de services font des sauvegardes de vos sauvegardes, si bien que s'il arrive quelque chose chez eux, vous n'en saurez peut-être jamais rien, et s'il arrive quelque chose chez vous vos fichiers seront en toute sécurité. Malheureusement, le stockage délocalisé est bien plus cher. Si vous avez déjà rempli un disque dur de 150 Go en un ou deux ans, le stockage en ligne vous coûtera plus de 150 euros par mois. Si vous souhaitez juste télécharger vos meilleures images, des sites comme xDrive et ibackup vous proposeront différentes options ; vous pourrez ainsi calculer votre budget en fonction de vos besoins. De nombreux services d'impression vous laisseront stocker gratuitement autant d'images que vous souhaitez en ligne. Le piège ? Vous devrez payer pour les récupérer sous forme de tirages papier.

La célèbre photo d'Alfred Eisenstadt datant de 1944 est conservée dans une chambre froide contrôlée.

AVIS AU PARANOÏAQUE : RÉPONSES À VOS QUESTIONS SUR LES PIRES SCÉNARIOS

L'archivage peut faire peur, mais ne paniquez pas. Vous avez toutes les chances de bien conserver vos images. Voici quelques réponses claires à des questions qui peuvent vous inquiéter.

Comment être absolument sûr que je ne perdrai pas mes photographies ?

Assurez-vous que vos images sont toujours dans deux endroits à la fois. À tout instant dans le traitement de vos images, vous en possédez deux copies. En d'autres termes : n'effacez pas les images de la carte mémoire si elles ne se trouvent que sur votre disque dur. Et ne les effacez pas de votre disque dur tant que vous ne les avez pas transférées dans deux autres endroits, par exemple sur un disque à la maison et un disque au bureau, ou sur un disque dur externe et sur un site en ligne. Si vous suivez cette règle, vos images seront toujours en sécurité.

Mes fichiers vont-ils devenir obsolètes ?

La peur de voir un type de fichier devenir obsolète n'est pas irrationnelle, mais il suffit de réfléchir un peu pour comprendre qu'elle n'est pas fondée. Prenez l'exemple des 45 tours : aujourd'hui, peu de gens écoutent ces disques autrefois si populaires. Et pourtant, vous pouvez encore acheter des tourne-disque. Vous pouvez même acheter un câble qui vous permet de les enregistrer en MP3 sur un ordinateur. Pourquoi ? Parce que les gens ont encore des 45 tours et qu'ils y tiennent.

Il en va de même avec les fichiers RAW et JPEG. Nombreux sont ceux qui en possèdent et qui y tiennent. Ce qui veut dire qu'il y aura toujours des entreprises pour les aider (et en tirer des bénéfices). Je veux dire, bien sûr, que le JPEG ne disparaîtra pas tant qu'il n'y aura pas un moyen facile de convertir le fichier en quelque chose de lisible. Et d'ici là, les ordinateurs seront si rapides qu'il ne leur faudra, sans aucun doute, pas plus de 5 minutes pour convertir vos centaines de JPEG au nouveau format. Mais qu'en est-il des fichiers RAW, vous demandez-vous. Si vous travaillez avec ces « négatifs » numériques, vous avez bien l'intention de les garder. Je suis fermement convaincu que tant que nous serons nombreux à garder ces fichiers, il y aura toujours des fabricants de logiciels pour s'en occuper. Sans oublier que les entreprises jurent qu'elles suivront leur propre format RAW tant qu'elles existeront. (Allez dire cela à tous ceux qui ont acheté le reflex numérique Konica Minolta, qui est aujourd'hui obsolète.)

Si vous êtes encore inquiet, Adobe a peut-être la solution : le format DNG, ou négatif numérique. Vos fichiers convertis en DNG seront toujours récupérables avec le logiciel RAW d'Adobe. C'est plutôt une bonne nouvelle, même si Adobe n'a pas accès aux codes des fabricants d'appareils photo et, par conséquent, ne vous assure

Il suffit de voir la pièce des serveurs d'archivage de Time Life pour se douter qu'ils n'ignorent rien des avertissements de sauvegarde.

Gardez les jeux de cache-cache pour vos enfants et non pour vos images perdues.

pas une aussi bonne conversion qu'avec le logiciel spécialement conçu pour votre appareil photo. Alors, que faire ? Ce ne serait pas une mauvaise idée de convertir de temps en temps vos coups de cœur en DNG, mais, à part ça, mieux vaut attendre pour voir.

Mes CD et DVD vont-ils se détériorer ?

La réponse est malheureusement et probablement : oui. Mais certains disques sont plus fiables que d'autres, et vous pouvez éviter des problèmes en prenant les bonnes mesures à temps.

Les DVD, pourtant si spacieux, sont pour le moment les moins fiables. Non seulement leurs formats changent constamment, mais une nouvelle technologie de plus grande capacité est toujours à l'horizon. Alors, si la bonne nouvelle est que les nouveaux formats de lecteurs DVD liront encore les anciens pendant un certain temps, la mauvaise est que les DVD sont fragiles. Il ne faut jamais plier un disque lorsque vous le retirez de sa boîte, car les DVD à haute densité se craquellent facilement, ce qui est dévastateur pour vos données et pour votre disque. Les DVD restent une bonne solution pour le court terme, mais pas pour le long terme.

Les CD, eux, utilisent une technologie beaucoup plus stable. Étant plus résistants aux craquelures, ils conviennent bien mieux à l'archivage. Les CD-R sont les plus stables, mais choisissez une bonne marque (comme Imation, Maxell, Verbatim, TDK ou, la moins connue, mais la plus populaire chez les pros, Matsui), puis rangez-les verticalement à l'abri de l'humidité.

La manière dont vous étiquetez vos disques joue aussi un rôle. Gribouiller sur les disques avec un stylo-bille peut abîmer la face lecture, et les feutres avec des encres à solvant peuvent entraîner des réactions chimiques. Pour ne pas prendre de risque, écrivez uniquement sur le centre en plastique et étiquetez la pochette clairement.

Les exceptions sont les CD et DVD gold. Manipulés correctement, ils pourraient, d'après Kodak, durer respectivement jusqu'à 300 et 100 ans. Delkin Devices dit la même chose de ses propres disques gold.

Mes mots clés, judicieusement ajoutés, pourront-ils être lus par d'autres logiciels ?

Si vous utilisez le système de catalogage ou de base de données intégré aux logiciels d'archivage, la réponse est probablement non. C'est le côté négatif de nombreux excellents organiseurs. Pour rendre les images accessibles selon les règles spécifiques de ce logiciel, vous devez utiliser leur système, ce qui veut dire que vous êtes coincé dans ce système, sauf si vous choisissez un programme, comme Photo Mechanic® ou Adobe Bridge® (intégré à Photoshop® CS3), qui vous permet de presque tout archiver avec des métadonnées. Les métadonnées comprennent les données EXIF, informations écrites dans le fichier et le concernant au moment de la prise de vue. EXIF stocke des informations comme la marque et le modèle de l'appareil photo, la vitesse d'obturation, la focale et la sensibilité. Elles comprennent aussi des données IPTC. Conçues à l'origine pour la presse, il s'agit de données que vous ajoutez vous-même : droits de reproduction, description de l'image ou mot-clé, titre, etc. Le grand avantage des métadonnées est qu'elles sont standards et lisibles sur Mac et sur PC. Les fichiers n'intègrent pas tous des métadonnées. L'inconvénient est alors qu'avec des fichiers d'un autre type que JPEG, TIFF et PSD (le format de Photoshop), vous devrez utiliser un autre système de mots clés. Vous n'aurez pas non plus des bases de données aussi souples dans la recherche, car vous disposerez d'un nombre limité de moyens pour décrire vos fichiers.

Donc, à vous de choisir : si vous êtes féru en création de base de données, cela peut valoir le coup de se vouer à un programme. Sinon, à condition de renommer vos fichiers à l'importation et de les ranger dans des dossiers bien organisés, vous avez la liberté de passer d'un programme à l'autre, indépendamment des métadonnées. Mais, si vous photographiez beaucoup sans avoir besoin de beaucoup de mots clés, un programme qui vous laisse trier par métadonnées peut être idéal.

Mes photos seront-elles réduites en poussière ?

Si elles sortent d'une imprimante à jet d'encre, la réponse est oui, probablement, mais pas forcément prochainement. Certains modèles assurent une meilleure longévité que d'autres. D'après le Wilhelm Research Institute, en conservant vos images sous verre, celles imprimées avec la jet d'encre Canon dureront 30 ans et plus, celles avec les imprimantes Photosmart HP 70 ans et plus, et celles avec les imprimantes à encres pigmentées Epson jusqu'à 200 ans. Là encore, la question est : combien de temps avez-vous besoin qu'elles durent ?

Si le tirage est à usage personnel, vous pourrez toujours en refaire un et, d'ici à la décoloration de votre photo, une nouvelle technologie assurera sans doute une plus longue vie à votre nouveau tirage. Si le tirage est à but commercial ou est l'objet d'un cadeau, choisissez une combinaison d'imprimante et de papier qui offre la meilleure qualité à long terme. Vous pouvez vérifier vous-même les statistiques sur *www.wilhelm-research.com* (en anglais).

NUMÉRISER PHOTOS, DIAPOS ET NÉGATIFS

Partons du principe que vous voulez tout numériser, y compris vos vieilles diapositives et photos. La première chose est de décider si vous le faites vous-même ou si vous confiez la tâche à quelqu'un d'autre. Si vous avez du temps, vous pouvez toujours essayer de le faire, à vos propres risques.

Commencez par acheter un scanner de film Nikon avec, pour quelque 450 euros de plus, un chargeur de diapositives en lots. Et, si vous ne coupez jamais vos négatifs (ou si vous travaillez en argentique et souhaitez garder votre pellicule en rouleau), vous pouvez acquérir un chargeur similaire pour négatifs. Bien sûr, sauf si vous pouvez vraiment y passer beaucoup de temps, mieux vaut être satisfait des réglages auto de votre scanner. Si vous n'avez pas le temps, la patience ou le désir de numériser vous-même, pourquoi ne pas confier ce travail à des pros ? Un site comme *www.photoseance.com* numérise tout, de la diapositive au négatif en passant par la vidéo VHS. Si vous avez, par exemple, 500 photos à numériser à 300 dpi et 1 000 diapos à numériser à 2 000 dpi

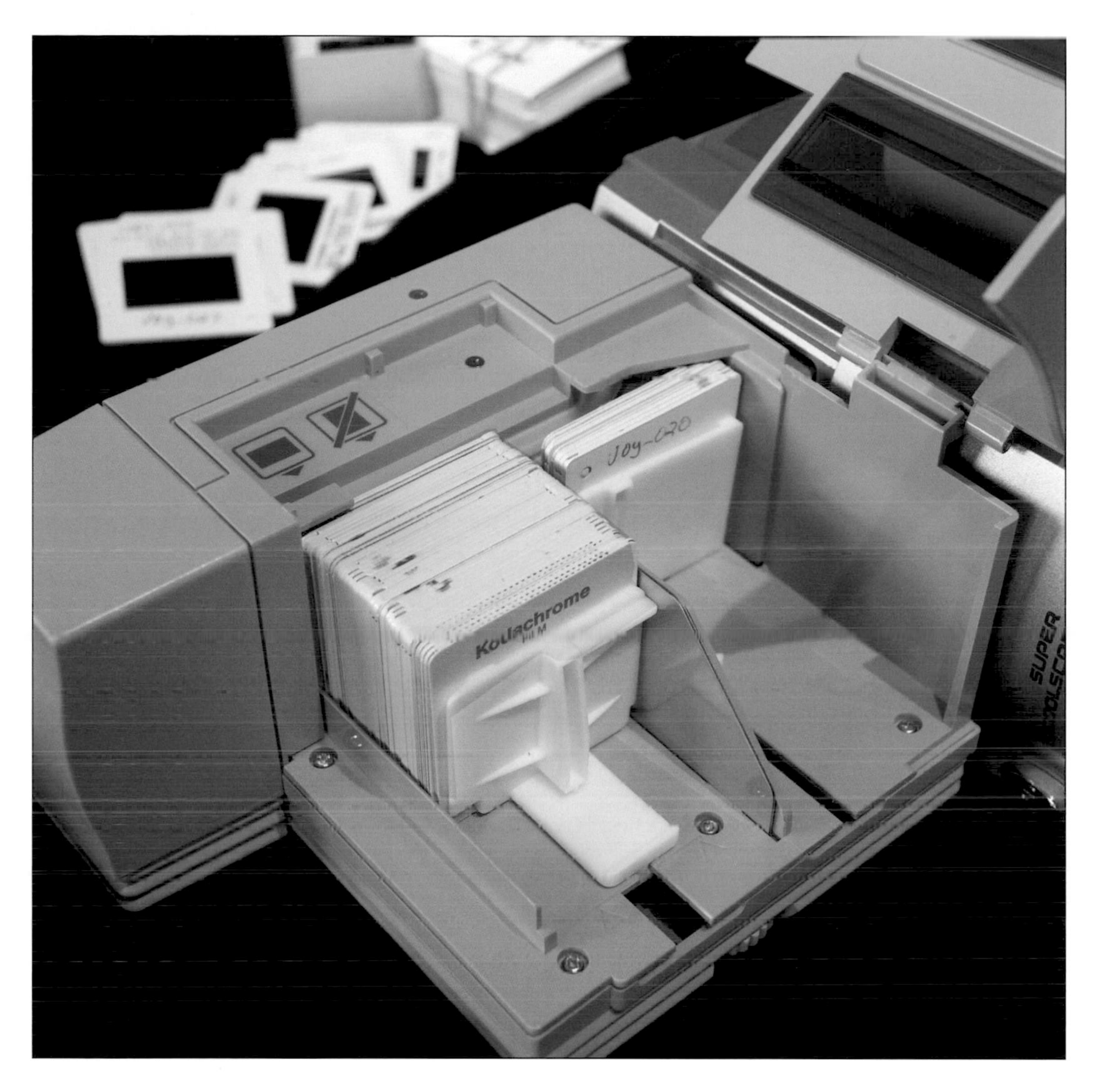

(pour assurer une bonne impression), ils vous factureront environ 525 euros. C'est-à-dire moins cher qu'un scanner et un chargeur, et cela quasiment sans travail de votre part. Une recherche rapide sur Internet des « services de numérisation en lots » vous dirigera vers les services disponibles. Avant de porter votre choix sur l'un ou l'autre, envoyez des échantillons à différentes adresses, puis vérifiez les numérisations pour vous assurer qu'elles sont nettes et relativement précises chromatiquement avant d'envoyer le reste. Et n'oubliez pas qu'il y a toujours un risque pour que vos travaux soient perdus ou endommagés au cours de l'expédition et de la livraison... Voilà pourquoi je demande toujours à ce que mes images et mes tirages me soient livrés séparément et à des jours différents, par précaution.

Ce scanner dispose d'un accessoire de chargement par lots.

NE JETEZ JAMAIS RIEN

La photographe Annie Griffiths Belt aime imprimer son travail. Chaque fois qu'on lui demande d'animer un atelier ou d'intervenir dans un séminaire, elle se replonge dans ses archives pour constituer une présentation de photos qui l'aide à narrer son histoire. En 2005, elle a complètement transformé son site, ce qui lui a donné une nouvelle occasion de travailler sur son œuvre.

Elle a découvert que son travail pouvait se découper en six chapitres bien définis : ses années au Moyen-Orient ; un livre sur la protection de l'environnement ; des articles sur le Pacifique ; un travail d'aide humanitaire dans plus de 30 pays ; l'Afrique ; et les États-Unis, où elle réside désormais. Elle conserve absolument tout de ses reportages. Sur le devant des tiroirs, elle garde les « sélections » et à l'arrière les « seconds choix ». Au fil du temps, un second choix peut passer au rang de « sélection ». Cela peut arriver pour diverses raisons : une bonne image ne rentrait pas dans la mise en page ou bien était hors sujet. En conservant ses originaux, Belt laisse son travail prendre de l'ampleur. Aujourd'hui, ses archives témoignent d'une vie riche et mouvementée, grâce à son accumulation méticuleuse.

Belt ne fait pas ses montages uniquement à des fins commerciales. Elle assemble son travail pour sa famille et pour elle-même autant que pour ses conférences. « Il y a des archives dans lesquelles je me retrouve », déclare-t-elle. Au cours de ses 30 années de carrière, Belt a aussi fait participer ses enfants autant que possible. Elle les a emmenés avec elle en voyage, en choisissant, pendant ses missions, des appartements et des maisons où ils pouvaient vivre une vie normale.

En 2005, Belt est passée aux appareils photo numériques, un changement, dit-elle, qu'elle sentait obligatoire. Maintenant, avec l'aide d'un assistant technique, elle se concentre une journée par semaine sur les diapositives qu'elle doit numériser et qui vont s'ajouter à la masse croissante de documents numériques qu'elle est en train de créer. Elle en profite pour trouver le moyen de mettre les six chapitres de sa vie et de son travail sur un disque dur. En 2008, elle a puisé dans sa collection pour composer un ouvrage intitulé *A Camera, Two Kids and a Camel* : ses Mémoires en images de sa vie itinérante de photographe du *National Geographic* et de mère de deux enfants.

Au cours de ses voyages, Annie Griffiths Belt a pris cette image spectaculaire d'une cascade de montagne dans le parc national de Fiordland, Nouvelle-Zélande.

Pour en savoir plus et avoir un aperçu de son travail pour *Life, Smithsonian, National Geographic, American Photo* et *Stern,* visitez *www.anniegriffithsbelt.com* (en anglais). Elle a aussi publié un livre avec Barbara Kingsolver *Last Stand America's Virgin Lands* et exposé à New York, Moscou et Tokyo, et elle collabore souvent avec l'organisation caritative Habitat pour l'humanité.

Chapitre 10

Applications photographiques

10 Applications photographiques

CRÉER SES PROPRES BANDES DESSINÉES

Il n'est pas toujours facile de trouver un moyen original de présenter ses photos. Les transformer en BD en est un. Des logiciels en rendent la création si facile que même votre chien pourrait le faire, comme l'annonce la société Plasq pour présenter Comic Life sur son site. L'idée de votre chien bavant sur votre ordinateur n'est pas forcément enthousiasmante, mais cette remarque n'est pas loin de la vérité. Le site de Comicbook Createur vous guide tout au long de la création de votre BD, avec des bulles, des *clip art* et différentes techniques pour ajuster l'aspect final. En fait, il n'y a que dans la prise de vue que ces programmes n'interviennent pas. Au final, vous obtenez une BD personnalisée, prête à envoyer par e-mail, à encadrer, ou pourquoi pas, pour créer un beau livre.

1. Choisissez vos images : des photos déjà prises que vous souhaitez transformer en BD ou des photos spécifiquement prises pour votre projet. Une fois que vous avez bien décidé de l'histoire que vous allez raconter, commencez. Téléchargez les photos de votre appareil sur votre ordinateur ou, si elles sont en papier, numérisez-les. Avec Comicbook Createur, mettez les images que vous souhaitez utiliser dans un dossier spécial auquel vous pourrez avoir accès à partir du programme ; leur guide en ligne vous accompagne. Avec Comic Life, vos images seront accessibles depuis votre bibliothèque iPhoto.

2. Avec Comicbook Createur, vous pouvez entrer le titre et le nom de l'auteur dès maintenant. Avec Comic Life, ce sera ultérieur. Les deux programmes vous proposent un gabarit, c'est-à-dire un nombre de cases et une mise en page spécifiques. Vous pourrez toujours ajouter des cases au gabarit retenu.

3. Mettez les images dans les cases selon l'ordre choisi. C'est le moment d'ajuster les dimensions de vos photos. C'est aussi l'occasion de vous amuser avec elles, d'ajouter des *clip art*, de les recadrer et de les retourner jusqu'à ce que vous soyez satisfait du résultat.

MATÉRIEL NÉCESSAIRE

- *Des photos/images en nombre variable selon l'ambition du projet.*
- *Un logiciel de création de BD, comme Comicbook Createur pour PC (*www.planet-widegames.com*) ou Comic Life pour Mac (*www.plasq.com*).*
- *Une imprimante photo.*
- *Du papier photo de bonne qualité.*

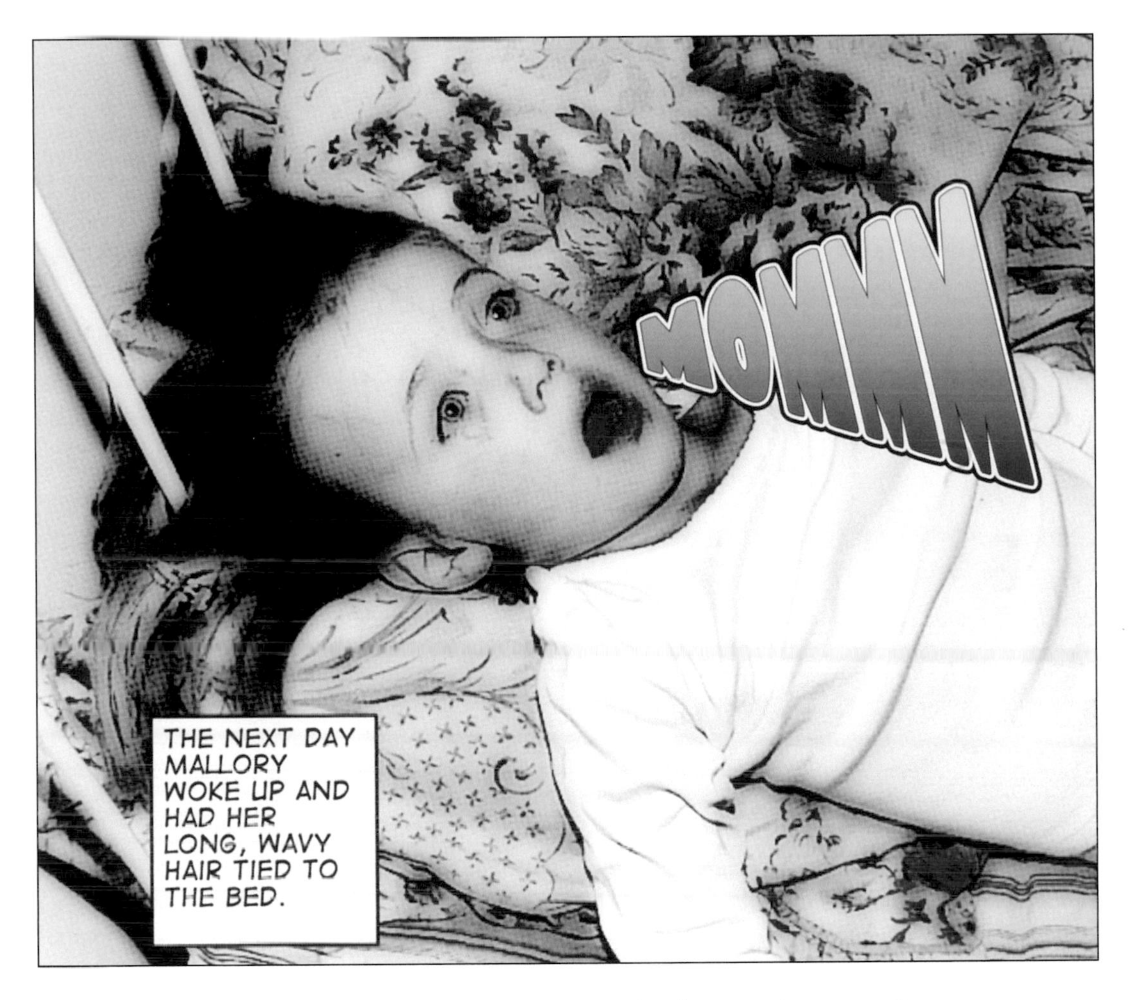

Max Cetta, 10 ans, a transformé un devoir d'école en BD.

4. Les bulles sont des éléments essentiels dans les bandes dessinées. Choisissez leur emplacement, leur taille et leur forme ainsi que le texte, évidemment.

5. À ce niveau, Comic Life permet d'appliquer certains effets spéciaux aux photos, comme le dessin au trait, pour renforcer l'aspect d'une bande dessinée.

6. Enfin, sauvegardez votre résultat pour l'imprimer sur du papier de bonne qualité ou sur du carton. Vous pouvez aussi l'envoyer par e-mail, le transférer sur votre site ou l'envoyer sur un des nombreux sites photos qui l'imprimeront et le relieront en album pour vous.
   Vous pouvez essayer, par exemple, *www.iphoto.com*, *www.kodak-galery.com*, *www.blurb.com*, *www.lulu.com*, *www.shutterfly.com* et *www.photoworks.com*.

TRANSFÉRER VOS PHOTOS SUR DES PÂTISSERIES

Qui saurait résister à un beau gâteau recouvert de glaçage ? L'effet est encore plus spectaculaire si l'on pose dessus une photo marquant l'événement : celle de la personne fêtée, de la future mariée ou de l'équipe de sport. Il est très facile de placer une photo sur un gâteau. Vous aurez besoin de cartouches d'encres alimentaires, de papier à base de riz, de pomme de terre ou de farine de maïs et d'une imprimante à jet d'encre uniquement consacrée à vos talents culinaires.

Il existe des boulangers et des chaînes de supermarché qui feront le travail pour vous. Il vous suffit de leur envoyer ou d'apporter la photo dans un format qu'ils peuvent exploiter (mieux vaut demander lequel avant). Si votre boulanger a un scanner, vous pouvez même apporter un tirage papier.

Plusieurs services en ligne existent pour les desserts photographiques, comme *www.tetesacroquer.com, www.photo-sur-gateau.com, www.annikids.com.*

MATÉRIEL NÉCESSAIRE

- *Des images, téléchargées ou numérisées sur votre ordinateur.*
- *Une imprimante : la plupart des cartouches d'encres alimentaires ne rentrent que dans les imprimantes Canon et seulement dans certains modèles ;* www.kopykake.com *(en anglais) propose des cartouches compatibles avec des imprimantes Epson.*
- *Des cartouches d'encres alimentaires :* www.tastyfotoart.com,www.kopycake.com, www.sugarcraft.com. *Assurez-vous que vous en avez assez pour ne pas tomber en panne en plein projet.*
- *Du papier comestible au format de votre projet (les sites cités ci-dessus les proposent aussi).*
- *Des gabarits pour recadrer vos photos afin qu'elles s'adaptent aux gâteaux : consultez les sites ci-dessus pour trouver les gabarits téléchargeables.*

1. Choisissez l'image et retouchez-la avec votre logiciel. Éliminez les yeux rouges, ajustez le contraste et la luminosité et rendez la photo aussi claire que possible. Retirez tout arrière-plan indésirable, car les photos les plus simples produisent un meilleur effet.

2. La plupart des sites Internet qui vendent les fournitures des gâteaux photos offrent aussi (souvent gratuitement) le logiciel qui vous guidera dans la création de votre photo. Après avoir décidé du format d'impression (rectangulaire, rond...), utilisez le gabarit pour ajuster la taille et la dimension de votre photo. Elle est prête à être imprimée.

3. Insérez les cartouches d'encre alimentaire dans votre imprimante à jet d'encre spéciale cuisine et chargez le papier comestible, puis imprimez votre photo dessert.

4. Une fois le gâteau recouvert de glaçage, décollez soigneusement la pellicule au dos de votre photo et placez cette dernière sur le dessus du gâteau. Le papier comestible s'applique mieux

Un gâteau photo a été préparé pour un anniversaire de mariage avec une photo du couple.

sur des glaçages moelleux de type crème au beurre. Si vous utilisez un glaçage aux blancs d'œufs, il est préférable de placer la photo avant le durcissement.

5. Si vous ajoutez des bougies, ou des décorations sucrées, choisissez leur emplacement avant de sélectionner la photographie car mieux vaut éviter d'enfoncer une bougie dans l'œil de la reine de la fête ou, plus généralement, sur son visage.

CALENDRIER DE VOS PHOTOS DE FAMILLE

Un calendrier de photos de famille est un excellent moyen de montrer les photos les plus récentes. Avec un logiciel de traitement de l'image courant, où vous trouverez généralement cette fonction, il est facile de créer un cadeau amusant, notamment pour ceux qui figureront sur les pages. Et l'hiver vous semblera bien moins long lorsque vous vous verrez sur la plage au mois d'août. Ne sortez jamais sans votre appareil photo, croyez-en ma vieille expérience. Chaque événement familial est une occasion, surtout si vous voulez y mettre beaucoup de monde.

MATÉRIEL NÉCESSAIRE

- *Des photos ou des images, soit numériques, soit numérisées sur votre ordinateur ou sur un disque.*
- *Un logiciel de traitement de l'image, comme iPhoto d'Apple pour Mac, Adobe Photoshop ou Picasa de Google pour PC.*
- *Un logiciel de calendrier comme Calendar Wizard (Alchemy Mindworks) ou Calendar Builder (RKS Software) pour PC, Print Shop pour Mac (Broderbund). Vérifiez d'abord si vous n'avez pas déjà sur votre ordinateur un logiciel de calendrier. Adobe Photoshop Album le propose, comme de nombreux programmes de traitement de texte.*
- *Du papier mat double face de bonne qualité.*
- *Une imprimante photo.*

1. Triez les photos à utiliser. Veillez à ce qu'elles soient dans le plus large format de fichier possible. En termes de qualité, il vaut mieux réduire une photo que l'agrandir. Sélectionnez le format JPEG haute résolution au moment de la prise de vue. À l'aide du programme de traitement de l'image, éliminez les yeux rouges, ajustez les réglages et recadrez. Ajoutez des légendes ou jouez avec les couleurs si vous en avez envie. Réalisez des montages si vous voulez mettre plusieurs photos par page. Choisissez la manière de les assembler : par événement, par anniversaire ou autres jours spéciaux du mois.

2. Créez le calendrier en utilisant le logiciel de votre choix. La plupart d'entre eux donnent les jours fériés, les heures d'hiver et d'été et le choix entre les fêtes religieuses. À ce niveau, vous pouvez utiliser votre logiciel pour ajouter les anniversaires de famille et autres grandes occasions, ainsi que pour choisir des polices, des couleurs et toute autre option graphique pour les pages du calendrier qui ne présentent pas de photographies.

3. Une fois les dates et les photos en place, vous êtes prêt à imprimer. Commencez par les photos, puis les pages de calendrier au dos des photos. Votre logiciel de calendrier devrait vous indiquer comment placer correctement les photos et les dates pour qu'elles se correspondent lorsque le calendrier sera accroché : mieux vaut que les photos choisies pour décembre apparaissent effectivement au-dessus du mois de décembre. Imprimez la photo de chaque mois au dos de la page de calendrier du mois précédent. Respectez les instructions de chargement de votre

Vous pouvez créer des calendriers sur des thèmes différents, par exemple le voyage ou la famille.

imprimante, pour ne pas finir avec des photos ou des calendriers montés à l'envers.

4. Enfin, reliez votre calendrier ou apportez-le chez le reprographe le plus proche. Si vous ne souhaitez pas de reliure spirale, vous pouvez aussi utiliser une perforeuse et des rubans ou des anneaux décoratifs.

Si vous n'êtes ni enthousiaste ni équipé pour vous occuper vous-même de l'impression, un certain nombre de sites peuvent le faire pour vous, si vous téléchargez vos photos sur leurs sites. Essayez par exemple *www.shutterfly.com, www.photoworks.com, www.snapfish.com, www.walmart.com, www.createphotocalendars.com...*

PHOTOS POP ART

Le pop art version grand public ne correspond pas tout à fait à ce qu'Andy Warhol faisait de ses célèbres portraits sérigraphiques de Marilyn Monroe et de Jacqueline Onassis, mais aujourd'hui, tout le monde peut obtenir (ou commander) des résultats similaires sur ordinateur. Ce n'est pas un original, mais ne préférez-vous pas accrocher un portrait pop art d'un proche plutôt que celui de Marilyn Monroe ? Avec des logiciels de traitement de l'image comme Adobe Photoshop®, vous pouvez « peindre » vos photos de la couleur souhaitée, les imprimer et les encadrer pour les accrocher ou en faire cadeau. Si vous voulez un vrai effet pop art, agrandissez-les, puis faites-les imprimer et tendre sur une toile.

1. Choisissez votre image judicieusement. Les portraits sont plus adaptés à ce type de projet, préférez donc une photo que vous aimez vraiment. Décidez du ton que vous voulez donner à votre photo : sérieux et sophistiqué, ou amusant et joyeux ? Une fois numérisée, ouvrez-la dans votre logiciel de traitement de l'image et convertissez-la en noir et blanc avec autant de contraste que possible.

2. Utilisez un détourage pour séparer le sujet de l'arrière-plan ou effacez tout simplement l'arrière-plan. Maintenant, vous pouvez travailler sur calques uniquement sur le sujet en appliquant les couleurs de votre choix.

3. Sélectionnez la couche arrière-plan et utilisez l'outil Peinture pour appliquer la couleur souhaitée. Veillez à bien remplir tous les espaces blancs.

4. Sélectionnez le sujet et, de nouveau, remplissez les espaces blancs à l'aide de l'outil Peinture et d'une ou plusieurs couleurs de votre choix. Sauvegardez votre travail fréquemment.

5. Si vous souhaitez imprimer plusieurs versions de l'image, dupliquez-la d'abord. Recommencez l'opération Peinture, en utilisant des couleurs différentes à chaque copie.

6. Copiez et collez chaque image ainsi obtenue dans un nouveau document, auquel vous donnerez le format final d'impression.

MATÉRIEL NÉCESSAIRE

- *Une image numérique (au moins 200 dpi, ou une photo numérisée à 200 ou 300 dpi au format).*
- *Un logiciel de traitement de l'image.*
- *Une imprimante jet d'encre ou laser.*
- *Du papier photo de bonne qualité.*

La famille Price a puisé dans ses photographies personnelles pour réaliser ces grands tirages numériques qui décorent le salon.

Ajustez les images pour leur donner l'orientation et la mise en page souhaitées.

7. Maintenant, vous pouvez imprimer votre image ou l'envoyer pour obtenir un tirage grand format.
   Des sites : *www.mydesign.com*, *www.formatdimpression.com* et *www.creadif.com*, imprimeront vos photos sur des toiles, ce qui leur donnera l'aspect d'une peinture ou d'une lithographie. N'oubliez pas d'examiner tous les choix de fond d'image qui vous sont proposés.

CRÉER UNE PHOTO PANORAMIQUE

De nombreux appareils photo numériques ont une option permettant de fusionner en une seule vue panoramique plusieurs photos prises en série et la création se voit directement dans votre viseur. Mais vous n'avez pas besoin d'avoir cette fonction sur votre appareil photo si vous aimez les panoramiques : en effet, différents logiciels vous permettent par ailleurs de créer des photos panoramiques soit pour les imprimer, soit pour les afficher en « réalité virtuelle » à 360°.

MATÉRIEL NÉCESSAIRE

- *Un appareil photo numérique.*
- *Un trépied : optionnel, mais conseillé.*
- *Un logiciel de traitement de l'image, comme iPhoto® d'Apple ou Picasa® de Google, ou un logiciel de raccord de photos, comme PanoPrinter (*www.immervision.com*) ou Panoweaver (*www.panoweaver.com*), en anglais, pour Windows ou Mac. Certains appareils photo numériques sont livrés avec un logiciel de raccord de photos, vérifiez sur votre ordinateur.*
- *Une imprimante photo.*
- *Du papier photo de bonne qualité.*

1. Une fois le sujet choisi, vous devrez prendre suffisamment de photos pour pouvoir les réunir en un panorama complet. Vous pouvez le faire avec ou sans trépied, mais un trépied vous garantira un horizon parfait. Prenez votre première photo, tournez l'appareil légèrement à gauche ou à droite, et prenez la photo suivante en gardant un peu de la vue précédente dans votre cadrage. Un certain chevauchement est nécessaire d'un côté comme de l'autre pour que le résultat soit parfaitement raccord. Continuez de photographier de cette façon, jusqu'à ce que toute la scène souhaitée soit dans votre photo finale.

2. Téléchargez les images prises sur votre ordinateur et importez-les dans votre logiciel de traitement ou de fusion de l'image. Dupliquez les photos sur lesquelles vous allez travailler et mettez-les dans un nouveau fichier. Ainsi, si vous voulez effectuer des modifications ou recommencer, vous ne risquez pas de perdre la version originale.

3. Si vous avez l'intention d'assembler vous-même vos images avec, par exemple, Photoshop® ou iPhoto®, il faut maintenant aligner vos images dans l'ordre souhaité et commencer à les chevaucher jusqu'à ce que vous obteniez la taille et la forme voulues. Votre programme est peut-être doté pour cela d'une fonction de fusion de photos ou de commande similaire. Avec l'outil Sélection, soulignez les chevauchements que vous souhaitez effacer, puis fusionnez les bords.

4. Dès que vous êtes satisfait de votre panorama, faites-en une copie et lancez la fusion. Vous pouvez recadrer votre image

pour harmoniser les raccords ou supprimer les éléments dont vous ne voulez pas sur la photo.

5. Si vous utilisez un logiciel de raccord, il vous suffit d'importer vos photos et de laisser faire le programme. Il vous faudra peut-être ajuster le raccord entre les photos, et retoucher le contraste et la luminosité de l'image. À ce stade, vous pouvez créer une image de réalité virtuelle à 360°, comme celle que vous trouvez sur les guides de voyage, les locations de vacances ou les ventes de maisons en ligne.

6. Maintenant, vous êtes prêt à imprimer chez vous ou à commander l'impression à votre magasin photo ou sur Internet. Quelque sites à tester : *www.extrafilm.fr*, *www.pixdiscount.fr*, *www.mypixmania.com* et *www.foto.com* en anglais et, en français, *www.extrafilms.fr*...

De nombreuses imprimantes grand public permettent d'imprimer sur de longues feuilles de papier, par exemple 21 x 110 cm. Si ce n'est pas le cas de la vôtre, vous pouvez toujours sélectionner l'option de repères d'impression dans votre logiciel de raccord d'images pour qu'il vous aide à diviser votre panorama en plusieurs parties que vous imprimerez séparément. Ensuite, collez soigneusement les tirages pour les encadrer ensemble. Si l'idée de collage et le risque de jonctions disgracieuses vous dérangent, vous pouvez encadrer les différents tirages séparément et les accrocher au mur côte à côte.

Robert Caputo a utilisé un logiciel de raccord de photos pour réaliser ce panorama d'un paysage de Pennsylvanie.

CRÉER UN POSTER MULTIPORTRAITS

Un poster montrant différents portraits de la même personne est du plus bel effet une fois encadré. Le format multi-portrait se prête parfaitement à la déclinaison d'un thème générique comme un voyage, des vacances, ou une année scolaire. Nous avons réalisé ce poster en utilisant Adobe Photoshop® CS3, un logiciel de traitement de l'image professionnel. Essayez de trouver sur votre propre logiciel les fonctions similaires.

1. Décidez du nombre de photos que votre poster comportera : 9 pour une disposition 3 par 3 ou 25 pour une disposition 5 par 5. Choisissez vos meilleures photos, avec un maximum d'expressions et d'humeurs contrastées. Veillez à ce que le sujet soit de la même taille sur chaque image, le fond devant être neutre et l'éclairage identique.

2. Téléchargez les photos et retouchez-les pour qu'elles se marient bien. Copiez-les dans un nouveau dossier, en les numérotant selon l'ordre d'apparition souhaité, de gauche à droite.

3. Dans le programme de traitement de l'image que vous utilisez (désormais, nous considérons qu'il s'agit de Photoshop® CS3), sélectionnez Planche contact II dans le menu Fichier. Choisissez le nombre de colonnes et de rangées. Désélectionnez « Utiliser le nom de fichier comme légende » et « Aplatir toutes les couches ». Sélectionnez une résolution de 300 dpi, choisissez le format de votre poster et cliquez sur OK.

4. Si vous voulez ajouter du texte, assurez-vous qu'il y a assez d'espace. Allez dans Taille du canevas dans le menu Image et choisissez la dimension du bord. Le menu Ancrage vous permet d'ajouter de l'espace où vous le souhaitez. Si vous ajoutez un bord, vous devrez redimensionner le fichier avant l'impression : sélectionnez l'option Taille de l'image dans le menu Image, puis entrez de nouveau les dimensions de votre poster. Laissez la résolution réglée sur 300 dpi.

5. Ajoutez du texte en sélectionnant le calque d'arrière-plan, avec l'outil Texte de la barre d'outils de Photoshop®.

MATÉRIEL NÉCESSAIRE

- *Un appareil photo numérique.*
- *Un logiciel de traitement de l'image.*
- *Du papier photo de bonne qualité et une imprimante.*

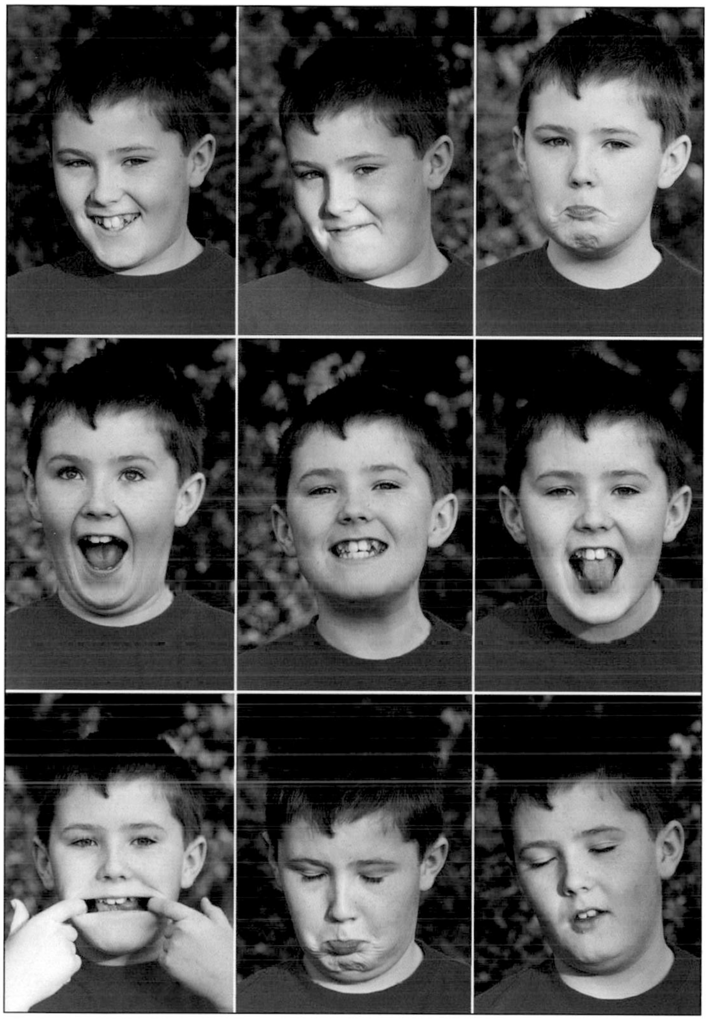

À droite : Bob Martin a réalisé ce poster à partir de photos de son fils.

6. Lorsque vous êtes satisfait du résultat, enregistrez-le comme fichier Photoshop afin de préserver les différentes couches au cas où vous souhaiteriez procéder à quelques ajustements. Puis enregistrez-le en fichier JPEG pour réduire sa taille si vous comptez l'envoyer à un service d'impression en ligne.

7. Si vous avez la chance d'avoir une imprimante grand format ou de pouvoir en emprunter une, vous êtes maintenant fin prêt pour le tirage. Mais si vous préférez confier ce travail à un autre, essayez *www.perfectposters.com*, *www.digiprintstore.com* et, en français, *www.leaderphoto.com*, *www.photobox.fr* ou encore *fr.foto.com*.

ORGANISER DES ALBUMS DE PHOTOS

Les boîtes à chaussures bourrées de photos ne sont pas idéales pour stocker vos images préférées, ni du meilleur effet sur votre table basse. Mais, grâce au numérique, tout le monde peut devenir maître dans l'art de l'album photo. Que vous soyez équipé d'un Mac ou d'un PC, vous trouverez une foule de sites qui vous permettra de créer des albums très simplement, qui les imprimeront et les relieront. C'est un excellent moyen de conserver vos photos de famille qui ne résisteront peut-être pas longtemps dans une boîte ou un album classique. Et puis, pensez à toutes les boîtes à chaussures que vous allez pouvoir recycler.

MATÉRIEL NÉCESSAIRE

- *Des images téléchargées de votre appareil photo sur votre ordinateur.*
- *Un scanner, pour numériser vos photos tirées sur papier.*

1. Choisissez les photos et mettez-les dans l'ordre d'apparition souhaité dans votre album : il est possible de les déplacer lorsqu'elles sont dans l'album, mais il est plus simple de travailler si elles sont déjà dans l'ordre voulu. À l'aide de votre logiciel de traitement de l'image, ajustez les couleurs, corrigez les yeux rouges et faites les éventuelles retouches.

2. Choisissez parmi les offres d'albums de photos. iPhoto d'Apple et Picasa de Google ont des programmes qui permettent de créer et de commander très facilement des albums. Il existe aussi de nombreux fournisseurs en ligne spécialisés, dont : *www2.snapfish.fr*, *monAlbumPhoto.fr* et *www.kodakgallery.fr*. Vous pouvez passer en revue ces sites pour comparer les prix, les choix de couleurs et les délais de livraison avant de prendre votre décision.

3. Vous aurez de nombreuses options de couverture, selon le service choisi. Votre album peut être petit ou grand, à couverture souple ou cartonnée, noire ou couleur. Certains sites proposent même des couvertures en cuir. Tout est question de goût et de l'utilisation souhaitée. Votre choix se portera peut-être sur une couverture cartonnée pour un cadeau, une souple pour un usage personnel. Prenez votre décision et passez au placement des photos.

4. Vous pouvez choisir le nombre de pages ainsi que le nombre de photos par page. Chaque page peut être différente : vous pouvez mettre une seule photo sur une page et en mettre

Les services d'albums de photos en ligne offrent un choix immense de styles.

plusieurs sur une autre. Il suffit de diriger votre curseur et de cliquer sur la mise en page souhaitée pour chaque page.

5. Ensuite, importez vos photos dans le programme et commencez à les placer sur les pages appropriées. Décidez quelles images seront côte à côte en fonction de l'histoire que vous voulez raconter dans votre album.

6. La plupart de ces services vous permettent d'entrer du texte à la fois sur la couverture et sur les pages. Réfléchissez bien à ce que vous allez écrire. N'oubliez pas que vous créez un album imprimé et non pas un album papier dont vous pourrez retirer certaines pages ou légendes.

7. Maintenant que le plus délicat est réalisé, décidez du nombre de copies souhaité, puis tapez sur la touche Commander. Vous n'avez plus qu'à attendre tranquillement que votre album arrive au courrier.

IMPRIMER DES PHOTOS CARTES DE VŒUX

Une photo transformée en carte de vœux est un moyen original d'annoncer un événement ou d'envoyer une invitation. En plaçant vos photos, votre imagination et vos talents en traitement de l'image, vous réaliserez une carte inédite. Un couple a créé le faire-part de naissance de son bébé en rendant hommage au disque *Meet the Beatles* de 1964. Nous allons voir comment ils ont fait, mais vous pouvez jouer avec les différents filtres et options de votre logiciel de traitement de l'image pour créer une carte en harmonie avec l'événement et qui reflète votre propre personnalité. Ajoutez de la texture ou colorez l'image en sépia pour lui donner une petite touche ancienne. Insérez vos sujets dans des affiches de vieux films ou dans des photographies célèbres. Vous pouvez vous amuser à l'infini avec vos photos numériques.

1. Les photos pour la carte façon Beatles ont été prises en noir et blanc avec un éclairage latéral. Chaque personne a été photographiée séparément. Si vos photos ne sont pas en noir et blanc, convertissez-les avec votre logiciel et ajustez le contraste et l'éclairage.

2. La mise en page de l'annonce sur la fausse pochette a été réalisée avec le logiciel Quark, mais si votre logiciel offre une option carte de vœux, utilisez-la. Choisissez les polices, les couleurs et les tailles ainsi que l'emplacement de votre photo et du texte.

3. Ouvrez les photos dans le logiciel de traitement d'image. Sur la photo de la maman, réduisez les épaules à la taille de celles du bébé et enregistrez l'image comme une nouvelle photo. Avec l'outil Contour, copiez la tête du bébé sur l'image réduite des épaules de la maman. Cela vous évitera de faire poser le bébé dans un col roulé noir.

4. Aplatissez les couches et convertissez en bichromie. Ajoutez un effet de grain avec les filtres qui soit dans l'esprit de la pochette d'origine du disque.

5. Mettez l'image dans votre mise en page de carte de vœux et imprimez-la, ou faites-la imprimer. De nombreux magasins photo s'en chargeront pour vous, ainsi que des sites comme *popcarte.com.*

MATÉRIEL NÉCESSAIRE

- *Une image de bonne qualité.*
- *Un logiciel de traitement de l'image comme Photoshop®.*
- *Une imprimante.*
- *Un stock de cartes imprimables de la taille, de la couleur et de la finition de votre choix.*

Un faire-part de naissance inspiré des Beatles et une invitation à un anniversaire inspirée d'un film, voilà quelques exemples des cartes créatives que vous pouvez réaliser à partir de vos photos de famille.

TRANSFÉRER DES PHOTOS SUR DES OBJETS

Grâce au papier de transfert photographique, il suffit, pour mettre vos photos numériques sur du tissu, de les imprimer et de les repasser au fer chaud. Et avec une légère retouche de vos photos, les possibilités sont infinies : le résultat dépend du type de papier utilisé. Avec le papier transparent, vous verrez la couleur du tissu à travers la photo. Si vous ne voulez rien voir à travers l'image, utilisez du papier opaque.

1. Utilisez votre logiciel pour accentuer les contrastes et éliminer les yeux rouges. C'est aussi l'occasion de modifier l'image transférée en ajoutant un ton sépia ou de vous servir d'autres filtres et effets pour vieillir ou rehausser votre photo.

2. Redimensionnez la photo à la taille du vêtement choisi. Mesurez précisément l'endroit où vous voulez coller le transfert et adaptez-y la photo.

3. Si votre photo comporte du texte ou si vous souhaitez la voir exactement sur le vêtement comme à l'écran, utilisez la fonction Inverser ou Miroir avant d'imprimer.

4. Faites un essai d'impression sur du papier normal pour vérifier que la photo est bien inversée et aux bonnes dimensions. C'est aussi l'occasion de vérifier l'effet que produira l'image sur le support choisi et d'apporter éventuellement une modification.

5. Imprimez sur du papier de transfert. Coupez tous les éléments qui dépassent.

6. Lisez les instructions données avec le papier avant de passer le fer. Utilisez le réglage le plus chaud et coupez la vapeur. Repassez le vêtement pour éliminer tous les plis avant d'appliquer le transfert. Respectez la durée indiquée pour l'application. Chronométrez-vous précisément pour éviter toute erreur. Pressez doucement, mais fermement, en déplaçant continuellement le fer pour éviter de brûler le papier. Veillez à ne pas arracher les bords du papier avec la pointe ou le talon du fer. Lorsque le temps nécessaire est écoulé, placez votre vêtement sur une surface plane et froide. Avec la plupart

MATÉRIEL NÉCESSAIRE

- *Une image numérique.*
- *Un logiciel de traitement de l'image.*
- *Du papier transfert à appliquer à chaud (disponible entre autres chez HP, Canon et Epson).*
- *Un vêtement qui ne déteint pas, propre, en coton de préférence.*
- *Un fer à repasser.*
- *Une surface dure pour passer le fer (la planche à repasser ne convient pas, utilisez le plan de travail de la cuisine ou une table résistant à la chaleur).*
- *Une taie d'oreiller pour protéger la table.*

Des laisses de chien, des tabliers, des sacs de change bébé et des T-shirts sont quelques exemples des objets que vous pouvez personnaliser.

des papiers, il faut attendre qu'ils soient complètement refroidis avant d'enlever le support. Alors seulement, enlevez lentement le support pour éviter de tirer sur l'image.

Vous avez aussi la possibilité de confier l'impression et le transfert à des services de photos en ligne qui proposent différents supports : T-shirts, des tabliers et des cabas ou qui vous permettent d'ajouter du texte et de mieux personnaliser vos vêtements. Vous pouvez essayer, à titre indicatif, les sites *www.kodakgallery.fr* ou encore *www2.snapfish.fr*.

11 Informations pratiques

MAGAZINES, JOURNAUX ET SITES INTERNET

01.net
Site pour s'informer et choisir son appareil photo numérique, avec de nombreux bancs d'essai.
www.01net.com

Absolut Photo
Magazine en ligne très complet qui propose des cours, des informations sur l'actualité de la photographie numérique, des tests d'appareils et des guides de retouche d'images ainsi que de nombreux liens très utiles.
www.absolut-photo.com

American Photo
Ce magazine mensuel présente les tendances actuelles de la photographie et les portraits de photographes importants. Des pros y donnent aussi des conseils pratiques.
Site en anglais.
www.americanphotomag.com

ArtPhoto
Magazine d'art contemporain international qui consacre ses rubriques aux travaux photographiques, à la vidéo et aux nouveaux médias.
Site en anglais.
www.artphoto.ro

Black + White
Ce magazine montre chaque mois ce qui se fait de mieux dans la photographie contemporaine, la mode, le design et la culture populaire.
Site en anglais.
www.bandwmag.com

Camera Arts
Magazine donnant non seulement des conseils de pros, mais aussi des informations sur les salons annuels et les festivals du monde de la photo.
Site en anglais.
www.cameraarts.com

Chasseur d'images
Magazine photo, vidéo et image numérique avec beaucoup d'infos, de petites annonces, l'argus, la cote de l'occasion, l'actualité du photojournalisme, des tests et bancs d'essai d'appareils photo.
www2.photim.com/info

Communication Arts
Ce magazine mensuel de haute qualité est destiné aux mondes de la photographie et du design. Ses portraits détaillés et ses analyses des tendances approfondies en font une adresse fort utile.
Site en anglais.
www.commarts.com

Daylight Magazine
Magazine bisannuel édité par la société Daylight Community Arts Foundation, une organisation qui encourage les partenariats à fins documentaires aux quatre coins du monde.
Site en anglais.
www.daylightmagazine.org

Déclic photo
Magazine dédié à la photographie, avec de nombreuses rubriques pratiques.
www.viapresse.com

Digital Photo Pro
Ce magazine mensuel destiné au photographe numérique professionnel présente des portraits détaillés, des portfolios et des bancs d'essai de matériel.
Site en anglais.
www.digitalphotopro.com

Documentography
Ce collectif de 6 photographes installés à Londres et à Paris consacre son site au reportage, notamment à fins sociales et politiques.
Site en anglais.
www.documentography.com

Dpreview.com
Ce site publie des bancs d'essai des tout derniers équipements sortis dans le domaine du numérique.
Site en anglais.
www.dpreview.com

EOS Magazine
Destiné aux détenteurs d'appareils photo EOS, ce magazine informe sur les différentes techniques et possibilités.
Site en anglais.
www.eos-magazine.com

European Photography Magazine
Ce magazine d'art international spécialisé dans la photographie contemporaine et les nouveaux médias est un important forum où se mêlent images et idées.
Site en anglais.
www.equivalence.com

EuropePress.com
Ce service en ligne, destiné aux photographes, informe sur les dernières technologies, les salons, la vente et permet de créer ses portfolios.
Site en anglais.
www.europepress.com

Exit
Publié à Madrid, ce nouveau magazine trimestriel bilingue (espagnol/anglais) se consacre à la photographie contemporaine.
www.exitmedia.net

Forum Photo.net
Ce forum est spécialisé sur les matériels et les techniques, avec des rubriques pour publier ses photographies.
www.forums-photo.net

Foto8
Lancé en 1998 par le photographe Jon Levy, ce magazine et site réputé publie des reportages réalisés par des photographes indépendants du monde entier.
Site en anglais.
www.foto8.com

Galerie-photo
Le site français de la photographie haute résolution.
www.galerie-photo.com

Geo
Magazine de découverte de la planète, avec de nombreuses photos exclusives et des rubriques pratiques.
www.geomagazine.fr

Grands Reportages
L'exploration du monde avec ce mensuel richement illustré en photographies de grande qualité.
www.grands-reportages.com

Kelkoo
Matériel, bancs d'essai.
www.hifiphotovideo.kelkoo.fr

Leica Fotografie International
Ce magazine traite des aspects pratiques et techniques de la photographie 24 x 36 avec les systèmes Leica. Les informations données concernent aussi bien les développements en numérique qu'en argentique.
Site en allemand et en anglais.
www.lfi-online.de

LensWork
Ce magazine bimensuel se consacre à l'art de la photographie et au processus créatif.
Site en anglais.
www.lenswork.com

Le Photographe
Ce magazine mensuel, publié par BePUB.com, s'adresse à tous les professionnels créatifs en photographie, imprimerie, communication, multimédia. Nombreux articles de fond et bancs d'essai photographiques.
www.viapresse.com

Musarium
Ce site présente des reportages photo interactifs sur des sujets allant de la naissance aux bars à cigares en passant par la décennie Watergate.
Site en anglais.
www.musarium.com

National Geographic
Ce magazine mensuel est composé de reportages photographiques réalisés dans le monde entier. Le site est remis à jour quotidiennement avec la photo du jour, les galeries de photos et des conseils donnés par les meilleurs photographes du monde.
www.nationalgeographic.fr (en français)
www.nationalgeographic.com (en anglais)

News Photographer
Édité par la National Press Photographers Association (NPPA), ce magazine traite du photojournalisme et du reportage télévisé.
Site en anglais.
www.nppa.org

Nikon

Le site Nikon donne des informations sur la photographie, l'équipement et les techniques des photographes qui travaillent avec du matériel Nikon.

www.nikon.fr (en français)

www.nikonworld.com (en anglais)

Outdoor Photographer

Ce magazine de photographie est destiné aux amoureux de la nature, du voyage et du paysage. Il comprend aussi des dossiers sur les équipements et des portfolios. Site en anglais.

www.outdoorphotographer.com

Parlons photo

Forum de discussions portant sur la photographie numérique, qui offre des rubriques telles que des annonces classées, le matériel photo et les techniques.

www.parlonsphoto.com

Photo

Mensuel de la rencontre entre l'art et la technique avec, chaque mois, un thème différent traité par de grands professionnels et des informations pratiques (matériel, méthodes de prise de vue).

www.photo.fr

Photo Archive News

Photo Archive News est un magazine en ligne, indépendant, qui traite les informations et les sujets pouvant intéresser les bibliothèques, les agences et les collections de photographies.
Site en anglais.

www.photoarchivenews.com

Photograph

Cette revue est un guide bimensuel sur les expositions nationales et internationales, les marchands, les ventes aux enchères et les événements se déroulant à New York.
Site en anglais.

www.photography-guide.com

Photographer's Forum

Ce magazine annuel est consacré aux photographies prises par les gagnants du concours qu'il organise chaque année au printemps.
Site en anglais.

www.serbin.com

Photographers International

Paraissant deux fois par mois à Taiwan, avec des textes en anglais et en chinois, ce magazine a publié des portfolios de plus de 300 photographes, la plupart de réputation internationale. Il s'efforce également de faire une place à des talents moins connus.

À commander sur le site www.falsten.com (en anglais)

PhotoMedia Magazine

Ce magazine vise les photographes confirmés et les artistes qui travaillent à partir de photographies. Chaque numéro comporte des articles instructifs autour d'un thème central.
Site en anglais.

www.photomediagroup.com

Photosapiens.com

Magazine en ligne sur les appareils photo numériques, les services pour les photographes et sur l'actualité culturelle de la photographie. Également un service de partage photo grand public et d'hébergement pour les photographes.

www.photosapiens.com

Photovision Magazine

Les articles parus dans ce magazine qui n'existe plus sont toujours consultables sur ce site où se trouvent également des interviews de sommités comme Jerry Uelsmann, des conseils et des critiques de livres.
Site en anglais.

www.photovisionmagazine.com

Picture

Ce magazine bimensuel, édité à New York, donne des informations sur les événements, des portraits de photographes et des revues de presse.
Site en anglais.

www.picturemagazine.com

Picture-Projects

Ce studio fondé en 1995 et situé à New York utilise les nouvelles technologies média, audio et la photographie documentaire pour étudier les problèmes sociaux complexes, comme le fonctionnement de la justice américaine en matière de crime, un reportage interactif en cours sur le World Trade Center ou le Kurdistan, pour n'en citer que quelques-uns.
Site en anglais.

www.picture-projects.com

Pixmania.com
Un site pour choisir son appareil photo numérique.
www.pixmania.com

PLUK Magazine
Dans chaque numéro de PLUK, acronyme de Photography in London, United Kingdom, se trouvent des critiques d'expositions, des interviews, des annonces de salons et d'événements, des critiques de livres et de nombreuses informations sur l'industrie.
Site en anglais.
www.plukmagazine.com

Réponses photo
Un magazine mensuel essentiellement pratique pour les adeptes de la photographie.
www.kiosquemap.com

Reportage
Auparavant revue primée des années 1990, le site de Reportage continue de répertorier et de mettre à jour certains des meilleurs articles du monde du photojournalisme international.
Site en anglais.
www.reportage.org

ReVue
Créé par 10 photographes indépendants, ce magazine en ligne propose des portfolios, des articles sur la photographie couleur et noir et blanc, et des interviews.
Site en français et en anglais.
www.revue.com

Shots Magazine
Journal trimestriel fonctionnant grâce à ses lecteurs : sur des thèmes précis, il sollicite leurs travaux photographiques.
Site en anglais.
www.shotsmag.com

Shutterbug
Ce site fournit des informations techniques détaillées, des articles sur les appareils photo et des galeries en ligne.
Site en anglais.
www.shutterbug.net

Téléobjectif
Magazine en ligne.
www.en-print.fr

Terre sauvage
Mensuel de la nature animé par de grands photographes.
www.terre-sauvage.com

The Art List
Cette lettre d'informations mensuelle en ligne donne la liste des concours de photographie et d'art organisés aux États-Unis.
Site en anglais.
www.theartlist.com

The Digital Journalist
Ancien photographe du Time, Dirck Halstead a créé ce magazine mensuel en ligne à l'intention des photojournalistes pour y parler de leur profession à l'ère du numérique.
Site en anglais.
www.digitaljournalist.org

Time
Ce magazine hebdomadaire publie continuellement des sujets photo et des œuvres photographiques novatrices réalisées par certains des meilleurs photojournalistes.
Site en anglais.
www.time.com

View Camera
Ce magazine bimensuel dédié à la photographie grand format propose des articles sur les techniques de chambre noire et un concours annuel.
Site en anglais.
www.viewcamera.com

Zoom
Foisonnant de photographies, d'annonces de galeries et d'expositions à travers le monde ainsi que d'informations sur le monde de la photo, ce magazine/site s'avère une mine d'informations précieuses.
Site en anglais.
www.zoom-net.com

ZoneZero
Le photojournaliste Pedro Meyer a créé ce site pour encourager la confraternité et créer un espace galerie pour les photographes.
Site en anglais et en espagnol.
www.zonezero.com

ÉDITEURS SPÉCIALISÉS DANS LA PHOTOGRAPHIE

Actes Sud, collection « Photo Poche »
Devenue une référence dans l'histoire du livre de photographie, la collection « Photo Poche » poursuit son travail de dévoilement des grands noms, courants et écoles de l'histoire de la photographie.
www.actessud.fr

Assouline
Assouline publie des beaux livres sur la photographie et l'art, avec une nouvelle conception intéressante du livre cadeau. À noter particulièrement une histoire complète de la photographie en 4 volumes.
www.assouline.com

Delpire éditions
Robert Delpire publie dès le début des années 1950 les œuvres de Cartier-Bresson, Brassaï, Doisneau, Lartigue, Bischof... et, en 1958, le livre de Robert Frank, *Les Américains*. Nombreux ouvrages de référence.
www.delpire.fr

Dewi Lewis
Cette maison d'édition britannique a publié les œuvres de Simon Norfolk, Thomas Hoepker et Stephen Dupont, pour n'en citer que quelques-uns.
Site en anglais.
www.dewilewispublishing.com

Distributed Art Publishers, Inc.
Cette société distribue et édite parfois des livres d'art vendus dans les musées et les magasins spécialisés. Ses livres ont pour thèmes la photographie, l'art, l'architecture, la mode, le design et la critique d'art.
Site en anglais.
www.artbook.com

Éditions Filigranes
Cette maison d'édition spécialisée dans l'édition photographique et l'édition d'artistes poursuit un cheminement original et audacieux. Sa démarche éditoriale tend à conjuguer, dans des livres singuliers, l'image et l'écriture, faisant ainsi se croiser les regards et les sensibilités d'auteurs photographes, d'artistes et d'écrivains contemporains.
www.filigranes.revue.com

Éditions Marval
Tout d'abord spécialisé en art contemporain, le catalogue Marval s'est peu à peu tourné vers les livres de photographie à la qualité d'impression rigoureuse, s'approchant au plus près de la volonté artistique des auteurs. Le grand public découvrira *Marval* grâce à quelques ouvrages à grand succès comme *Le Jazz de J à ZZ* de Guy Le Querrec, ou *New York 1954-55* de William Klein.
www.marval.com

Nazraeli Press
Éditrice de livres d'art, cette équipe s'est particulièrement spécialisée dans le paysage (Robert Adams, Michael Kenna, Jerry Uelsmann), la photographie japonaise et les monographies contemporaines.
Site en anglais.
www.nazraeli.com

Phaïdon
Pendant plus de 75 ans, cet éditeur s'est spécialisé dans l'art, la mode, le cinéma, la photographie, le design et la culture populaire. Son livre le plus célèbre, *The Art Book*, publié en 1994, présente plus de 500 styles d'art.
Site en anglais.
www.phaidon.com

Powerhouse Books
Cette maison d'édition publie fréquemment des livres sur la photographie, à la fois novateurs et de référence pour la profession.
Site en anglais.
www.powerhousebooks.com

Rizzoli/Universe
Rizzoli publie des livres sur l'architecture et le design, des monographies, des ouvrages sur la nature et des œuvres photographiques spirituelles, dans l'air du temps.
Site en anglais.
www.rizzoliusa.com

Taschen
Taschen a publié les anciens (Edward Weston, Man Ray, Edward Curtis), les nouveaux (Pierre et Gilles, Wolfgang Tillmans) et l'avant-garde (Helmut Newton, Terry Richardson).
Site en anglais.
www.taschen.com

Thames and Hudson
Cette société est l'une des plus grandes maisons d'édition spécialisées dans l'art, l'architecture, le design et la photographie.
Site en anglais.
www.thameshudson.co.uk

Twin Palms
Depuis plus de 20 ans, cet éditeur conçoit de superbes livres, notamment sur les premières œuvres de Duane Michals, Robert Mapplethorpe, Debbie Fleming Caffery et Joel-Peter Witkin.
Site en anglais.
www.twinpalms.com

Sites de recherche d'ouvrages de photographie
www.alapage.com
www.amazon.fr
www.chapitre.com
www.fnac.com

ÉVÉNEMENTS AU FIL DES MOIS

Janvier

Fotofusion (États-Unis)
Créé par certains des rédacteurs photo et des photographes les plus connus des magazines *Time* et *Life*, ce rendez-vous annuel propose des cours, des expositions et des conférences donnés par les photographes actuels les plus en vogue. Il est accueilli généralement par le Centre photographique de Palm Beach, en Floride, la 2e semaine de janvier.
Site en anglais.
www.fotofusion.org

PHOTOL.A. (États-Unis)
Plus de 70 galeries et marchands d'art présentent des œuvres allant de la photographie du XIXe siècle à des tirages numériques contemporains. Des conférenciers du monde de l'art y participent également.
Site en anglais.
www.photola.com

Février

AIPAD (États-Unis)
Organisation dédiée à l'exposition, l'achat et la vente de photographies, AIPAD sponsorise une exposition annuelle à New York pour ses membres et les marchands d'art internationaux afin d'y montrer la photographie d'art et d'archive.
Site en anglais.
www.aipad.com

The Armory Show (États-Unis)
Installé à New York, ce grand Salon est une vitrine du marché international de la photographie et de l'art.
Site en anglais.
www.thearmoryshow.com

Mars/avril

Festival de l'oiseau et de la nature (France)
En baie de Somme, superbe manifestation centrée sur l'oiseau, pour professionnels de la photographie et non initiés.
www.festival-oiseau.asso.fr

Festival de la photographie de Toronto (Canada)
Les exposants de l'industrie et les photographes se mêlent aux universitaires. Des cours et des expositions sont proposés pendant 4 jours.
Site en anglais.
www.contactphoto.com

FotoFest (États-Unis)
La ville de Houston se consacre pendant un mois à la photographie, avec des expositions de photos ou d'art fondé sur la photographie, des présentations de portfolios, des ateliers.
Site en anglais.
www.fotofest.org

Works on Paper (États-Unis)
Les exposants ne peuvent participer à ce Salon annuel qu'après acceptation de leur dossier et de leur portfolio.
Site en anglais.
www.sanfordsmith.com

Mai

Photo-London (Grande-Bretagne)
Lancé en 2004, ce festival annuel attire un superbe tableau de participants européens. Coïncidant avec les ventes aux enchères de photographies qui se tiennent dans la capitale, Photo-London devient, pendant un mois, la plate-forme des événements à sujet photographique, avec des conférences un peu partout, du Victoria and Albert Museum à l'est de Londres.
Site en anglais.
www.photo-london.com

Juin

Foire de Bièvres (France)

Rendez-vous international pour les appareils d'occasion et de collection pendant le 1er week-end du mois.

http://www.foirephoto-bievre.com

Juin/juillet

Art 38 Basel (Suisse)

Organisé à Bâle, ce festival a été surnommé « Les JO du monde de l'art » par le *New York Times*. C'est un rendez-vous annuel des galeries du monde entier.
Site en anglais.

www.artbasel.com

PhotoEspana (Espagne)

Le festival international de la photographie et des arts visuels transforme Madrid en capitale de la photographie pendant un mois et demi. Certains des plus grands noms de la photographie contemporaine, comme James Nachtwey ou William Klein, s'y retrouvent chaque été.
Site en espagnol et en anglais.

www.phedigital.com

Rencontres internationales de la photographie d'Arles (France)

Ce festival annuel attire tous les amateurs d'art contemporain ainsi que les photojournalistes.

www.rencontresarles.com

Juillet

Rhubarb Festival (Grande-Bretagne)

Les éditeurs et les commissaires rencontrent les photographes dont les portfolios ont été sélectionnés au cours de ce rendez-vous annuel à Birmingham, Angleterre. Il est également possible de suivre des conférences de personnalités invitées.
Site en anglais.

www.rhubarb-rhubarb.org

Août/septembre

Encuentros Abiertos Festival de la Luz (Argentine)

Organisé à Buenos Aires, ce festival propose pendant un mois des expositions, des projections et des conférences sur la photographie internationale moderne.
Site en espagnol et en anglais.

www.encuentrosabiertos.com.ar

Visa pour l'image (France)

Un ancien rédacteur photo de *Paris Match* a créé ce festival qui se tient à Perpignan chaque année, il constitue un véritable pôle d'attraction pour les éditeurs et les photographes travaillant dans le photojournalisme. Une place d'honneur est notamment faite aux articles non encore publiés.

www.visapourlimage.com

Septembre/octobre

Festival de la photo de Berlin (Allemagne)

En phase de devenir l'un des hauts lieux de la photographie en Europe, Berlin accueille un festival de photographie avec des rendez-vous, des expositions et des conférences. Il est financé par le gouvernement et des sociétés privées.
Site en allemand et en anglais.

www.berlin-photography-festival.de

Fotoseptiembre (États-Unis)

Cette exposition qui se tient à San Antonio et dans d'autres villes du Texas promeut chaque année l'art et le marché de la photographie tout en encourageant de nouveaux artistes.
Site en anglais.

www.safotofestival.com

IFA (Allemagne)

Grand salon international berlinois d'électronique grand public, avec une très belle partie consacrée aux fabricants photo.

www.ifa-berlin.de

Mois de la photo à Montréal (Canada)

Sous la direction d'une personnalité différente du monde de l'art à chaque fois, cette biennale rassemble les artistes, les commissaires et autres spécialistes de l'image pour étudier ses transformations dans notre culture contemporaine.

www.moisdelaphoto.com

Noorderlicht Photofestival (Pays-Bas)

Ce festival photographique annuel se tient en alternance dans deux villes néerlandaises, Groningen et Leeuwarden. Tous les anciens gagnants et les expositions depuis 1997 se trouvent sur le site.
Site en anglais et néerlandais.

www.noorderlicht.com

Photokina (Allemagne)
La grand-messe de la photographie a lieu tous les 2 ans à Cologne, à l'automne, et rassemble pas moins 160 000 visiteurs venant de 140 pays, et 1 600 exposants représentant plus de 50 pays.
www.photokina-cologne.com

PhotoPlus expo (États-Unis)
Durant ce congrès annuel qui se tient à New York, les fabricants de matériel, les vendeurs d'appareils photo, les agents et les photographes se côtoient pour partager les dernières informations technologiques. Des séminaires sont organisés avec des invités pour discuter des problèmes d'actualité.
Site en anglais.
www.photoplusexpo.com

Octobre

Festival mondial de l'image sous-marine (France)
Site du Festival mondial de l'image sous-marine, Antibes-Juan-les-Pins rassemble chaque année des cinéastes, photographes, vidéastes, musiciens...
www.underwater-festival.com

Festival photographique d'Helsinki (Finlande)
Ce festival, qui est le plus ancien événement photographique en Finlande, est le lieu de rencontre de la photographie britannique et finlandaise moderne.
Site en anglais et en finnois.
www.helsinkiphotographyfestival.net

Festival photographique de Hereford (États-Unis)
Créé en 1989, ce rassemblement annuel fait de Hereford un centre photographique connu pour ses programmes événementiels et ses ateliers tout au long de l'année. Des photographes contemporains sont invités à intervenir.
Site en anglais.
www.photofest.org

Photo New York (États-Unis)
Plus de 40 exposants dont des galeries, des marchands d'art et des artistes venus du monde entier présentent les plus belles œuvres contemporaines, photographiques ou à base de photographies.
Site en anglais.
www.photonygalleries.com

Salon de la photo (France)
Anciennement Salon multimédia image photo son (MIPS), ce Salon se tient à Paris. Équipement, surtout grand public.
www.mondial-image-photo-son.com

Octobre/novembre

Festival international de la photographie animalière et de nature (France)
Ce festival qui se tient à Montier-en-Der, en Champagne, accueille près de 30 000 visiteurs passionnés par le spectacle de la faune sauvage du monde entier et présente 1 300 photos. Il s'agit de la plus grande manifestation au monde dans ce domaine.
www.festiphoto-montier.org

Festival photographique de Lianzhou (Chine)
Des expositions et des séminaires se tiennent dans la ville de Lianzhou, dans la province du Guangdong.
www.izphotofestival.com

FotoNoviembre (Espagne)
Cette exposition se tient tous les ans à Ténériffe, une des îles Canaries.
Site en espagnol et en anglais.
www.fotonoviembre.com

Mesiac Fotografie (Slovaquie)
Ce festival photographique annuel, qui offre des présentations de portfolios de photographes amateurs et professionnels, se tient à Bratislava.
Site en anglais et en slovaque.
www.sedf.sk

Mois européen de la photographie à Cracovie (Pologne)
Cette exposition annuelle présente des rétrospectives de portfolios, un invité d'honneur et des expositions sélectionnées par un jury composé également de commissaires.
Site en anglais et en polonais.
www.photomonth.com

Mois de la photo (France)
Depuis sa création en 1980, le Mois de la photo a fortement contribué à faire de Paris une des grandes capitales de la photographie. Il a lieu en novembre, tous les deux ans, les années paires, et s'appuie sur une importante mobilisation des institutions culturelles et des galeries parisiennes.
www.mep-fr.org

Paris Photo (France)
Chaque année, au mois de novembre, Paris Photo accueille des centaines de galeries et d'éditeurs du monde entier au Carrousel du Louvre.
Le Salon présente clairement les tendances du marché pour les amateurs d'art et les collectionneurs.
www.parisphoto.fr

Décembre

Art Basel/Miami Beach (États-Unis)
Apparenté à Art 38 Basel, cet événement annuel attire plus de 150 galeries qui viennent du monde entier montrer de nouvelles œuvres d'art et des artistes émergeant dans le domaine de l'art, de la photographie, de l'architecture et du design.
Site en anglais.
www.artbaselmiamibeach.com

BOURSES, PRIX ET CONCOURS

(LES DATES LIMITES D'INSCRIPTION CONNUES SONT INDIQUÉES ENTRE PARENTHÈSES)

Association 3P (octobre)
L'association 3P, fondée par Yann Arthus-Bertrand, auteur de *La Terre vue du ciel*, décerne une bourse après examen des portfolios par un jury composé de photographes reconnus.
Site en français et en anglais.
http://3p.iotanet.net

Fondation HSBC pour la photographie
La vocation de la Fondation HSBC pour la photographie, créée le 24 avril 1995, est de soutenir les travaux de photographes professionnels contemporains et vivants encore peu connus, en les aidant à promouvoir et à valoriser leurs œuvres.
www.groupe.hsbc.fr

Fondation John Simon Guggenheim (1er octobre)
La fondation offre des bourses de recherche à des universitaires et des artistes pour leur permettre de poursuivre leurs recherches sur l'art, quel qu'il soit, le plus librement possible.
Site en anglais et en espagnol.
www.gf.org

Getty Grant for Editorial Photography (1re session : novembre ; 2e session : juin)
Getty Images permettra chaque année à 5 photographes de réaliser des projets d'ordre personnel et journalistique et de les lancer sur le marché grâce à ce nouveau programme de subvention. 5 bourses, chacune d'un montant de 20 000 dollars, seront accordées à 5 photojournalistes. Les lauréats seront sélectionnés par un jury indépendant en 2 sessions chaque année.
Site en anglais.
contributors.gettyimages.com

Grand Prix *Paris Match* du photoreportage étudiant
Pour les passionnés de photographies, *Paris Match* propose la 4e édition de ce Grand Prix. 3 prix dotés viennent récompenser les lauréats, avec à la clé la publication de leurs photos ! Le photoreportage doit raconter une histoire, de façon originale et innovante, un événement d'actualité, un fait de société ou une expérience personnelle qui a marqué ou ému le candidat.
www.parismatch.com

Hasselblad Foundation – The Victor Fellowship (février)
L'objectif de cette bourse de recherche est d'encourager la formation professionnelle et artistique dans une école supérieure en dehors des pays nordiques. La fondation est reconnue pour son excellence dans le domaine de la photographie.
Site en anglais.
www.hasselbladfoundation.org

Leica European Publishers Award for Photography
Prix de photographie décerné tous les ans par les éditeurs de livres de photographie Actes Sud (France), Apeiron Photos (Grèce), Dewi Lewis Publishing (Grande-Bretagne), Edition Braus-Wachter Verlag (Allemagne), Lunwerg Editores (Espagne) et Peliti Associati (Italie) en coopération avec Leica. La participation est ouverte aux projets d'ouvrages terminés, mais non publiés.
www.leica-camera.fr

Oscar Barnack Prize (31 janvier)
Le jury international récompense un photographe dont la force d'observation exprime de la façon la plus frappante la relation de l'homme à son environnement. Il faut pour participer fournir une série de 12 images.
Site en anglais.
www.leicacamera.com

Overseas Press Club Awards (fin janvier)

Les prix décernés à des journalistes travaillant à l'étranger se divisent en 2 catégories : rédaction et photographie. Le prix Robert Capa est l'une des récompenses les plus prestigieuses qu'un photographe puisse recevoir.
Site en anglais.
www.opcofamerica.org

Prix Kodak de la critique photographique

Créé en 1975, ce prix a pour vocation de révéler, de reconnaître et de promouvoir le talent d'un jeune photographe professionnel. Depuis 29 ans, récompensé par une bourse de 7 623 €, il a aidé plus de 50 jeunes photographes, parmi lesquels beaucoup sont des figures majeures de la photographie contemporaine.
www.absolut-photo.com

Prix Photo du Jeu de Paume

10 000 € à chaque lauréat (public, jury).
www.jeudepaume.org

The Art Directors Club (janvier)

ADC est une organisation à but non lucratif qui réunit les professionnels de la communication. Son concours annuel récompense le meilleur travail réalisé dans la publicité, les médias interactifs, la conception graphique, la conception éditoriale, le packaging, la photographie et l'iconographie.
Site en anglais.
www.adcglobal.org

World Press Photo Awards (janvier)

Des éditeurs du monde entier passent en revue les dizaines de milliers d'œuvres qui leur sont présentées dans 3 catégories distinctes. Les 3 lauréats reçoivent un billet d'avion pour assister à la cérémonie de remise du prix à Amsterdam, et leurs images voyagent à travers le monde grâce à une exposition et à la publication d'un livre.
Site en anglais.
www.worldpressphoto.nl

ORGANISATIONS PROFESSIONNELLES

American Society of Picture Professionals

Cette association professionnelle est destinée aux photographes, aux chercheurs en photographie, aux éditeurs photo, aux bibliothécaires.
Site en anglais.
www.aspp.com

British Association of Picture Libraries and Agencies

La BAPLA, association professionnelle britannique de bibliothèques d'images, est la plus grande organisation de ce type au monde.
Site en anglais.
www.bapla.org.uk

CAPIC National Office

Association canadienne des professionnels de la photographie et de l'illustration.
Site en anglais.
55 Mill St. Case Goods Bldg. 74, Suite 30
ON, MSA 3C Toronto (Canada)
Tél. : 416-462-3677
www.capic.org

Fédération des cercles photographiques (FCP)

La FCP représente l'aile francophone et germanophone de la fédération belge (FBCP). Elle a pour objet la pratique de la photographie, sa propagation et sa diffusion.
www.belgiumphotography.yucom.be

Fédération photographique de France

L'Union nationale des sociétés photographiques, fondée le 16 mai 1892 à l'initiative du savant Jules Janssen, avait pour but de réunir en un faisceau national les Sociétés de photographie constituées en France, en respectant leur autonomie. Elle établit entre elles les liens de confraternité et les relations amicales qui leur permettent d'unir leurs efforts lorsqu'elles ont à agir en commun dans l'intérêt du pays et de la science photographique. Elle s'est appelée plus tard Fédération nationale des sociétés photographiques de France (FNSPF), puis Fédération photographique de France (FPF).
Ourworld.compuserve.com

International Center of Photography

À la fois musée et école, ce centre est entièrement dédié à l'apprentissage de la photographie. Les étudiants peuvent s'inscrire à des cours particuliers ou à un cursus de Masters. Des expositions régulières et un fonds d'archives croissant en font une entité incontournable dans le monde de la photographie. Le musée et l'école se trouvent à New York.
Site en anglais.
www.icp.org

International Documentary Association
Cette association regroupe les supporters et les créateurs de films documentaires : producteurs, écrivains, réalisateurs, musiciens, chercheurs, journalistes et autres. Site en anglais.
www.documentary.org

Maison des photographes
121, rue Vieille-du-Temple
75003 Paris
Tél. : 01 42 77 24 30
www.upc.fr

Nature and Travel Photographers Network
Ce réseau international de photographes amateurs et professionnels regroupe les passionnés de la photographie de nature.
Site en anglais.
www.naturephotographers.net

Overseas Press Club of America
Cette association internationale est destinée aux journalistes qui travaillent aux États-Unis et à l'étranger.
Site en anglais.
www.opcofamerica.org

Picture Research Association
Cette association britannique regroupe les chercheurs dans le domaine de l'image.
Site en anglais.
www.picture-research.org.uk

Société française de photographie (SFP)
Fondée par un groupe d'amateurs, de scientifiques et d'artistes, dépositaire de l'une des plus importantes collections mondiales d'images et d'appareils anciens, la SFP est aujourd'hui une association reconnue d'utilité publique. Elle est animée par une équipe de chercheurs, spécialistes de l'histoire de la photographie.
www.sfp.photographie.com

The Association of Photographers
Cette association située au Royaume-Uni défend les intérêts des photographes d'édition, de mode et de publicité.
Site en anglais.
www.the-aop.org

Union des photographes créateurs (UPC)
121, rue Vieille-du-Temple
75003 Paris
Tél. : 01 42 77 24 30
www.upc.fr

World Press Photo
Située à Amsterdam, cette association a pour but de soutenir les photographes à travers le monde grâce à des programmes éducatifs, un concours annuel, des expositions et des livres.
Site en anglais.
www.worldpressphoto.nl

GROUPEMENT DE DÉFENSE

Association nationale des journalistes reporters photographes et cinéastes. (ANJRPC)
Le site des photojournalistes !
www.anjrpc.free.fr

Chambre syndicale des photographes professionnels (CSPP)
Studio Patrice Astier
89, rue de Bagnolet
75020 Paris

Groupement national de la photographie professionnelle (GNPP)
121, rue Vieille-du-Temple
75003 Paris
Tél. : 01 42 77 24 30
www.gnpp.com

International Federation of Journalists
Plus grande organisation au monde de journalistes, l'IFJ agit au niveau international pour défendre la liberté de la presse et la justice sociale à travers des syndicats indépendants de journalistes.
Site en anglais, français et espagnol.
www.ifj.org

International Journalists' Network
IJNET est un service en ligne destiné aux journalistes, directeurs de médias, professionnels d'assistance des médias, formateurs en journalisme et en média.
Site en anglais, en espagnol, en portugais et en arabe.
www.ijnet.org

Reporters sans frontières
L'association défend les journalistes et autres personnes travaillant dans les médias, qui ont été emprisonnés ou persécutés dans l'exercice de leurs fonctions.
Elle dénonce les abus et les tortures, pratiques courantes dans de nombreux pays.
www.rsf.org

Syndicat général des maîtres artisans et artisans de la photographie (SGMAAP)
7, rue de Morvan
75011 Paris
Tél. : 01 47 00 48 77
www.sgmaap.com

Union nationale des photographes des administrations et des collectivités territoriales (UNPACT)
www.itisphoto.com

Witness
Association de défense des droits de l'homme qui fournit aux activistes locaux des caméscopes pour filmer les violations des droits de l'homme.
Site en anglais.
www.witness.org

ÉCOLES/FORMATIONS

Centre d'enseignement professionnel de Vevey (CEPV) (Suisse)
École supérieure d'arts appliqués
www.cepv.ch

École des métiers de l'image
Les Gobelins
73, boulevard Saint-Marcel
75013 Paris
Tél. : 01 40 79 92 79
www.gobelins.fr

École du Louvre
34, quai du Louvre
75001 Paris
Tél. : 01 40 20 06 14
www.ecoledulouvre.fr

École nationale supérieure de la photographie
16, rue des Arènes
13631 Arles BP 149
Tél. : 04 90 99 33 33
www.ensp-arles.com

École nationale supérieure Louis Lumière
7, allée du Promontoire
93160 Noisy-le-Grand
Tél. : 01 48 15 40 10
www.ens-louis-lumiere.fr

International Center of Photography (États-Unis)
1133 Avenue of Americas
New York, NY 10036
Tél. : 212-857-0000
www.icp.org

Joop Swart Masterclass (Pays-Bas)
12 photographes sont sélectionnés chaque année pour passer une semaine à Amsterdam avec 7 des plus grands photographes et éditeurs du monde.
Site en anglais.
www.worldpressphoto.nl

Le B.A-BA de la photo
www.detonphoto.net

Photo numérique.com
www.photo-numerique.com

Photogramme-Procédés artisanaux
www.photogramme.org

San Francisco Art Institute (États-Unis)
800 Chestnut Street
San Francisco, CA 94133
Tél. : 415-775-7120
www.sfai.edu

Stages des rencontres d'Arles
www.stagephoto-arles.com

LIEUX D'EXPOSITIONS/MUSÉES

Centre national de la photographie (CNP)
Créé en 1982, le CNP présente des expositions photographiques temporaires consacrées à des artistes contemporains et, dans la section « L'atelier », à de jeunes artistes moins connus. Ces expositions s'accompagnent de catalogues, en vente au comptoir-librairie.
11, rue Berryer
75008 Paris
Tél. : 01 53 76 12 32
www.cnp-photographie.com

Fondation Henri-Cartier-Bresson
2, impasse Lebouis
75014 Paris
Tél. : 01 56 80 27 00
www.henricartierbresson.org

Maison européenne de la photographie
5-7, rue de Fourcy
75004 Paris
Tél. : 01 48 78 75 00
www.mep-fr.org

Musée d'Art moderne de la Ville de Paris
Palais de Tokyo
11, avenue du Président-Wilson
75016 Paris
Tél. : 01 53 67 40 00
www.cofrase.com

Musée de Charleroi (Belgique)
www.museephoto.be

Musée de l'Élysée (Lausanne, Suisse)
www.elysee.ch

Musée français de la photographie
78, rue de Paris
91570 Bièvres
Tél. : 01 69 35 16 50
www.photographie.essonne.fr

Musée Nicéphore Niepce
28, rue des Messageries
71100 Chalon-sur-Saône
Tél. : 03 85 48 41 98
www.museeniepce.fr

GALERIES PHOTOGRAPHIQUES

Galerie Anne Barrault
22, rue Saint-Claude
75003 Paris
Tél./fax : 01 44 78 91 67
www.galerieannebarrault.com

Galerie Baudoin Lebon
38, rue Sainte-Croix-de-la-Bretonnerie
75004 Paris
Tél. : 01 42 72 09 10
www.baudoin-lebon.com

Galerie Camera Obscura
268, boulevard Raspail
75014 Paris
Tél. : 01 45 45 67 08

Galerie du Jour, Agnès b
44, rue Quincampoix
75004 Paris
Tél. : 01 44 54 55 90
www.galeriedujour.com

Galerie La Chambre claire
14, rue Saint-Sulpice
75006 Paris
Tél. : 01 46 34 04 31

Galerie VU
2, rue Jules-Cousin
75004 Paris
Tél. : 01 53 01 85 51
Fax : 01 53 01 85 80
agencevu.com/fr/galerie/
agencevu.com/expositions/

Jeu de Paume
Site Sully : Hôtel de Sully
62, rue Saint-Antoine
75004 Paris
Tél. : 01 42 74 47 75
Site Concorde : 1, place de la Concorde
75008 Paris
Tél. : 01 47 03 12 50
www.jeudepaume.orgUniversity of New Mexico

Index

Note : sont indiquées en gras les pages où figurent des illustrations.

A

B

C

R

S

T

U

V

W

Z

Crédits photographiques

ABRÉVIATIONS :
NGSIC : appartenant au fonds d'image de la National Geographic Society
NGS : National Geographic Society
PS : photo de produit (avec la permission du fabricant, sauf indication contraire)

COUVERTURE : (haut gauche) Joel Sartore/NGS ; (haut droit) Jodi Cobb/NGS ; (bas gauche) Jim Webb/NGS ; (bas droit) Jason Edwards/NGS ; colonne, Gary Calton ; QUATRIÈME DE COUVERTURE : Michael Nichols/NGS

PAGES LIMINAIRES : 2-3, Jim Richardson ; 4, Carsten Peter ; 6, Michael Melford ; 8, Angelo Cavalli/zefa/CORBIS ; 9, Mark Thiessen, NGS ; 10, PS ; 11, Steve St. John/NGSIC.

CHAPITRE 1, LES APPAREILS COMPACTS : 12-13, Alaska Stock Images/Michael DeYoung ; 15, Jasper James/Getty Images ; 17, Aaron Graubert/Getty Images ; 18, John Burcham/NGSIC ; 20, Mark Thiessen, NGS ; 21, Bill Hatcher/NGSIC ; 22-23, Michael Nichols/NGSIC ; 24, Joel Sartore/NGSIC ; 25, Mark Thiessen, NGS ; 26, Library of Congress (#-DIG-matpc-14896) ; 27, PS ; 30 (haut), Mark Thiessen, NGS ; 30 (bas), PS ; 31, Bronwen Latimer, NGS ; 33, Fran Brennan ; 34-35, Chris Anderson/Magnum Photos ; 36-37, Paolo Pellegrin/Magnum Photos ; 38-39, Alex Majoli/Magnum Photos ; 40-41, Chris Anderson/Magnum Photos ; 42-43, Alex Majoli/Magnum Photos.

CHAPITRE 2, LES RÈGLES DE BASE : 44-45, Jodi Cobb, NGS ; 46-49, PS ; 50, Image Acquisition/Getty Images ; 51, Carsten Peter/NGSIC ; 52, Joel Sartore ; 53, Joel Sartore/NGSIC ; 54 55, Winfield Parks, NGSIC ; 57, Charlie Archambault ; 60-61, Justin Guariglia/NGSIC ; 63, Mark Thiessen, NGS ; 64, Slim Films ; 65, Bruce Dale ; 67, David Alan Harvey/Magnum Photos ; 68-69, Joel Sartore/NGSIC ; 70, Bruce Dale ; 72-73, Kenneth Garrett ; 74, Stephen Alvarez/NGSIC ; 76, Justin Guariglia/NGSIC ; 77, Richard Olsenius/NGSIC ; 78, Chris Anderson/Magnum Photos ; 79, Bob Martin ; 80 81, Sarah Leen ; 82, PS : 83, Bob Sacha ; 84, Sean Murphy/Getty Images ; 85, Dustin Hardin/Getty Images ; 86, Chris Johns, NGS ; 87, Michael Yamashita ; 88-89, Sandra-Lee Phipps ; 90, Fredrik Broden ; 92, Mattias Klum/NGSIC ; 93, Bob Martin ; 94, Jim Naughten/Getty Images ; 96-97, William Albert Allard, NGS ; 98 (haut), Mark Thiessen, NGS ; 98 (bas), Slim Films ; 99, Grace Bruty ; 100 (haut), Mark Thiessen, NGS ; 100 (bas) et 101, Michael Nichols/NGSIC ; 102, VCL/Spencer Rowell/Getty Images ; 104-105, Sisse Brimberg/NGSIC ; 106, James P. Blair ; 107, William Albert Allard, NGS ; 108-117, Jodi Cobb, NGS.

CHAPITRE 3, LES TECHNIQUES DE PERFECTIONNEMENT : 118-119, George Steinmetz ; 121, Bill Hatcher/NGSIC ; 122, Stephen Alvarez/NGSIC ; 123, Randy Olson ; 124, Raul Touzon/NGSIC ; 125, Bobby Model ; 127, Bob Martin ; 128 et 129, Gordon Wiltsie ; 131, Robert Clark ; 132, Randy Olson/NGSIC ; 134-135, Chris Johns/NGSIC ; 137, Timothy Greenfield-Sanders/Olympus Fashion Week/CORBIS Outline ; 138-139, Tim Laman ; 140, Rebecca Hale, NGS ; 142-143, Raymond Gehman/NGSIC ; 144-145, Michael Nichols, NGS ; 147, Martin Parr/Magnum Photos ; 149, Josef Isayo ; 151, Vincent Laforet ; 152, Josef Isayo ; 154, Michael Nichols, NGS ; 155, Chris Johns, NGS ; 156-157, Jim Richardson ; 158-159, Tim Laman/NGSIC ; 161, Robert Clark ; 162, David Arky ; 163, Holly Lindem ; 165, Jonathan Blair/NGSIC ; 166, Todd Gipstein/NGSIC ; 169, Joel Sartore ; 170-177, Michael Nichols/NGSIC.

CHAPITRE 4, LE CARNET DE VOYAGE D'UN TÉLÉPHONE-PHOTOGRAPHE : 178-179, Justin Guariglia/NGS/Getty Images ; 180-209, Robert Clark.

CHAPITRE 5, LA CHAMBRE NOIRE NUMÉRIQUE : 210-211, Frank Herholdt/Getty Images ; 213, Michael Pole/CORBIS ; 215, James L. Stanfield/NGSIC ; 216-248, John Healey ; 250 et 251, Julie Blackmon.

CHAPITRE 6, RÉALISER DE MEILLEURS TIRAGES : 252-253, Andrew H. Walker/Getty Images ; 255, George Eastman House ; 256-259 (haut), PS ; 259 (bas) Richard Olsenius ; 260, Library of Congress (#LC-DIG-cph-3f05982), 263-266, Richard Olsenius ; 268-269, Randy Olson.

CHAPITRE 7, LA PHOTOGRAPHIE ARGENTIQUE : 270-271, Kevin Horan ; 273, Museum of the History of Science ; 274, Gernsheim Collection, Harry Ransom Humanities Research Center, The University of Texas à Austin ; 275, Adam Fuss, avec l'aimable autorisation de Fraenkel Gallery, San Francisco ; 276, Library of Congress (#LC-USZC4-1807) ; 277, Hill & Adamson Collection, Glasgow University Library,

Department of Special Collections ; 278, Library of Congress (#LC-DIG-cwpb-02880) ; 279, Museum of the History of Science ; 280-281 et 283, George Eastman House ; 284, Victoria & Albert Museum ; 286, George Eastman House ; 288-289, Wes Pope ; 291, Autochrome Lumière 13x18 cm, Collection de la famille Lumière, avec l'aimable autorisation de Alain Scheibli ; 292-293, C.J. Gunther ; 293, David Burnett/ Contact Press Images ; 294, Prokudin Color Collection, Library of Congress (#LC-DIG-ppmsc-04413) ; 297, Dorothea Lange, Library of Congress (#LC-USF34- 009058-C) ; 298, Cornell Capa Photos par Robert Capa © 2001/Magnum Photos ; 299, Elliott Erwitt/Magnum Photos ; 301, Russell Kaye ; 302, University of Missouri School of Journalism ; 304-305, Reza/NGSIC ; 306, Joe McNally/Getty Images ; 307, Time Life Pictures/ Getty Images ; 308, Coneyl Jay/CORBIS ; 309, James Keyser/Time Life Pictures/Getty Images ; 310-317, William Albert Allard, NGS.

CHAPITRE 8, LA NUMÉRISATION : 318-319, Penny De Los Santos ; 321, Eddie Ephraums ; 322, M. Neugebauer/zefa/CORBIS ; 324-334, Richard Olsenius ; 337, Maggie Taylor.

CHAPITRE 9, L'ARCHIVAGE : 338-339, David Zaitz/Getty Images ; 341, Neo Vision/Getty Images ; 342, Carl Glover/Getty Images ; 343, Henry King/Getty Images ; 344, Christopher Stevenson/zefa/CORBIS ; 346, Debbie Grossman ; 347, Rebecca Hale, NGS : 349, Raymond Gehman ; 351, Richard Olsenius ; 352, Alfred Eisenstaedt/Time Life Pictures/Getty Images ; 353, Time Life Pictures/Getty Images ; 354, Tomasz Tomaszewski ; 357, Richard Olsenius ; 358-359, Annie Griffiths Belt.

CHAPITRE 10, APPLICATIONS PHOTOGRAPHIQUES : 360-361, Jodi Cobb/NGS ; 363, Rebecca Hale, NGS : 365 et 367, PS ; 369, Fran Brennan ; 371, Robert Caputo ; 373, Bob Martin ; 375, PS ; 377 (haut) avec l'aimable autorisation de Gail Ghezzi, (bas) avec l'aimable autorisation de Stuart Segal ; 379, PS.

Photographe professionnel basé à Londres, **Bob Martin** est spécialisé depuis plus de 20 ans dans la photographie de sport et le reportage documentaire. Ses images, largement récompensées, sont parues dans *Sports Illustrated, Time, Stern, Paris Match* et *The Sunday Times.*

Photographe fréquemment primé pour son travail, **Robert Clark** compte à son actif 12 dossiers pour le *National Geographic* et 60 photos de couverture de livres. Il vient de publier un des premiers ouvrages consacrés aux photos prises avec un téléphone portable, intitulé *The Camera Phone Book.*

John Healey a travaillé pendant plusieurs années comme assistant et photographe professionnel pour différents magazines et clients. Il est diplômé en journalisme de l'Université du Texas à Austin.

Richard Olsenius est photographe, réalisateur de films et ex-directeur photo du magazine *National Geographic.* Souvent primé, son travail est paru, au cours de ses 35 années de carrière, dans de nombreux livres et articles pour la National Geographic Society.

Robert Stevens a été directeur photo du magazine *Time.* Il collectionne les livres sur la photographie, travaille comme consultant pour Sotheby's et enseigne à l'International Center of Photography and the School of Visual Arts à New York.

Ayant débuté chez Kodak (Rochester, N.Y.), **Debbie Grossman** a consacré presque toute sa vie à la photographie. D'abord directrice photo de *Nerve.com,* elle est actuellement rédactrice au magazine **Popular Photography**, où elle s'occupe des logiciels et écrit la colonne mensuelle sur Photoshop®, Digital Toolbox. Photographe à ses heures perdues, elle expose son travail avec le collectif d'artistes #nine.

Fran Brennan a rédigé des articles et des reportages pour les magazines *Miami Herald* et *People.* Elle a également écrit pour le *Washington Post.*

LE GUIDE PHOTO NATIONAL GEOGRAPHIC

de Bob Martin, Robert Clark, John Healey, Richard Olsenius, Robert Stevens, Debbie Grossman et Fran Brennan est une publication de la National Geographic Society.

Président-directeur général : John M. Fahey, Jr.
Président du conseil d'administration :
Gilbert M. Grosvenor
Vice-présidente, présidente du Département livres :
Nina D. Hoffman

Édition originale
Vice-président et directeur éditorial : Kevin Mulroy
Directrice de l'édition : Leah Bendavid-Val
Directrice artistique : Marianne R. Koszorus
Éditrice en chef : Barbara Brownell Grogan
Directrice de publication des guides touristiques :
Elizabeth Newhouse
Directeur de la cartographie : Carl Mehler

Ont participé à la réalisation de ce livre :
Éditeur et éditeur iconographique : Bronwen Latimer
Éditrice : Rebecca Lescaze
Directrice artistique : Peggy Archambault
Consultant : Russell Hart
Responsable du projet en fabrication : Lewis Bassford
Responsable iconographique : Meredith C. Wilcox
Stagiaire : Allison Morrow
Rédactrice en chef : Rebecca Hinds
Directeur de la fabrication : Gary Colbert

Production et contrôle de la qualité
Directeur financier : Christopher A. Liedel
Vice-président : Phillip L. Schlosser
Directeur technique : John T. Dunn
Directeur : Vincent P. Ryan
Directeur : Chris Brown
Responsable : Maryclare Tracy

Édition originale

Première institution scientifique et pédagogique à but non lucratif du monde, la National Geographic Society a été fondée en 1888 « pour l'accroissement et la diffusion des connaissances géographiques ». Depuis lors, elle a apporté son soutien à de nombreuses expéditions d'exploration scientifique et fait découvrir le monde et ses richesses à plus de neuf millions de membres par le biais de ses différentes productions et activités : magazines, livres, programmes de télévision, vidéos, cartes et atlas, bourses de recherche. La National Geographic Society est financée par les cotisations de ses membres et la vente de produits éducatifs. Ses adhérents reçoivent le magazine National Geographic – la publication officielle de l'institution. Le magazine existe en français depuis octobre 1999.
Visitez le site web de National Geographic France :
www.nationalgeographic.fr

Édition française

NG France
Directrice éditoriale : Françoise Kerlo
Responsable d'édition : Marilyn Chauvel
Responsable de production : Alexandre Zimmowitch

Traduction des mises à jour : Franck Jouve
Traduction : Géraldine Bretault,
Marie-Christine Gaudinat-Chabot
Relecture : Céladon Éditions
Mise en page : Compotext
Conception graphique de la couverture : Véronique Zonca

ISBN-13 : 978-2-84582-323-5
Dépôt légal : avril 2010

Impression Cayfosa - Impresia Iberica (Espagne)